中外學者談文革

香港中文大學中國文化研究所
當代中國文化研究中心集刊（六）

中外學者談文革

熊景明、宋永毅、余國良　主編

中文大學出版社

《中外學者談文革》
熊景明、宋永毅、余國良　主編

國際統一書號（ISBN）：978-988-237-101-9

出版：中文大學出版社
香港 新界 沙田・香港中文大學
傳真：+852 2603 7355
電郵：cup@cuhk.edu.hk
網址：www.chineseupress.com

Cultural Revolution: Recollections, Reconstructions, and Reflections
Edited by Jean Hung, Yongyi Song, and Yu Kwok Leung

ISBN: 978-988-237-101-9

Published by The Chinese University Press
The Chinese University of Hong Kong
Sha Tin, N.T., Hong Kong
Fax: +852 2603 7355
Email: cup@cuhk.edu.hk
Website: www.chineseupress.com

Printed in Hong Kong

1950年南京市「十一」遊行（楊克林編著：《文化大革命博物館》，
東方出版社有限公司、天地圖書有限公司，1995）

土改批鬥、槍斃地主現場（網絡圖片）

1956年南京市慶祝公私合營，跑步進入社會主義（攝影：曉莊）

批鬥天主教修女(楊克林編著:《文化大革命博物館》)

1966年，批鬥七名黑龍江省委書記（©李振盛）

批鬥民盟主席章伯鈞（楊克林編著：《文化大革命博物館》）

清華大學演出的大型舞蹈《翻案不得人心》
(圖片由《老照片》提供)

紅衛兵批鬥「壞份子」
(楊克林編著:《文化大革命博物館》)

在毛主席、林副主席身邊(網絡圖片)

重慶為武鬥中被打死的學生送殯（周孜仁提供）

1968年北京青年告別親友赴陝北農村插隊落户（潘鳴嘯提供）

一月奪權風暴(文革宣傳畫)

農村階級教育(馮克力提供)

毛主席最新指示講用會(馮克力提供)

永遠忠於毛主席(文革宣傳畫)

人民解放軍堅決支持無產階級革命左派
(文革宣傳畫)

革命委員會好(©李振盛)

遇羅克雕像（2009）（雕像作者：鄭敏）
「我並不是英雄，在沒有英雄的年代裏，我只想做一個人。——北島」

審判江青（網絡圖片）

兒童批判「四人幫」（網絡圖片）

目　錄

個人及制度的反思

導　言

以史為鑒看文革

熊景明

1976年9月，「紅太陽」隕落，神州靜悄悄，於無聲處聽驚雷。果然，不過二十九天後，「四人幫」被捕，其中最重要的成員乃毛澤東的未亡人，「文化大革命的偉大旗手江青同志」。毛對文革負主要責任是不容辯駁的事實，對毛的批判將引起的震盪無法預測。這尷尬局面在將近五年後，才找到折衷的解決方式。1981年6月27日，中國共產黨第十一屆中央委員會第六次全體會議通過〈關於建國以來黨的若干歷史問題的決議〉，將文革定性為「一場由領導者錯誤發動，被反革命集團利用，給黨、國家和各族人民帶來嚴重災難的內亂」，民間用「浩劫」形容剛過去的動盪。中國在十四年抗戰、四年內戰之後迎來不平靜的「和平時期」。共和國成立後的三十年，1949至1978年間政治運動不斷，多少人死於無辜，幾代人最好的年華在動盪中蹉跎過去。民眾只渴望過上太平的日子，既往不咎成為共識，驚魂甫定的國人，跟隨鄧小平「摸着石頭過河」。

對文革「後遺症」的處理，限於處罰、關押被認定為需要對文革「打、砸、搶」事件負責者及所謂「三種人」(追隨林彪、江青反革命集團造反起家的人，幫派思想嚴重的人，打、砸、搶份子)。對1949年以來制度和政策的批判，乃至對共產主義運動在中國實踐的反思，雖然成為官方和民眾中多數人的共識，卻心照不宣。一些模糊的口號表達了當局覺今是而昨非，「實踐是檢驗真理的唯一標準」表示：實踐證明，階級鬥爭、不斷革命的理論是錯誤的；毛澤東主導的各個政治運動被實踐證明是錯誤的(乃至犯罪)。三十多年來，民間思想言論的空間首度出現。不說只做的策略依然推動了1980年代的思想解放。獨立思考能力與創造力的釋放，是中國社會得以進步的根本。

文革是整個民族慘痛而沉重的教訓，不應當看成僅僅是某領導人的錯誤。很可惜，今天的年輕人大多將文革看成一場「走資派」和「造反派」之間的鬥爭，甚至以為是一場民眾狂歡或者百姓動亂。不明白為何中國人集體發神經，長達十年之久。同事、同學分為勢不兩立的兩派，打個你死我活，甚至打死自己的老師，告發自己的父母。本書作者大多為國內外資深的文革研究者，大部分經歷過文革，其中不少以文革研究為畢生志業(作者簡介見書末)。合力寫下這部《中外學者談文革》，旨在記錄文革，引證事例，講述過程，提供佐證，以反省制度、人性以及文化，希望藉歷史的燭光照亮未來。

一　文革發生的背景

2008至2012年間，胡錦濤總書記三次在黨的重要會議上提出「不折騰」的方針。這句用心良苦的隱喻難倒了新聞發佈會翻譯，即席創造一個英文字"bu zheteng"，引發網上的翻譯比賽。經歷過前三十年的人，都明白最貼近總書記原意的翻譯是"no political movements"，不搞政治運動。前三十年與後三十年(希望也是永遠的未來)最大不同在於稱之為毛澤東時代的前三十年，是一個運動不斷、折騰不息的社會。本書附有丁抒整理的，從1949到1966年文革發生前中國經歷的主要政治運動簡介：土地改革運動、鎮壓反革命運動、朝鮮戰爭和抗美援朝運動、「三反」運動、「五反」運動、農業合作化運動、工商業社會主義改造運動、反對胡風反革命集團運動和肅清反革命運動、反右運動、大躍進運動、人民公社運動、反右傾運動、「四清」運動。每個運動都令一批無辜民眾受難甚至失去生命，同時令民族元氣大傷。

上面列舉的政治運動，還沒有包括許多局部、規模相對不大的運動。這些大大小小的政治風暴，都可視為文革的前期準備。例如1960年代初學習毛澤東思想的運動，將毛的每句話奉為神諭。「打翻在地，再踏上一隻腳」、「革命不是請客吃飯……不能那樣……溫良恭儉讓，革命是暴動」等毛主席的教導，乃是文革中紅衛兵高呼的口號，是他們行為的理據。

「階級與階級鬥爭」作為馬列主義和毛澤東思想的核心，據此制定的政策統領了中國三十年。林達的文章梳理了無產階級專政如何混淆了「罪與非罪」的概念。相當一部分人的公民權利被剝奪，甚至於將他們投入監獄或者槍斃，形成社會上人人自危的氣氛。專政對象不許亂説亂動，普通人也不敢「亂説亂動」。誰是專政的對象呢？這些「賤民」或者説「敵對份子」絕大多數的「罪名」，僅僅因為他們曾經擁有的社會地位，包括通過合法手段擁有土地或資本的富裕階層，或者曾經在國民政府擔任中級以上公務員、軍隊官兵。這些人背負着「地富反壞」(地主、富農、反革命、壞份子)的身份罪。當時中國有六億人，此類「二等公民」有兩千萬人。1954年的《中華人民共和國憲法》規定：「國家依照法律在一定時期內剝奪封建地主和官僚資本家的政治權利」。僅1950至1952年，被處決的「四類份子」達70萬人。

此後每一次政治運動補充一批「階級敵人」。1958年反右運動增加了55萬名右派，大多數是單位裏業務出眾者、大學裏善思考的優秀學生。從此階級敵人的統稱變為「地富反壞右」，這些右派份子作為運動對象被打入另冊，甚至受牢獄之災或失去生命。他們的家人由於家庭出身或「社會關係」受牽連，林達稱之為「受迫害核心群體」。對整個民族而言，對精英的摧殘帶來的損失無法估量。

文革中，無產階級專政演變為「群眾專政」，為了自保或政治上進取，不乏人以對這些身份罪者的殘忍來證明自己的革命性。這些「五類份子」或者「四類份子」成為「紅色恐怖」的核心迫害對象，貫穿整個文革沒有改變，他們所承擔的罪名沒有改變，迫害的模式沒有改變，數量則在文革迅速擴大，迫害的嚴酷程度也前所未有。

本書不少章節對文革具體事件的描述，證實了他的論點。毛澤東時代一方面是洗腦、一言堂；另一方面通過政治運動令敢於思索的發言者淪為專政對象。丁東的〈毛澤東時代的青年思想者〉闡述了這一時期言論控制如何逐步升級。幾位蘭州大學被打成右派的畢業生下放到農村後，了解到農民的苦況及成因，有感而發，自辦了兩期油印雜誌《星火》。相關43人全部被捕，判刑25人。1970年，主編及同情他們的縣委副書記被處以死刑。文章列舉了在如此高壓之下，思想者依然湧現。他們的言論如星火燎原，對解除億萬中國人的迷信起到至關緊要的作用。思想的統一、社會的共識，只能建立在對黑白是非的辨別、對歷史與現實真相的認識之上。

二　文革對文化及經濟的破壞

丁抒的文章描述文革中遍及城鄉的「橫掃一切舊習俗、舊文化」的「破四舊」運動。標誌舊文化的古建築、墳墓、寺廟，包括藏族地區的喇嘛寺被毀。運動不僅掃蕩歷史建築，也進入私人家中，就像法西斯黨衛隊隨意衝進猶太人家洗劫一般，紅衛兵成群結隊闖進被他們貼上各種各樣標籤的人家，翻箱倒櫃，將私人收藏的文物、書籍、古畫，或拿走充公，或當場焚燒，數萬人在「破四舊」中被打死。文章中列舉的那些令人心疼的數字與事實均來自公開出版物，包括上百部地方志。如今人們多已經忘記，1950年代大規模的土改運動中有過範圍更廣，更徹底的抄家運動。毛澤東在〈湖南農民運動考察報告〉中寫到「反對農會的土豪劣紳的家裏，一群人湧進去，殺豬出穀。土豪劣紳的小姐少奶奶的牙牀上，也可以踏上去滾一滾」。這樣的行為，被毛澤東讚揚為「好得很」。這篇文章也證明了「捉人戴高帽子遊鄉」早有先例，還不是文化大革命的發明。

摧殘文化的另一方面是對科技人員、學者等各種知識人和文化人的貶抑和迫害。丁東的〈文革中的中國知識份子〉分析了1949年以來對知識精英階層的政策。政治運動，尤其是1957年的反右運動都以掃除這個階層的尊嚴，限制他們的思想為目的。文革中作為「臭老九」、「反動學術權威」的知識人及科技人才，和「走資派」一樣受到批鬥。不堪屈辱與折磨而選擇自殺者，以千萬計。1966至1976年，大學關門的十年，科研、文創及各種智力活動，基本停頓。全國人民只能觀看由江青主導的八個文藝劇碼，稱之為樣板戲，可謂中外歷史上絕無僅有的現象。

陳意新的文章指出，1950年代初農民分到的土地很快被「合作化」了，農民成了為國家生產糧食的勞動機器。農民被戶口制度釘牢在祖先的那片土地上，連大饑荒時期出去逃荒都被禁止。充滿恐嚇與暴力的「四清」運動是農村文革的前奏。文革時期「農業學大寨」運動，勞動強度空前，令農民苦不堪言。糧食產量下降，為城市提供的徵購任務必須完成，交完公糧後，所剩不足以果腹，大多數農民處於半飢餓狀態。不少人的回憶錄寫到，勞改釋放的農民要求留下，因為勞改隊吃得比家裏飽。階級鬥爭升溫造成某些農村地區的對所謂階級敵人的批鬥和集體屠殺。湖南道縣大屠殺中，受難者包括僅出生十天的嬰兒到七十八歲的老者。

楊繼繩分析了文革時期的經濟。毛時代將發展經濟、改善民生作為「走資本主義道路」批判，以解放全人類作為終極目標。而今對文革仍然充滿浪漫想像的人，也許不知道前三十年提倡「苦幹、大幹」，勒緊褲腰帶幹革命，反對追求物質生活，「以苦為樂，以苦為榮」(當然不包括領導者本人及特權階層)。文革中許多工廠停工，或半停工，「抓革命、促生產」的口號只有前半句在作用。所幸農民還在種地，城市居民有基本的口糧賴以生存，到後期，每月供應的糧食也很緊張，大饑荒時期的雜糧摻飯又回到飯桌上。最普通的副食品，糖、肉、豆腐成為奢侈品。農民的勞動強度隨着政治的高壓而增加，半飢半飽是常態。

三　文革中的年輕人

印紅標的文章講述了北京的大中學生如何被利用與操縱，將文革從理論批判推演成充斥暴力的紅衛兵運動。最具代表性的場面乃身穿父母舊軍裝、戴軍帽、腰紮皮帶的少男少女，穿大街過小巷，一路高呼：「老子英雄兒好漢，老子反動兒混蛋，滾你媽的蛋！」「毛主席萬歲！萬萬歲！」他們響應毛主席的號召幹革命，衝進私人住宅抄家，開批鬥會，打老師⋯⋯北京中學生到全國各地「煽風點火」，一時間，全國人都得效法這些少年人的狂熱，早晚唸《毛主席語錄》，跳「忠字舞」，社會無秩序，個人沒有安全感，無人料到如此的亂象與癲狂延續十年之久。

一代青少年，文革開始時成為運動主力軍。一批批來自全國各地的學生，在天安門接受毛主席檢閱，發誓緊跟偉大領袖。主席對一名女中學生的戲言「要武嘛」，讓全國各地造反派中好鬥好勇者得到了「最高指示」。那個時代，極少數人有條件出門旅行，因為工作分居兩地的夫婦一年見到一次，離家工作的子女數年才有條件回家探望父母。而一夜之間，中央下令，全國的中學、大學生可以免費去北京見毛主席。繼而「大串聯」開始，學生可以免費乘火車全國行走，各地設立紅衛兵接待站，免費提供食宿，為紅衛兵宣傳和鼓動文革提供方便。無須上學，免費旅遊的夢幻日子終有盡頭。到1968年底，革命小將從政治舞台上被推下來，強行送往農村，美其名曰「接受貧下中農的再教育」，實則被文革利用完畢後統統流放到窮困邊遠的農村。

讓這些五穀不分的人去務農，將千千萬萬家庭拆散，剝奪了年輕人受正規教育機會的非法、違反人性的舉措稱為「知青運動」。詩人食指寫過一首詩〈這是四點零八分的北京〉，記知青別故鄉的一剎那，令人想起杜甫的詩句「牽衣頓足攔道哭，哭聲直上干雲霄」。對這些孩子和他們家人，那是沒有歸期的離別。他們每個月的糧食供應連同戶口被注銷，不下鄉則要背上破壞上山下鄉運動的罪名。67、68、69屆的大學畢業生被送到解放軍部隊農場「接受鍛煉、改造」。「知識青年上山下鄉」在中外歷史上均無先例，該政策影響了整整一代中國人，成為集體記憶。潘鳴嘯（Michel Bonnin）的文章介紹這一場特殊和複雜運動的來龍去脈，並分析了運動的成因及後果。王克明的個人經歷是生動的佐證，也顯示出某些地區知青在農村文革中的作用。

徐友漁的文章分析了毛時代年輕人的思想啟蒙，由革命小將到流放農村的經歷引起一些人的思考。帶領全國人民對毛澤東無限崇拜的副統帥林彪企圖投敵，動搖了年輕人宗教般的信仰。在迷惑中思考、懷疑舉國狂熱、探索真理的年輕人中，最了不起的是一位年僅24歲的青年工人遇羅克。他在「紅色恐怖」的年月寫下批駁「血統論」文章，呼喚常識理性。1970年3月5日遇羅克被槍斃。多少人付出生命的代價，才使得這一兩代中國人擺脱盲目的領袖崇拜，學習獨立思考；從造反有理到尊重法制，從你死我活的鬥爭到認同和諧、平等、友善的價值觀。

四　全國性的十年災難

與歷史上的動亂與戰亂不一樣，文革沒有前方後方。沒有一個縣、一個村莊，乃至一個家庭能夠倖免，只是程度不同而已。何蜀、宋永毅分別記述了文革武鬥最嚴重的兩個地區，重慶和廣西。在重慶武鬥中，那些準備為了保衛毛主席和黨中央犧牲性命的年輕人，在不同的兵器工廠和軍隊的支持下，彼此之間真槍實彈打起「內戰」。今天重慶沙坪壩文革死難者公墓的433座簡陋的墳墓中，埋着十幾歲到二十幾歲的逝者，見證一段不應當被忘卻的歷史。

宋永毅用官方編撰的史料描述了廣西文革時期人吃人、大規模槍殺無辜、大規模性暴力的事實。情節血腥恐怖，聽起來匪夷所思。曾經有大約9萬至20萬人被折磨致死或直接被槍殺。他們因家庭出身被列為階級異己份子的人，包括他們的孩子，也包括因文革派系被扣上罪名的民眾。種種酷刑，令人毛骨悚然。這些詳實的調查，作為內部資料封存。今天廣西的年輕人，恐怕也無從知道家鄉的這段血腥往事。

民間學者李遜講述造反派奪取上海市委領導的「一月革命」，以及背後的內幕。這一文革中的標誌性事件，引發全國從各級行政機構到各單位的「奪權」，即由造反組織接管各政府機關部門，稱之為「全國山河一片紅」。文章説明權力的更換並沒有脱離「如來佛的掌心」，並非群眾組織的意圖或者他們的勝利。

五　文革的支柱

文革的亂象背後，有堅實的社會凝聚力和國家控制力。前者來自領袖人物的絕對權威及其群眾盲目崇拜，後者基於對軍隊的控制以及專政，即不必用法律作為依據的鎮壓手段。文革中，軍隊仍然穩穩地在黨和毛澤東的指揮下，絕度服從命令；專制之下，雖然愈來愈多的人開始懷疑，表面上仍舊必須服從。

丁凱文的文章講述軍隊是毛澤東發動文革的主要依靠力量。將軍人對毛澤東的絕對效忠，推廣為全民的效忠，以「忠不忠於毛主席」作為衡量一切是非的標準，在文革前就開始了。文革中軍隊是隨叫隨到的別動隊，控制學生派他們做「軍宣隊」，支持造反派讓軍隊去「支左」，大學畢業生送到軍墾農場接受鍛煉改造，地方政府癱瘓直接由軍隊接管。最具諷刺意味和戲劇性的是，文革的結束十分有戲劇性。林彪的兒子林立果，一名年輕軍官及其夥伴，寫出一份揭發最高領袖罪行的檄文〈五七一工程紀要〉，一篇大實話推倒一尊神。

魏昂德 (Andrew G. Walder) 回憶起1980年代初他到中國做訪問研究，就連剛認識的人，也爭相對他描述文革的瘋狂與不幸。有人舉起五根手指，搖動大拇指，笑道：「四人幫」。那是文革後老百姓一致看法。他的文章指出，文革發生的前提是領導層中一些人對毛的忠誠超過對黨的忠誠。毛利用這些人以及妻子江青做出人事佈局，控制宣傳機器，借重林彪控制軍隊，最終摧毀黨的組織體系。中央文革小組實際上是毛的指揮部，暗中活動，動員群眾造反，形成情報網絡，但未能完全掌控局面。現在看到的文革研究，大部分都支持這一判斷，只不過無人像他這樣直言皇帝沒穿衣服。

文革中最普遍的現象是每個城市和縣、鄉，都有勢不兩立的兩大造反派。他們卻有共同的目標和誓言：誓死保衛毛主席，誓死保衛黨中央。他們胸前帶着毛主席像章，任何場合都舉着一本「紅寶書」：《毛主席語錄》。文革高潮時期，每天早上需要站在主席像前舉着小紅書進行「早請示」，晚上同樣的儀式稱之為「晚匯報」。如此的瘋狂與荒謬有兩個基礎，一是不得而已的順從，再就是發自內心的個人崇拜。

馮客(Frank Dikötter)的文章分析了個人崇拜的歷史淵源，描述毛崇拜的各種荒誕現象。也許沒有人能夠理解或者分析這個文明古國何以集體陷入非理性。只能說，文革災難不再重演需要對制度的檢討，也需反思人性，需要家庭及學校教育強調獨立思考，尤其要避免個人崇拜。

六　個人及制度的反思

一樁惡行，往往由制度與人性之惡共同造成。西方有諺語道「人心中住着一個天使和一個魔鬼」，政治運動中為了自保、過關，心中的魔鬼被喚出來，去揭發、告密，甚至打人、殺人。楊顯惠寫的《夾邊溝記事》、艾曉明拍的《夾邊溝祭事》對此有生動具體的記載。彼此揭發的運動模式令人與人之間的關係緊張。沒有運動的日子，政治之弦依然緊繃。各行各業的人，包括農民或學生都得花許多時間參加政治學習、開會、聽報告。無形的繩子捆住人的思維，左右人的行為，它叫做階級鬥爭。「階級鬥爭，一抓就靈」是控制思想言論，限制人們正當行為的法寶。

周孜仁曾經是文革時期的風流人物，為重慶兩大造反派之一「八一五派」最重要的筆桿子。階級鬥爭教育在這名求上進的好學生心中留下仇恨種子，他深信，「對敵人要像嚴冬一般殘酷」，敵人可以是他的同學、老師。他對領袖有着信徒般的景仰，願意跟隨毛主席幹革命，渴望成為拯救世界的天使，以生命為代價也在所不惜，文革中成為蔑視生命的狂熱份子，以無畏的勇氣拿起殺人的武器。他的反思不止於認識，之後他成為民間文革研究者，成績斐然。

王復興的故事幫助我們了解，家人之間為何因為政治而失卻親情。並非政治觀點不同，而是兒子害怕父親的「政治問題」影響自己的前程，不惜告發，與之劃清界限。父親來到他唸書的北大，兒子假裝是陌生人。父親是一位黨內知識份子，大半生受到組織的政治迫害。他們兄弟姐妹多年來不理會父親，令他每天受到來自親生兒女的「懲罰」。幸而父親活到文革結束，有機會接受兒子的一聲道歉。

德國從戰後至今，一直推行「非納粹化」運動。從公民教育入手，尤其針對學生，通過戰爭的描述，揭露戰爭殘酷和慘烈；通過講述受害者的悲慘境遇，揭露法西斯罪行，反省德國法西斯主義帶給世界人民的苦難；通過追溯和回憶，反思納粹德國的歷史以及德國人應當承擔的責任。德國總理默克爾（Angela Merkel）說：「每個德國人都必須反思自己在過去的作為和不作為。」這是一個痛苦的過程，但德國正視歷史的做法是對的，可以讓後代不重蹈覆轍。

中國的做法相反。秦暉指出，雖然徹底否定文革已經寫進黨的決議，卻漸漸避而不談，使得社會對文革的認識墮入誤區。將文革定性為毛主席發動人民群眾反對當權派的鬥爭之說，為不少人所接受，在對改革開放不滿的人群中尤為普遍。「擁毛反鄧」是毛粉的普遍意識，這是當今社會不穩定的隱患。站在當權派的立場上，自然會認為自己安安穩穩當官的前十七年是對的，文革是錯的。也有少數「民主派」置文革的巨大破壞不顧，認為文革體現了民主，值得肯定。第四種文革敘事追溯到對1949年後體制的反省，在文革學者中是主流。

在文革剛結束的1980年代初，徹底否定文革曾經是黨內一致的呼聲。1983年廣西組織了十萬黨政幹部，花了四年多時間，調查、處理文革遺留問題。宋永毅的文章便是基於十八卷廣西文革調查寫成。每一個省、市、縣都有足夠豐富的史料寫一部地方文革史，但現有的文革史料被封存。徐友漁多年前指出，文革發生在中國，而文革研究在境外。如今文革資料收集最齊全的圖書館和研究機構，都在境外。直到1990年代末，文革研究在國內雖然沒受到重視和鼓勵，但也沒有被禁止。今天則因為誰也不能理解的原因，國內關於文革的文字都不允許發表。

文革後的黨和政府啟動改革，從行動上否定了毛時代。先從經濟體制入手，解散人民公社，將土地使用權還給農民立見奇效。幾個收穫季節便結束了三十年來數億農民的半飢餓狀態。數年後，破天荒的，市民再不需要憑票買糧食、買肉、買豆腐。民營經濟得以擠進獨霸市場三十年的國營經濟，出現所謂「雙軌制」。法制建設、政治與行政制度的改革滯後，經濟運作缺乏規則和秩序管束，如脫韁野馬，讓人性的貪婪有空子可鑽。處於近水樓台的官員及其親友先富起來了，1980年代末，民間對「官倒」的怨恨引發一場學運。學生得到群眾的支持，天安門廣場迎來歷史上最絢爛的春天，人們興致高昂，感覺在參與創造歷史。壯闊而動人的場景通過傳媒呈現出來，感動了世界各地的華人，香港人尤甚。領導者誤判，加之街頭運動難免的弊端，和解的機會一再失去，當局採取最極端的手段鎮壓學運。曾經凝聚了多少人的期盼，狂歡節一般開始的運動以悲劇收場，歷史大倒退，對文革的公開的反思戛然而止。

七　走出毛時代

1976年10月江青被捕，1981年被判處死刑，緩期兩年執行。江青在審判庭上激動地高叫：「我就是毛主席的一條狗……在毛主席的政治棋盤上，雖然我不過是一個卒子……」江青文革前是一位極為低調的第一夫人，文革中拿到尚方寶劍，囂張跋扈。誰都知道她根本沒有能耐去發動和主導文革，讓她為先夫背上罪名毫無理由，符合了電視宮廷劇對紅顏禍水的演繹。1991年5月江青在保外就醫期間自殺。想必她至死不能明白，丈夫的遺體躺在水晶棺材中供萬人敬仰，肖像掛在天安門城樓上，象徵他不變的精神領袖地位，他的遺孀卻因為遵從其旨意被判死刑。這也是許多中國人心中的疑問，是無法永久迴避的對歷史的叩問。

1977年7月召開的中共十屆三中全會，結束了1949年以來政治掛帥的毛時代。當時指導國家政策和個人行為的準則叫做「兩個凡是」:「凡是毛主席作出的決策，我們都堅決維護；凡是毛主席的指示，我們都始終不渝地遵循」。會議同時決定了新的國策:「停止使用『以階級鬥爭為綱』的口號，確立解放思想、實事求是的思想路線」。四十年過去了，國家的經濟政策、外交政策今非昔比，政治改革雖然沒有提上日程，一系列行政改革，司法程序的改革，都逐步推進。法律上對私有財產的保護，表示放棄了前三十年的社會主義公有制度；取消對農民極不公平的戶口制度，亦是對前三十年的否定。最為意味深遠的改變，是取消了前三十年的階級劃分，取消保密的個人檔案制度。而今的年輕人難以想像，你們的祖父母或父母當初升入初中、高中、大學的資格需要受到政治審查。如果此人的家庭屬於「剝削階級」，家人及親屬中有被關押、管制，或槍決的，無論學業成績如何，可能失去升學機會，或者只能進入次一等的學校。

按毛時代執政黨理解的馬克思主義理論，消滅屬於剝削階級的地主、富農、資本家，沒收了他們的土地和財產是正當行為。這些被打倒的群體，農村的地主和富農、城市的資本家和實業家、知識份子中的思想者，曾經代表社會的先進生產力和先進文化。今天這個階層重新崛起，成為社會中堅。鄧小平有一句打破毛時代均貧政策的名言「讓一部分人先富起來」。紅二代和官二代捷足先登，「地富反壞資(本家)」的後代佔先天優勢，成為這「一部分人」。有一則笑話道，某高官將母親從鄉下接到北京。看到兒子豪華的住所，奢華的生活，老人家憂慮地說：「兒子啊，好是好，共產黨來了怎麼辦？」歷史給我們開了頗大的一個玩笑。

文革結束後，公開的文革反思及對毛時代的反思，雖然沒有大張旗鼓地進行，但經歷過文革的人，大都醒悟。在百廢待興的1980、90年代，痛陳文革災難很普遍。鄧小平認為毛的旗幟不能倒，在三中全會之後三個月，發表了「堅持四項原則」的講話，制止了全國一片要求批毛的呼聲。實際上，鄧小平、趙紫陽、胡耀邦等黨領導人，已經把對文革的否定延伸到了對文革前十七年的反思與否定。胡耀邦親自主持全國範圍的平反冤假錯案，不僅包括文革中的冤案，也包括前十七年積累的冤案。大量在鎮壓反革命、反右等運動中受到懲處的無辜者，此時得以恢復名譽。雖然國家沒有對歷次運動的受害者做出補償，也沒有人向他們道歉，平反本身已說明哪一方做錯了。

老百姓只求平安，甚至不願意對兒孫講述過往的遭遇，希望他們與政府同心同德，入黨入團。2000年以來，民間湧現回憶寫作風潮，公開出版以外，自費印刷供親友閱讀。許多經歷苦難者認為見證歷史是自己的職責，生平第一次提筆。不少作者為各個政治運動的倖存者，有人曾經九死一生。這些回憶錄共同的特點是不控訴，不宣揚仇恨，僅求以個人的遭遇警世。他們的經歷，往往超過文學家的想像，揭示出文化和人性中的善與惡。

文革結束，中國大陸在經受巨大的人為災難之後，得到教訓與警示：前三十年的根本政策必須改弦易轍，以求國泰民安、繁榮富強。長於書寫人類危機和時代創傷的作家石黑一雄，獲得2017年諾貝爾文學獎。他談及個人，「那種誠心誠意、想要為社會做貢獻的人，卻因為沒有自己的思考導致在周圍一片狂熱中成了幫兇，最後後悔不迭」；他談到國家與民族往往傾向埋葬不光彩的歷史。缺乏對真相的揭示，對歷史教訓的總結，慘劇可能重複。本書算是各位作者為不忘文革盡的一份努力。

文化大革命是甚麼？

徐友漁

文化大革命爆發於1966年5月16日，在這一天，中共中央發出了〈中國共產黨中央委員會通知〉(〈五一六通知〉)，正式開展文革。在其中，毛澤東發出了向「黨內資產階級」進攻的號令。

1976年9月9日，文革發動者毛澤東逝世；10月6日，一場宮廷政變發生，毛的妻子江青和其他輔佐毛領導文革的高官被抓捕，文革實際到此為止，雖然中共是在十個月之後才正式宣佈文革結束的。在中國大陸，一般的說法是「十年文革」。

文革是甚麼？不同的人有不同的看法，爭論持續不斷，而且相當激烈。有人說，文革是一場災難、一場浩劫，因為文革中死傷人數眾多，蒙冤受屈者眾多。另一些人說，文革是人民的盛大節日，因為人們在文革中享受了言論自由和結社自由，可以隨意批判官僚特權份子。

1981年6月27日，中共十一屆六中全會通過〈關於建國以來黨的若干歷史問題的決議〉，將文革定性為「一場由領導者錯誤發動，被反革命集團利用，給黨、國家和各族人民帶來嚴重災難的內亂」，並把文革中的破壞歸結為「林彪、江青兩個反革命集團」背着毛澤東的活動造成。這些論斷是否有事實根據，通過下面的敘述與分析，人們不難得出結論。

一　文化大革命的標誌性事件

要知道文革是甚麼，首先要知道在文革中發生過甚麼事情。下面，簡短地列舉十四件事，以說明文革中發生了甚麼。

第一，取消大學入學考試。1966年6月，中央政府下令停止高考，大中小學停課搞文化革命。從1970年起，大學部分開門，但學生不是通過考試，而是通過推薦和選拔入學，時稱「工農兵大學生」，人們譏為「大學名稱，中學教材，小學水平」。在中國，恢復高考入學是在1977年底。

第二，大批判或鬥爭會。學生和所謂革命群眾公開譴責和羞辱校長、教師、學者、藝術家、作家和官員等等，這些人被說成是反革命修正主義份子。批鬥往往伴隨毆打，死人的事時有發生，被批鬥的人叫做「牛鬼蛇神」，其關押處被戲稱為「牛棚」。不用說，傳統的階級敵人，比如地主、富農、右派份子等等，受到更嚴重的迫害。

第三，個人崇拜。毛澤東被說成是「偉大的導師、偉大的領袖、偉大的統帥、偉大的舵手」，他的話「句句是真理，一句頂一萬句」，具有超越憲法和法律的威力。在政治上，「誰反對毛主席，全黨共誅之，全國共討之」；在法律上，批評毛澤東作為現行反革命處理。《毛主席語錄》被翻譯成五十多種文字出版，總印數為五十多億冊。

第四，破壞文物古蹟。颳起「破四舊」風暴，就是要破除「舊思想、舊文化、舊風俗、舊習慣」，宣稱要樹立「新思想、新文化、新風俗、新習慣」。學生們洗劫圖書館、焚燒圖書，砸教堂、寺廟、清真寺，毀壞墓地，等等。他們還把所謂地主份子等階級敵人驅趕出北京等大城市。文化大革命造成的破壞是驚人的，據不完全統計，1966年8月，紅衛兵在北京打死1,700多人，抄家3萬多戶，沒收私人房產52萬間，驅逐近10萬人出北京城。

第五，「血統論」。高級幹部子女在1966年5月底成立了紅衛兵，他們的組織原則是「血統論」，他們的口號是「老子英雄兒好漢，老子反動兒混蛋」，他們凌辱黑色家庭背景的同學，剝奪他們參加運動的權利。北京青年工人遇羅克為批駁「血統論」而寫出〈出身論〉，引起極大的反響和共鳴，但他作為思想犯被捕和處以死刑。

第六，革命旅遊，當時稱為「大串聯」。在中央政府的鼓勵下，從1966年秋天起，中國任何一個中學生和大學生都可以想去哪裏就去哪裏，以「交流革命經驗」，他們可以免費搭乘除飛機之外的任何交通工具，並免費受到接待。免費旅遊的人數高達一千多萬，其中絕大多數到過北京，接受毛澤東的檢閱。可以想像，當時的交通、生產狀況會是多麼糟糕。

第七，革命文藝節目。文革期間，中國八億人只有八個所謂的「樣板戲」可以觀賞。每一個都是在毛的妻子江青的指導下製作的，作為革命文藝的標竿和模仿對象，江青因此被譽為「文化革命的旗手」。樣板戲強烈地、偏狹地為毛澤東的政治路線服務，不但排斥群眾喜聞樂見的節目，甚至排斥不為江青欽定，一般進行革命宣傳的節目。

第八，「二月鎮反」。1967年2、3月，中國大部分省份和地區發生軍隊鎮壓造反派群眾組織事件，上萬個組織被取締和解散，上百萬骨幹份子被抓捕，有的地方鎮壓行動直接得到中央層級的指令。同時，在北京高層，以幾位元帥和副總理為首的老幹部向文革派發出指責，被毛派定性為「二月逆流」。到3月和4月，毛派發起反擊，各地施行鎮壓的軍隊被迫承認「犯下鎮壓革命群眾的方向性、路線性錯誤」，被鎮壓的造反派組織得以恢復和發展，協助鎮壓的保守派迅速瓦解。

第九，「七二〇事件」。1967年7月20日，武漢地區駐軍扣押和毆打中央派往湖北處理文革問題的代表謝富治和王力，事件起因於軍方不滿和不服中央的方針與決定（認為武漢軍區壓制造反派、支持保守派，犯了方向、路線錯誤），這期間毛澤東住在武漢，他被迫倉皇飛離。該事件一時被渲染為「武裝兵變」，引發了一場聲勢浩大的對於「帶槍的反動路線」的討伐。

第十，清華大學武鬥和毛澤東接見「五大學生領袖」。從1967年4月下旬到7月底，清華大學對立的兩派發生約一百天的大武鬥，7月

27日夜晚，毛澤東派出數萬名工人和解放軍進駐清華大學制止武鬥，遭到「團派」攻擊，死傷多人。毛澤東大為震怒，連夜召集北京紅衞兵造反派五大學生領袖，對之嚴加訓斥，對曾經為他衝鋒陷陣的「革命小將」宣告：現在是輪到你們犯錯誤的時候了！隨後，毛派出軍隊和工人進駐全國所有的大學和中學，總體而言，學生組織主導文革運動的局面由此結束。

第十一，火燒英國代辦處。1967年8月22日，造反學生包圍並強行衝入英國駐華代辦處打、砸、搶，放火焚燒房屋及汽車，辱罵毆打英國外交人員。事情起因於香港一家小廠的勞資糾紛演變為香港左派的造反和港英當局的彈壓，以及中國外交部要求認錯的最後通牒未得到遵行。

第十二，知識青年上山下鄉。在毛澤東的號令下，從1968年底起，幾百萬中學生被迫去到農村、山區和邊遠地區，接受「再教育」，在十年內，共有一千七百萬中學生上山下鄉。

第十三，一系列清查和清算運動。文革的第一目標劉少奇倒台後，運動的矛頭立即指向群眾，從1968年起發動「清理階級隊伍」運動，1970年起發動「一打三反」運動和清查「五一六」運動，前兩個運動比文革初期的「抓牛鬼蛇神」有過之而無不及，後一個運動是對造反學生的反攻倒算。運動製造了無數冤案，千百萬人受到清查，被關押和被迫自殺者不計其數。

第十四，林彪事件。1971年9月13日，林彪及其妻子、兒子從中國出逃，因飛機失事而死於蒙古。文革中林彪被確立為毛澤東的繼承人，林彪事件造成嚴重的意識形態危機，很多人開始懷疑和反思文革，動搖了毛澤東「絕對正確」的信念。

文革最大的破壞是對法治的踐踏、對人權的侵犯和對人的傷害。下面是一組官方機構發佈的、不完全的統計數字：文革中共有420萬人被關押審查；172萬人非正常死亡；13萬政治犯被判處死刑，罪名是現行反革命；武鬥中死亡23萬，傷殘700多萬。

二 毛澤東為甚麼要發動文化大革命？

毛澤東為何要發動文革？有三種回答。第一種説，是出於領導人之間的政策分歧。毛堅持馬克思主義，堅持社會公正與平等，要實現社會主義和共產主義，而他的對手執行資本主義政策，中國社會開始出現貧富分化，毛為了防止資本主義在中國復辟而發動文化大革命。第二種説，毛發動文革純粹是出於權力鬥爭，毛感到大權旁落，為了使他的權力不受挑戰，他要把競爭對手劉少奇(時任國家主席)打下去。第三種説，毛發動文革的動機既有政策分歧，又有權力鬥爭。

不難看出，政策分歧不是毛發動文革打倒劉少奇的唯一原因。劉少奇很快就被打倒了，但他的主要罪名是「叛徒、內奸、工賊」，其次才指責他「反對毛主席」。文革一開始，劉少奇就對毛澤東表示屈服，説他願意改正一切錯誤，説他準備交出一切權力，回老家去種地，但毛澤東並未就此罷手。顯然，毛要徹底幹掉劉及其追隨者。毛和劉確實有路線與政策分歧，劉的政策比較實際，注重發展經濟，毛的政策比較激進，他要在很短的時間實現社會主義和共產主義。所以，許多文革研究者持這樣的觀點：毛發動文革，既出於與劉少奇的政策分歧，又出於他們之間的權力鬥爭。

為了爭取人心、奪取政權，毛澤東和中國共產黨在1949年之前向中國人民許諾，他們掌權之後實行的政策不是蘇聯式的，社會主義革命將是遙遠的事情，這種政治綱領叫做新民主主義，它允許其他黨派與中共分享政權，經濟政策是包含市場經濟在內的混合經濟。但是，一旦取得政權，毛就拋棄了新民主主義的承諾，進行社會主義革命，而劉少奇主張信守新民主主義承諾，要鞏固和發展新民主主義。據此，毛決心取消劉的黨內第二把手和接班人的地位。

在斯大林於1953年逝世後，毛認為世界共產主義運動第一把手的位置非他莫屬，但他面臨一個巨大的困難：蘇聯在經濟上遠比中國先進和強大。為了當世界共運領袖，毛必須使中國強大。他在1958年發動大躍進，企圖在短時間內讓中國在經濟上超過英國和蘇聯，甚至美國。不幸的是，大躍進以慘敗告終。只是因為劉少奇的領導和他的務實政策，中國才從災難中走出來。而在恢復經濟的過程中，劉的權力愈來愈大，聲望愈來愈高，對毛的威脅已經到了他不能容忍的地步。於是，毛決定發動文革來除掉劉。

在1960年，毛和劉有一次面對面的談話，毛對劉說：「我只要動一根小手指頭，就可以把你打倒。」毛說的是真話，那麼，毛為甚麼不是僅僅動一下他的小手指頭呢？看來，毛發動文革，有比解除劉一個人的職務更大的目的。

首先，毛澤東要打倒的不只是劉少奇，還有他的同盟者、支持者和追隨者。按照常規方法，毛需要發動一次又一次的黨內鬥爭，把這些人一個接一個地，或者一批接一批地搞下去，毛沒有那麼充裕的時間，發動文革之前，他已經超過70歲了。

另外，對於大多數毛想要打倒的人，他找不到合適的或足夠的罪名。中國共產黨高度統一，各級官員都習慣照章辦事，即使執行的是劉少奇的意圖，他們也不過是奉命行事。更何況，劉下達指示都是以中央的名義。

事實證明，文化大革命是毛澤東批量清除反對者，把權力完全集中在自己手裏最簡捷、最有效的辦法。從1967年1月起，在每一個省都建立了革命委員會，它們代替了原來的省委和省政府，而省革委的組成過程由毛控制，他們的主要領導成員由毛批准。以下的每一級權力機構，即市、縣等革命委員會都是仿效省革委建立，各級革委會被稱為「新生的紅色政權」，實質區別是，它們是毛的權力機構，而以前的省委或省政府被視為「舊政權」，即劉少奇的權力基礎。

只有用文革的方法整死劉少奇，而不是僅僅讓他下台，毛澤東的憂慮才得以解除。這個憂慮就是，劉在他死後作秘密報告，揭露和譴責他的罪行，就像赫魯曉夫(Nikita S. Khrushchev)在蘇共二十大上作秘密報告批判斯大林一樣。毛澤東在〈五一六通知〉中說：「例如赫魯曉夫那樣的人物，他們現正睡在我們的身旁」，這其實就是指劉少奇。在毛澤東看來，劉少奇在他死後譴責他的可能性極大。據劉少奇的兒子劉源在他寫的一本書《你所不知道的劉少奇》中說，在1962年，在因為毛發起的大躍進和人民公社運動導致中國餓死三千多萬人之後，劉和毛在北京中南海有一場面對面的談話，劉要求毛改變政策，毛不肯，劉說：「餓死這麼多人，歷史要寫上你我的，人相食，要上書的！」這話使得毛大發雷霆。顯然，劉在乎歷史書怎麼寫他，而毛堅信，一旦他死在劉的前面，劉一定會揭露和批判他。毛自詡為一個非常有歷史感的人，他發動文化大革命是要保證他死後不會被譴責。

三 紅衛兵、群眾組織和派別鬥爭

文化大革命最重要的特徵是大規模的、前所未有的群眾運動，億萬人捲入了延續多年的政治運動。文化大革命中，人們結成了各種各樣的群眾組織，小的只有三五個甚至一個人，大的可能超過一百萬人。這些組織的目標、成份和行為方式並不完全相同。首先，學生組織在各種群眾組織中起先鋒和領導作用，在全中國，除了上海，每個省份的運動都是由學生領導或主導的。而在學生組織中，最令人矚目的是紅衛兵。

紅衛兵於1966年5月底發源於清華大學附屬中學，其發起者是高官的子弟。在文革初期，即1966年5至9月，只有紅色家庭背景的學生才有資格參加運動，才被允許造反。一開始，紅衛兵和紅色家庭背景的學生沒有理會到毛這次運動的目標是要打倒黨政官員，他們把矛頭指向傳統的階級敵人和知識份子，瘋狂地、殘忍地批判、鬥爭自己的老師、校長，鬥爭藝術家、作家、演員，然後迫害黨內鬥爭的失敗者。他們把1966年8月稱為「紅八月」，北京六中的學生用受害者的鮮血在牆上書寫標語「紅色恐怖萬歲」！

最早在北京出現的那批紅衛兵稱為「老兵」，雖然也包括出身於勞動人民家庭的紅色子弟，但其組織內部往往實行「血統論」和嚴格的等級制，比如職務與父親的職位對應，甚至紅衛兵袖標的質地（絨、綢、布)與長短(5寸、8寸、1尺)都取決於父親官位的大小。他們在開始時得到毛澤東的大力支持和熱情讚揚,江青稱他們為「小太陽」,他們叫江青為「江阿姨」,但這批人保爹保媽的政治立場與毛澤東要打倒「走資派」的目標很快就發生尖鋭衝突,他們最早公開喊出反對文革的口號,因此被文革派當權者拋棄,他們的態度在那時也沒有得到群眾的理解和支持。

全國各地最早在1966年夏季出現的群眾組織是由各級黨委組織和操縱的,他們忠實於和捍衛黨組織,壓制那些批評黨組織的人,因而被稱為「官辦組織」和「保守派」。在毛澤東的支持下,在秋季出現了造反派組織,他們攻擊各級黨委,聲稱自己忠於毛澤東,「誓死捍衛毛主席的無產階級革命路線」,他們遭到黨委、政府和保守組織的聯手鎮壓,被打成反革命,但在毛澤東明白無誤的支持下打敗了保守派,取得勝利,這樣的組織泛稱為「革命造反派」。在多數情況下,各級黨組織被迫承認自己犯了「鎮壓群眾的方向性、路線性」錯誤,轉而支持造反派,保守派組織則逐漸瓦解。在很多地方和很多情況下,保守派的失敗都是以一場武鬥為標誌,在暴力衝突中被造反派打垮。

保守派的成員多半有所謂好的家庭背景和政治身份,本人是中共黨員、青年團員、積極份子或是黨組織、政府的忠實支持者,而造反派成員的家庭背景不如保守派,黨團員較少,有很多人平時愛和領導對着幹,還包括不少社會地位低下的人,比如臨時工、合同工和非國有企業職工。一般而言,兩派的區別在於對黨組織和現存體制的態度是批評、力圖變革還是一味擁護和支持,對當地主要領導是「揪」還是「保」。但是,任何組織的領導都只能由「政治面貌好」或家庭出身好的人來擔任,雖然文革中最響亮的口號是「造反有理」,但還有一句口號是「只准左派造反,不准右派翻天」,這裏實際上説的是人們的政治身份或家庭出身。一個群眾組織,不要説領導集體中有人有政治問題,哪怕是一般成員中有人的政治身份受到質疑,也會成為對立派攻擊的口實。

群眾組織的名稱通常是「××革命造反兵團」,一般以一個革命化名詞(比如「井岡山」、「紅岩」)或紀念性日子(比如「八一八」,指1966

年8月18日得到毛主席的接見，或者該組織成立的日期）來命名。造反派組織雖然不像保守派或「血統論」者那麼講究家庭出身，但仍然按照家庭出身對其成員作了區分，其核心稱為「××紅衛兵」，其他成員只能是外圍性的「××兵團戰士」。當頭領的人必須家庭出身好，最好本人是黨員或者復員退伍軍人。為了表示革命性和與等級制劃清界限，群眾組織的領導核心一般沒有職務或官階之稱，都叫「勤務組」，第一號人物則是「一號勤務員」。

造反派打垮保守派之後，立即陷入「內戰」，一般而言，每一個省份、每一個地區的造反派都有較為溫和與較為激進的兩派，他們與當地原來不同的領導人（文革中稱為「當權派」）關係密切，把不同的當地駐軍當成靠山（有的投靠省軍區乃至地方武裝部，有的投靠野戰軍），派性鬥爭愈演愈烈，武鬥的程度愈來愈高，使用的武器從棍棒、鋼釺發展為槍枝甚至大炮，死傷無數的戰鬥到處發生。

文革中的武鬥，不論發生在保守派和造反派之間，還是發生在造反派內部，背後多半都有體制內的政治力量支持和誘導。群眾組織的後台或靠山中，最重要和最有力量的是軍隊，他們分屬不同的派系或建制。軍隊發槍給群眾組織（表面上是叫他們去「搶」），毛澤東在1967年多次指示「要武裝左派」、「要發槍給左派」。

各地的運動發展很不平衡，在有的省份、有的地區，由於軍隊領導人的支持，保守派始終沒有垮掉。到了1968年夏季之後，毛澤東也無力「把兩條路線鬥爭進行到底」，勉強承認保守派也是「革命派」，促使兩派實行大聯合，穩定當地局面。

四　行為的動因

文化大革命中，學生、紅衛兵、造反派、保守派以及各種群眾組織狂熱的、不可理喻的行動，對於外部觀察者和後來者始終是難解之謎，但認真分析之後可以知道，那不過是文革前政治教育和意識形態灌輸，中國社會和政治體制矛盾爆發，以及毛澤東巧妙地施展計謀和策略手段這三種因素造成的結果。

文革積極參與者的首要動因是文革前的革命教育和政治灌輸。這種教育把革命置於至高無上的地位，與此相聯繫的是對於暴力的頌揚和對秩序的蔑視。文革中，流傳最廣、引用最頻繁的是一段毛的教導，其實，學生們早就從語文課本中對它非常熟悉了，這是毛澤東在〈湖南農民運動考察報告〉中說的：「革命不是請客吃飯，不是做文章，不是繪畫繡花，不能那樣雅致，那樣從容不迫，文質彬彬，那樣溫良恭儉讓。革命是暴動，是一個階級推翻一個階級的暴烈的行動。」

文革中，學生們每當實施暴力而心存猶豫時，就用毛的這個教導來鼓勵自己，每當使用暴力受到疑問時，就用它來辯解。1966年6月，北京大學學生以〈湖南農民運動考察報告〉為根據，在校園內設立「鬥鬼台」，對官員和教授戴高帽子、掛黑牌、塗黑臉，拳打腳踢搞遊鬥。某地一個大學生回憶說，當年他們衝進校長辦公室時，心中還是有點膽怯，完全倚仗着〈湖南農民運動考察報告〉中鼓吹的那種氣勢，他們趕走了校長，佔領了辦公室。這時鼓勵他們的是毛在〈湖南農民運動考察報告〉中讚揚的：「小姐少奶奶的牙牀上，可以踏上去滾一滾。」

這種教育否定人道主義和人類一切自然、美好的感情，代之以革命、黨、鬥爭。文革前流行最廣的一首革命歌曲說，革命戰士把黨比做自己的母親，其實黨比母親更好，因為母親只給了他身體，而黨的光輝將照亮他的一生。某中學校長，一位很受人愛戴的女性，文革一開始就被她的學生批判和毆打，罪名居然是提倡母愛教育，號召教師像母親關愛孩子那樣對待自己的學生，她被說成是修正主義份子，篡改了黨的教育方針，這個方針是：「教育為無產階級政治服務」。

這種教育的主要內容是階級鬥爭。在文革中，紅衛兵的一切殘忍行為，都是以階級鬥爭的名義進行的。他們之所以對受害者毫無惻隱之心，之所以敢於鞭打自己的老師，敢於向自己的同學開槍，就在於把他們當成階級敵人。一個女紅衛兵把一支點燃的鞭炮塞到一個雙手被綁、兩眼被蒙的「階級敵人」的耳朵裏，鞭炮在他耳朵裏炸響了，他摔倒在地，哇哇亂叫。有人責問那女孩，說這樣做是不是太狠了，她說，那人是階級敵人，這麼對待他還算輕的。

文革中，影響個人和群眾組織行為的第二個因素是中國的政治身份制度。中國的公民、大中學學生是分為不同等級的。黨員和團員顯然優越於非黨員非團員，最普遍的身份差異來源於家庭背景，「紅五類」和「黑五類」這樣的提法本身就反映了一種基於家庭背景的歧視，前者指革命幹部、革命軍人等，後者指地主、富農等。

文革前，中學生在入黨、入團、進入大學等方面存在着激烈的競爭，家庭出身是成敗的關鍵因素。文革使競爭變成虐待，運動一開始，「紅五類」出身的學生剝奪了其他學生參加運動的權利並壓制他們，但他們打擊傳統階級敵人的做法並未討得毛澤東的歡心，毛這一次要打擊的是共產黨的當權派。毛斷定那些「紅五類」紅衛兵犯了錯誤，支持受到壓制的學生，這些被毛澤東「解放」的人成立了造反組織，與「紅五類」紅衛兵對着幹，並在毛的支持下取得勝利。

城市中工人和其他人群的情況與學生類似，開始是政治面貌好和家庭背景好的人在黨委領導下打擊傳統階級敵人，壓制其他人，後者在毛澤東的支持下反擊黨組織和他們的支持者，人們以支持還是反對黨委，打擊傳統的階級敵人還是進攻所謂黨內資產階級而劃分為保守派和造反派。顯然，保守派希望維持現狀，即維護他們現有的優勢地位，而造反派傾向於改變現狀，他們力圖樹立新的政治標準，那就是：最危險、對革命事業威脅最大的不是傳統的階級敵人，而是在新的形勢下不追隨毛澤東的黨委和原先的積極份子，他們已經變成了既得利益者和修正主義份子。

使原本忠實於黨、聽命於黨組織的群眾不顧鎮壓，冒着生命危險起來造反，還有賴於毛澤東高明的策略手段。毛十分狡猾，他在運動開始的5、6月離開北京，讓劉少奇主持工作，劉和各級黨委按照中共一貫的做法，往大中學校派遣工作組領導運動，在群眾當中劃分左派、中間派和右派，把不聽話的人打成右派或者反革命。在7月，當群眾與黨組織以及劉的衝突達到頂點時，毛突然回到北京，指責黨組織和劉少奇鎮壓群眾，而宣稱他支持群眾，解放那些被鎮壓和被打成反革命的人。可以想像，那些被鎮壓的人在這個時候是多麼感激毛，多麼憎恨劉以及黨組織。

正如勒斯（Simon Leys）所說：「毛動員和利用紅衛兵的方式和慈禧操縱義和團的方式極其相似，他把群眾普遍的不滿用於針對他的敵人，而這不滿是因他自己的統治而產生的。如果理解更深刻的話可以看到，這種不滿本可以是針對他自己的……毛本人建立起來的官僚制度長期以來一直是青年不滿和感到沮喪的原因，他們隨時都要爆發。毛所需要做的全部事情就是指控他的私敵為造成這制度的根源（而實際上他才是始作俑者），然後把廣泛的憤慨引向他們，把他們搞掉。」

現在可以正式回答這個問題：文革是甚麼？文革是喊着實現理想社會的口號，以大規模動員群眾為手段，實行個人崇拜和集權，反文化、反文明，踐踏法治，鞏固和發展專制制度的政治運動。

五　文革的影響和遺產

當毛澤東利用紅衛兵和學生打倒自己的政敵，把權力完全集中在自己手裏之後，他在1968年夏季突然宣佈：「現在是輪到小將們犯錯誤的時候了。」這意味着毛不再需要他們，決定把他們趕下政治舞台了。1968年8月，毛派工人和軍人進駐大中學；1968年底，毛號令中學生從城市去到農村和山區從事艱苦勞動和接受再教育。在這之後，他發動一個接一個的運動清洗曾經追隨他的造反派。毛在運動後期對群眾的鎮壓遠遠超過了運動初期劉少奇對群眾的鎮壓。雖然為時已晚，但學生們還是開始從狂熱、盲信中反思和批判文革，從對毛的崇拜中覺醒。

1976年4月，對文革的不滿達到高潮，人們在天安門廣場聚集，譴責毛的妻子江青和其他幾個領導文革的毛的心腹。有人喊出口號，稱毛是當代的專制皇帝。反文革的群眾性抗議活動還在南京、成都等城市發生。當一些資深官僚在毛澤東死後抓捕毛的妻子，發動一場宮廷政變之後，他們驚喜地發現，原來中國廣大人民是憎恨文革，希望結束文革的。

文革前，黨是神聖的，是不可懷疑的，但文革改變了這一點。經歷了文革的人們現在知道，黨的官僚——尤其是高級官僚過着多麼腐化的生活，黨內的鬥爭是多麼地殘酷無情，黨的領袖是多麼善於翻手為雲、覆手為雨。黨的崇高形象在文革之後受到無法彌補的損害。

與毛澤東的期盼相反，文革在某種意義上促進了當代中國的民主運動。文革中，一些年輕學生曾是狂熱的毛主義者；文革後，他們以巨大的熱情學習西方政治理論，懂得了他們曾經蔑視和批判的諸如分權與制衡、人權、法治、憲政民主等原則，他們成了當代中國民主運動的中堅力量。

文革不但促進了人們的懷疑精神、批判精神，而且使人們對中國的社會制度、政治制度的弊病有深入、全面的了解。文革前，人們生活和工作在自己所在的學校、機關、工廠，處於隔絕狀態；文革中，他們有機會在全國旅行和訪問，每一個地方的大字報都在揭露當地官僚和政府的問題。文革前，每當人們提出現實中的問題而當局無法否認時，黨就教導說：「不錯，有這些問題，但你們看到的問題是暫時的、局部的，但從長遠的、全域的觀點看，形勢是光明的，黨是偉大的。」而經歷了文革的人們可以理直氣壯地說：「我們看到的問題就是根本的、全域性的，這是制度的問題。」

投身於民主運動，最重要的是需要勇氣。文革使人們經歷了鬥爭的洗禮，他們不再膽小怕事，對政治避之唯恐不及，文革這場複雜、曲折的政治運動使人感到被批判、鬥爭，被孤立、恐嚇，甚至被抓捕，也不是多麼不得了的事情。文革後湧現出眾多的民運人士，表現出不怕鎮壓、打擊的勇氣，堅持到底的決心，其中多半是在文革中經過風雨、見過世面的。

文革的影響是深遠的，同時又是複雜的。文革使中國的經濟瀕臨破產，使人們看清高度集中的計劃經濟行不通，不與外部世界交往的結果是落後與貧困。有鑒於此，文革後的領導人執行改革開放和市場經濟政策。文革迫使鄧小平等中國領導人重新考慮施政方針，如果沒有文革，中國會長期處於類似蘇聯的勃列日涅夫(Leonid Brezhnev)時代即「停滯的時代」。可以說，文革把中國引領到一個新時代。

但是，中國的政治慣性非常巨大，中國共產黨維護一黨統治的決心異常堅定。

文革剛結束的幾年是中國人民和統治者的蜜月期，那些在文革中丟掉官職、受到迫害又官復原職的官僚給普通老百姓平反，官與民共同譴責文革，揭露文革中發生的暴行和慘劇。但是，官方很快就下了禁令，不准再談文革，因為，文革畢竟是中共給中國人民帶來的災難，在批判文革時人們自然要問：難道責任只由毛澤東一個人承擔，文革能夠發生，我們的制度出了甚麼問題？

從1990年代中期起，愈來愈多的中國人開始以懷念的口吻談論文革，甚至期盼再發生一場文革。因為在中國社會，不公正、不平等愈來愈加劇，貧富差距愈來愈大，人們無力改變現狀，只好期望用文革中曾經使用過的方式來揭發和打擊那些貪污腐敗的官僚。這種希望是不切實際的，同時也是危險的，這是當局禁止談論文革的結果，時隔多年，許多人誤以為文革是一場清除腐敗、整肅社會的運動。

中國的政治家中很多人非常崇拜毛澤東，他們從文革中學到的策略手段是，在必要時攻擊自己的同僚，把所有的壞事都推給對手，把政治制度的弊病說成是這些人的錯誤和醜行，把自己打扮成人民的保護人。這種做法有效地幫助他們爭權或者渡過政治危機。在中國，不止一個人想當毛澤東第二，實際上，有很多人在內心深處是小毛澤東。

近年來，回復文革的跡象不斷湧現，愈來愈明顯。與文革中毛澤東被稱為「偉大領袖」類似，現在的領導人被稱為「核心」，實質一樣，都在搞個人崇拜，他們的話就是真理、就是法律。與文革一樣，違反憲法和法治的事件層出不窮，文革中搞遊街示眾、人身侮辱，現在是被迫在電視台表示懺悔，自我羞辱；文革中意識形態極其狂熱，人們大唱歌頌黨和偉大領袖的紅色歌曲，現在也是紅歌流行。從2016年初開始，特別是在批判和討伐任志強的狂潮中，人們的竊竊私語變成了公開的驚嘆：「文化大革命又回來了！」

中國處在全球化和民主化的世界潮流之中，一時的曲折和倒退絕不是長遠的發展方向，阻止文革重演的第一步就是了解文革、批判文革。

文革發生的背景

1949–1966政治運動簡介

丁 抒

土地改革運動—鎮壓反革命運動—朝鮮戰爭和抗美援朝運動—「三反」運動—「五反」運動—農業合作化運動—工商業社會主義改造運動—反對胡風反革命集團和肅清反革命運動—反右運動—大躍進運動—人民公社化運動—反右傾運動—「四清」運動

一 土地改革運動(1950–1953)

按中共劃定的標準，不論自己是否參加農田耕作，凡出租土地或僱用長工耕作的算是地主；請過短工幫手耕作的就是富農。「土地改革」的宗旨是消滅「封建地主階級」，「平分地權」：無償沒收地主的土地，掃地出門或鬥爭打死、處死。無償徵收富農超出當地人均耕地面積的部分，或掃地出門。

實際上中國只有地主而無「封建地主」，而且土地集中的情況並不嚴重。如陝西關中地區地主富農佔農村戶口百分之六左右，共佔土地百分之二十左右。湖南邵東縣近九千戶地主，人均耕地10.9畝(一畝地面積為600平方米)；三千餘戶富農人均4.6畝。四川廣安縣近萬戶被定為「封建地主」，人均耕地10畝；四千多戶富農人均不到4畝。

抗戰勝利後不久的1946年5月，中共即開始在其轄區搞「土地改革」。1947年7月，中共在河北平山縣西柏坡村召開全國土地會議，着重反對幹部右傾思想。土改運動極其慘烈、兇猛，大量地主被肉體消滅。在人口約一億的「老解放區」(1948年之前取得政權的地區)，「僅僅幾個月時間，就殺了25萬人」。

1947年10月10日，中共中央公佈〈中國土地法大綱〉，宣佈「廢除封建性及半封建性剝削的土地制度，實行耕者有其田的土地制度」。1948年2月，毛澤東發佈〈新解放區土地改革要點〉，規定土改打擊對象佔鄉村「戶數百分之八，人口百分之十」。

當時全國鄉村人口之「百分之十」為4,800萬。這個指標極大地加劇了「土改」中之殺戮。如河北平谷縣(今北京市平谷區)1948年土改時，「僅峪口地區(今峪口鎮)就有72人被打死或刑後自殺。」

「中南地區土改工作第十二團」在江西一個四千多人的村子，按照《土改手冊》，根據各戶的土地擁有量劃出八個「地主」，由一位副縣長現場指揮，一併就地槍決，包括一位在上海一輩子製衣，攢錢回鄉買了一些地的老裁縫。

農業經濟學專家董時進曾上書毛澤東建議「和平土改」，收買地主的土地分配給農民。但中共「反對不發動群眾，用行政命令方法把土地『恩賜』給農民的『和平土改』」。毛澤東說，「要讓農民『與地主撕破臉』才行」。要通過鬥爭打倒地主富農，處死「封建地主」，而後奪其田地、財產。

因土地所有權變動頻仍，判定是否地主富農以前三年為準，不問以往。一位家在四川成都附近的國民黨將領1946年將其全部土地分贈給了佃戶。有些佃農將部分田地出租或請人耕種，1950年土改時全都被定為「地主」，有的因此被槍斃。

1950年6月30日，中共公佈《中華人民共和國土地改革法》，再次宣佈「沒收地主的土地、耕畜、農具、多餘的糧食及其在農村中多餘的房屋」。至1953年，除新疆、西藏、青海、川邊等少數民族地區，土地改革基本完成，三億多無地或少地的農民無償分得約七億畝土地及生產資料。

對於土改死亡人數，「毛澤東有過一個説法，他説中國有3,600萬地主，其中有400萬地主是壞的，因此在土改中殺了100萬，關了100萬，管制了200萬。但實際上，整個土改以後，地主、富農連同其家屬基本上都被管制了，管制的對象甚至還不止於地、富」。

此外還有大量被迫自殺者。如廣東省東江地區，1951年槍決了3,642名地主，另有2,690人因絕望和恐懼而自殺。全國土改中被殺和自殺的，總數不低於200萬。與毛澤東估計的「二三百萬」不相上下。

二　鎮壓反革命運動（1950–1953）

1949年4月，中共曾呼籲國民黨各級人員留守崗位，等候其接管。中共承諾准許國民政府的政、公、教人員繼續工作，維持社會治安和民生安定。毛澤東簽發〈公告〉鄭重宣佈：「凡屬國民黨中央、省、市、縣各級政府的大小官員，『國大』代表，立法、監察委員，參議員，警察人員，區鎮鄉保甲人員，凡不持槍抵抗、不陰謀破壞者，人民解放軍和人民政府一律不加俘虜，不加逮捕，不加侮辱。」其時各地有約百萬黨、政、警、公、教人員留了下來。此外還有近百萬起義及「和平改編」的軍人。

但不到一年，中共便開展了一場鎮壓反革命運動。1950年元旦，新華社發佈社論：「在已經推翻了敵人的統治的地方，應當肅清土匪、特務份子和隱藏的反革命份子，鎮壓反革命活動，建立革命秩序，建立人民民主專政。」3月18日，中共中央發出指示：「對於一切手持武器，聚眾暴動，向我公共機關和幹部進攻，搶劫倉庫物資之匪眾，必須給以堅決的鎮壓和剿滅，不得稍有猶豫。」7月23日，政務院和最高人民法院頒佈〈關於鎮壓反革命活動的指示〉。

被「鎮壓」者絕大多數是相信中共的承諾而留下的國民政府政、公、教人員，還有相當多的是國共內戰後期參加「通電起義」或「接受和平改編」的國民黨軍隊的將士，以及1949年在地方政府任職，維持地方治安以待中共解放軍接管的官員，未從事任何「反革命活動」者。

鎮壓反革命運動按毛澤東設定的計劃數字施行屠殺。公安部長羅瑞卿在1950年10月全國第二次公安會議上說：「毛主席說不殺反革命就不像個革命的樣子。」「殺反革命必須有計劃。」1951年1月22日，毛澤東給華南分局發電：「廣東必需有計劃地處決幾千個重要反動份子，才能降低敵焰，伸張正氣，望妥慎佈置施行。」3月18日，毛澤東看到天津市委報告「準備於今年一年內殺一千五百人（已殺一百五十人），四月底以前先殺五百人」，即轉發全國，說「我希望上海、南京、青島、廣州、武漢其他大城市、中等城市，都有一個幾個月至今年年底的切實的鎮反計劃。」3月24日，毛澤東指示上海：「鎮反包括：一、社會上的反革命；二、隱藏在軍政系統舊人員和新知識份子中的反革命；三、隱藏在黨內的反革命。」幾天後，上海一夜逮捕一萬多人，召開十萬人公審大會，當場判處三百多名「反革命首惡」死刑。被捕、被槍決者絕大多數是是原國民政府的黨、政、公、教留用人員。

5月16日，毛澤東指示，「殺反革命的數字」，「在農村中，一般應不超過人口的千分之一。」「在城市中殺反革命，一般應低於人口的千分之一，以千分之零點五為適宜。」他指示上海市委「1951年內至少應當殺掉罪大的匪首、慣匪、惡霸、特務及會門頭子3,000人左右。而在上半年至少應殺掉1,500人左右。」「3,000」，正是當時上海約600萬人口的「千分之零點五」。

鄧小平主政的西南諸省殺人比例在千分之一以上，習仲勛主政的西北地區，殺人指標減為佔總人口的千分之零點五。「在實際執行中，西北地區的殺人數字在千分之零點四左右。」公安部的數字是，全國「逮捕了262萬人，其中殺了71萬2千人，是全國人口的千分之1.31；判刑勞改129萬人；管制120萬人。」毛澤東所說稍有不同：「我們建國以來幾年時間至少就殺了七十九萬反革命，還關了一百多萬，管制了一百多萬。」1959年，他強調：「鎮壓反革命，殺一百萬，極有必要。」「反革命殺了一百多萬。」「六億幾千萬人，消滅那個一百多萬，這個東西我看要喊萬歲。」

鎮壓反革命，「殺、關、管」各一百多萬，合計約四百萬。

三　朝鮮戰爭和抗美援朝運動（1950–1953）

二戰結束時，美蘇在朝鮮半島以北緯38度線為界，分別接受日本投降，並達成協議暫分區託管朝鮮半島，以備日後選舉統一政府。1947年11月，聯合國決議由「韓國臨時委員會」監督韓國選舉。金日成阻止聯合國官員入境，選舉只在南方實行。1948年8月、9月，大韓民國政府和朝鮮民主主義人民共和國相繼成立。

1949年6月美國從南韓撤軍。1950年4月，金日成到莫斯科與斯大林密談攻打南韓的計劃，並按斯大林的指示於5月13日到達北京與毛澤東會談。毛澤東在15日與金的第二次會談中承諾援助朝鮮。朝鮮人民軍於6月25日凌晨發起突襲，28日攻入漢城（今大韓民國首都首爾）。聯合國安理會兩次決議譴責北朝鮮，並「採取緊急軍事措施，以恢復國際和平與安全」，美軍於7月2日在韓國東南一隅的釜山登陸。5日，斯大林要求中共在美軍北上越過三八線時出兵援朝。

7月7日，聯合國安理會第84號決議案授權成立以美軍為主體的聯合國軍，先後共有16國派部隊參戰。9月，聯合國軍登陸仁川。中國按斯大林的指示，將7月間新組建的東北邊防軍更名為「中國人民志願軍」，自10月下旬開始秘密渡過鴨綠江。全國展開「抗美援朝保家衛國運動」。城鄉各地集會、示威遊行，控訴「美帝國主義」罪惡，開展「仇視」、「鄙視」及「蔑視」美帝的「三視」政治教育運動，並「以實際行動支援抗美援朝」，參軍參戰。與此同時，借「控訴美帝侵略」、「保家衛國」的緊張氣氛，在國內大張旗鼓地進行「土地改革運動」和「鎮壓反革命運動」。

1951年5月底、6月初，蘇、美兩次秘密會晤商議停火。7月，停戰談判開始。但談判破裂。此後打打談談。1953年7月13日志願軍發起大規模的金城戰役。在以傷亡數萬官兵的代價奪取小塊土地後，中方決定放棄原先之談判條件，於7月27日在板門店簽署《朝鮮停戰協定》。

三年朝鮮戰爭，中國志願軍和民工的犧牲者中收集到姓名的有18.3萬多。因亡、傷、病、失蹤、被俘共減員97.8萬。

1951年，中國「抗美援朝的費用，和國內建設的費用大體相等，一半一半」。6月1日，「抗美援朝總會」號召「推行愛國公約，捐獻飛機大炮」。全國各界共捐款5.565億元(新幣)，可購戰鬥機3,710架。蘇聯提供的陸、空軍武器裝備，按「出廠價五折」對華計費。中國直接消耗戰費62億元人民幣。

「抗美援朝」拯救了金日成政權，使其存續至今。

四 「三反」運動(1951.12–1952.10)

1950年10月中共派軍隊抗美援朝，財政困難，需要增產節約，繼而反貪污浪費。12月，為入朝「志願軍」服務的華北軍區後勤部進行了為期幾個月的反貪污、反浪費運動。1951年10月23日，毛澤東號召全國增產節約以支持中國人民志願軍。26日，中共中央東北局書記高崗號召「更大規模地全面地展開增產節約運動，進一步深入反貪污、反浪費、反官僚主義的鬥爭」。11月20日，毛澤東採納高崗的「三反」的提法，將高的報告發給各中央局，要求全國黨政軍各部門「在此次全國規模的增產節約運動中進行堅決的反貪污、反浪費、反官僚主義的鬥爭。」

幾天後，中共中央華北局報告，河北石家莊市委副書記、原天津地委書記劉青山和現任天津地委書記張子善「貪污挪用公款約二百億元〔舊幣，合1955年3月1日發行的新幣二百萬元。下文均為新幣〕左右投入地委機關生產，作投機倒把的違法活動。」

當時中共甫執掌政權，在戰爭時期慣用的機關「搞生產」以改善生活的做法尚未杜絕。挪用公款搞「機關生產」雖違法，但並不是貪污了200萬。毛澤東為了給剛開始的「三反」運動「打開局面」，多次催促華北局對劉、張二人處以死刑。1952年2月在保定市召開的「公判大會」結束後二人被槍決。

1951年12月8日，毛澤東指示全國「把反貪污、反浪費、反官僚主義的鬥爭看作如同鎮壓反革命的鬥爭一樣的重要」。他預言：「全國可能須要槍斃一萬至幾萬貪污犯才能解決問題。」並下達指令：「限期(例如十天)展開鬥爭，送來報告，違者不是官僚主義份子，就是貪污份子，不管甚麼人，一律撤職查辦。」他將貪污一萬元以上的稱為「大老虎」、五千以上為「中老虎」、一千以上為「小老虎」。不斷下達指示催逼各地捉「老虎」:「凡屬大批地用錢管物的機關，不論是黨政軍民哪一系統，必定有大批的貪污犯。」「每個大軍區系統(包括各級軍區和各軍)至少有幾百隻大小老虎，如捉不到，就是打敗仗。」他給各地施加壓力，「追加打虎任務」，增加「打虎分配數目」，「增加打虎預算」，並預測「在一百多萬志願軍中很可能捉到幾百隻大小老虎」。

「浪費」和「官僚主義」不再是運動重點。「三反」只剩一反：「反貪污」，捉老虎。

打虎有「必成數」和「期成數」。「必成數」必須完成，「期成數」則愈多愈好。全國掌管、經手財物的人幾乎都被揪出殘酷鬥爭。各單位「打虎隊」刑訊逼供，製造無數冤假錯案。至1952年1月16日，北京各機關、工礦企業及學校21人自殺，致死9人。工商業者5人自殺，致死4人。南京至2月19日26人自殺(致死14人)，還有8人的家屬自殺。南京市打出「老虎」2,435名，是中央給定任務的3.25倍。

據當時任上海市第二中級人民法院民庭庭長的何濟翔回憶：「『三反』後聽陳毅市長作報告，全市共自殺五百餘人。」

甘肅省鎮原縣「三反打老虎」使用了55種刑罰，21人自殺，致死12人。雲南元謀縣揪出「貪污份子」171人，銀行行長、財務局長被逼自殺身亡。逼供逼出101萬元「貪污金額」，竟達當年全縣財政收入的1.78倍。

全國近三千縣、市，有數萬人在運動中非正常死亡。

「三反」運動起也快，落也快。因為被打的「老虎」絕大多數是清白無辜者，絕大多數「老虎」被釋放、「解脱」。據中共中央組織部報告，「全國縣以上黨政機關（軍隊除外）參加『三反』運動總人數383萬6千多人，共查出貪污份子和犯貪污錯誤的120萬3千多人。」其中1.72萬人處以在機關管制，1.12萬人送「勞改」農場，近1萬人判處有期徒刑，無期徒刑67人，死刑42人（內有殺人犯5人），死緩9人。

當時被定為「貪污份子和犯貪污錯誤的」120萬人，大多數不是「貪污犯」。許多人後來獲得「平反」。

五 「五反」運動（1952.1–1952.10）

「五反」運動是反行賄、反偷稅漏稅、反盜騙國家財產、反偷工減料、反盜竊國家經濟情報。運動對象是全國私營工商業者近100萬戶，其中上海市16萬戶。

何以搞這場「大規模的堅決的徹底的」（毛澤東語）的運動，官方說法是「不法資本家在供應抗美援朝戰爭的軍需物中的不法行為極其惡劣，甚至使許多志願軍將士致殘、失去生命。」「必須對這些不法資本家進行反擊。」

1952年1月26日，毛澤東發出指示：「全國各大城市（包括各省城）在2月上旬均應進入『五反』戰鬥」。

十天後的2月7日，上海就拋出了「資產階級進攻」的最嚴重案例：「大康藥房」老闆王康年向25個機關的65名幹部行賄，用假藥賣給入朝志願軍，「致使成千上萬志願軍傷員用了王康年的『急救包』而遭細菌感染身亡」。王康年成為「五毒資本家」的代名詞。

實際28歲的王康年僅擁有一家不大的西藥零售店，無製藥能力，所售藥品全靠進貨。案件審理過程中，所稱的「受賄」幹部無一出庭，沒有一家藥廠被指控向大康藥房提供「假藥」，更無一名「受害志願軍官兵」在法庭現身。因毛澤東指示對「罪大惡極的反動資本家」，要「給他們以各種必要的懲處，例如逮捕、徒刑、槍決、沒收、罰款等等」。1953年2月王被槍決。

1950年率一百多條輪船從香港返回大陸，為新政權效力的重慶「民生輪船公司」老闆盧作孚也被指為「不法資本家」。2月8日，他含冤自殺。民生公司副經理及大船船長以上骨幹幾乎全部入獄，其中兩人被處決。

毛澤東說「五反」是「人民群眾的運動」，私營企業的職工參加「打虎隊」，扣押業者，令其交代「五毒行為」，並根據其交代定罪。「打虎隊」的逼供導致「老虎」胡亂交代。許多工商業者面臨絕境：拿不出錢「退贓補稅」，走投無路而自殺。

主持全國「五反」運動的中央節約委員會主任薄一波2月25日到上海時，全市已「發生資本家自殺事件48起，死了34人」。至4月10日，上海已有資方229人自殺，其中100人死亡。

「五反」中上海市清算出資本家違法所得高達新幣十億元，比全市資本家1951年的實際所得還要多。

「退贓補稅」也成了天文數字。如蚌埠市工商戶需退補的金額高達全市工商戶資本總額的一倍。主持全國財政的中共中央書記處書記陳雲說：「恐怕站不住腳。」

「五反」運動也很快告終。6月以後，疾風暴雨式的運動基本退潮。10月17日，中央人民政府政務院副秘書長廖魯言報告，全國近100萬工商戶參加「五反」，1,509人受刑事處分，其中1,470人有期徒刑，20人無期徒刑，19名「按殺人犯判處死刑或死刑緩刑」。十幾名死刑犯中，已知上海王康年和重慶民生輪船公司兩名經理是冤案。重慶一個營造公司的老闆因承包西南軍區的營房工程「偷工減料」被處死，很可能也是冤案。

中共後來承認「三反」、「五反」的對象百分之九十五都整錯了。中共副主席劉少奇有個解釋：「他們抓住三反、五反中的缺點，說打了那麼多人，結果只有百分之五，即百分之九十五不是都錯了嗎？而不知道有的是降低了標準⋯⋯所以只剩下百分之五了。」「缺點錯誤不過是一個指頭。」

六　農業合作化運動（1950–1956）

1950年6月公佈的《中華人民共和國土地改革法》明文規定：「承認一切土地所有者自由經營、買賣及出租的權利。」但1951年9月，中共另公佈〈關於農業生產互助合作的決議（草案）〉，要求全國各地「發展土地入股的農業生產合作社」。此後，土地經營、買賣及出租自由被實則取消。

毛澤東說：「通過農業合作化，逐步建立農業中的社會主義生產關係，限制和消滅農村中的資本主義。」「這是要把資本主義制度和一切剝削制度徹底埋葬的一場革命。」「這是一個大仗，是對農民私有財產開火。」「要搞社會主義就要合作化。社會主義要有專政。」

1953年12月16日，中共中央宣佈「實行農業的社會主義改造」。全國各地動用專政的辦法強迫農民加入合作社。有的地方「百分之八十的社是在直接、間接威脅下轟起來的。」據四川江津地區十個縣統計，入社農戶自願加入的僅佔15%。

至1956年3月，全國90%農戶、1.06億戶入了合作社。這時的合作社，實行土地、農具入股。有的「土地分配佔60%，勞動力佔40%。」有的「入股土地報酬為40至45%，勞動力報酬為60至55%。」按馬克思主義，憑藉生產資料以分享他人勞動果實屬剝削。所以「初級合作社」是「半社會主義」的。而土地、生產資料歸公，取消分紅，人人按勞動工時計酬才是「全社會主義」，是為「高級合作社」。1955年12月，毛澤東提出「條件成熟的合作社」應轉為「高級合作社」。很多剛建立的初級社連一次土地分紅都沒兑現，就轉成了「高級社」。

成立初級社時，中共曾公佈「社員有退社的自由」，「退社的時候，可以帶走他私人所有的生產資料。可以抽回他所交納的股份基金和他的投資。」但這時退社自由已實則取消。不甘就範的農民往往以自殺結束與政府的對抗。如山西忻縣地區發生農民投崖、跳井、服毒、上吊等自殺事件60起，浙江慈溪縣發生91起，寧海縣78起。全國發生農民自殺事件共數萬起。

1956年底，參加高級社的農戶佔總農戶的88%。

社員不再擁有土地和生產資料，從此失去了生產的熱情。

社員個體從事多種經營和家庭副業是資本主義，被限制或禁止。全國農村除糧食生產外，經濟全面萎縮。

1956年全國棉花比1955年減產147萬擔，豬減少350萬頭。大牲畜減少100多萬頭。福建省1956年茶葉生產不及1930年代的一半。黑龍江省農村的副業生產下降了一半。其他各省大致也是如此。

農民收入大幅減少。如江蘇泰縣，1956年人均收入比1955年下降了17%。山西陽城縣，「多數人缺糧、缺草、缺錢、缺煤，爛了糧、荒了地」。

從1956年到毛澤東去世的1976年，幾億農民始終停留在「多數人缺糧、缺草、缺錢、缺煤」的境地，人民窮到了極限。

七　工商業社會主義改造運動（1949–1956）

1949年，毛澤東回答黨外人士何時過渡到社會主義時說：「大概二、三十年吧。」「私營工業國有化和農業社會化……還在很遠的將來。」但僅過了三年，毛澤東便決定「搞社會主義改造」。1953年12月16日，中共宣佈要「逐步實現對農業、手工業和資本主義工商業的社會主義改造」。1954年9月，政務院發佈《公私合營工業企業暫行條例》，着手將私人企業改為受政府派出的「公方代表」領導的「公私合營」企業。

1953年中共曾規定國家所得稅、企業公積金、職工福利分佔企業利潤的四分之三，私營業主和股東所得不能超過利潤的四分之一，稱

「四馬分肥」。公私合營後，那「四分之一利潤」不再分給業主、股東，而被用以「贖買」私營業主的生產資料，即用企業「四分之一的利潤來『贖買』其生產資料」。

這「贖買」的錢被稱作「定息」。其數量按原私營業主的固定資產值折算，是固定數，稱「定息」。劉少奇説：「到最後，定息沒有了，就是全民所有制完全實現了。」

「贖買」的數量取決於資產額。資產額一般由資方自報，同行評議，再由公方、工人、資方三方組成的行業合營委員會決定。再以估值數決定「定息」數量。若剔除「定息」的因素，「合營企業」與國營企業已無不同。

因層層壓低企業資產值以便減少「定息」，全國私營企業資產總額僅24.2億元，其中上海市佔46.4%。國務院宣佈：「公私合營企業的定息戶，不分工商、不分大小、不分盈餘戶虧損戶、不分地區、不分行業、不分老合營新合營，統一規定為年息五厘，即年息5%。」1956年開始發放「定息」，每年支付1.1億元，預定至1962年結束，共計七年，即預計發放總額7.7億元，約為1955年私人資本總額24.2億元的32%。即一次以32%的價格購買全國私人工商業，按七年分期付款。除去每年支付的1.1億元的「定息」，全國工商業的盈利概屬國家。

1955年10月，毛澤東説打算用15年的時間「完成資本主義工商業的社會主義改造」。但經歷過「鎮壓反革命」、「土地改革」，特別是「三反」、「五反」運動，「工商業的社會主義改造」幾乎未遇抵抗。僅僅三個月，北京就於1956年1月15日率先「跑步進入社會主義」，私營工商業全部實現「公私合營」，完成了「資本主義工商業的社會主義改造」。接着，全國最大的工商業城市上海於20日宣佈：85個工業行業35,163戶和120個商業行業71,111戶全部實行公私合營，工商業改造完成。廣州也於同一天宣佈「私營工商業全部實行公私合營」。

1月間，全國幾乎所有城市都完成了「工商業改造」。

這是巨大的「勝利」。中共廣東省委第一書記陶鑄説：「我們在很短的時間內就把資本家的全部財產拿過來，約計全省私營工商業的資金有一億九千多萬，現在被我們拿過來了，國家發了一筆洋財。」「幾天時間被我們共了一大筆財產。」

1956年初，除西藏等少數邊疆地區外，全國「工商業的社會主義改造」基本完成。原定1962年中止的定息發放，經兩度延長，終止於1966年的文化大革命。1966年6月以後，「公私合營」成歷史名詞。私營企業絕跡。

八 反對胡風反革命集團和肅清反革命運動（1955–1958.6）

1954年7月，作家、文藝理論家胡風將其27萬字的〈關於幾個理論性問題的說明材料〉遞交中共中央。1955年初，毛澤東將胡風的文章冠以〈胡風對文藝問題的意見〉在第一、二號《文藝報》發表，並將〈關於胡風反黨集團的一些材料〉交給《人民日報》發表。他指示中共中央宣傳部副部長周揚逮捕胡風，胡風被關進監獄。

毛澤東宣佈「胡風集團不是一個簡單的『文藝』集團，而是一個以『文藝』為幌子的反革命政治集團」。全國各級黨組織成立專司清查「胡風份子」的「五人小組」。「胡風集團」逐次升級為「胡風反革命集團」、「胡風反革命陰謀集團」。

反對胡風反革命集團運動在全國開展。這是一個文化、教育界的鎮壓反革命運動。公安部採取全國統一行動，將凡與胡風有過同事、師生關係的人及有過書信來往的人，給當年胡風主編的刊物投過稿的，全都定為審查對象。

在1980年給胡風平反的文件中，中共說：「（此案）共觸及了2,100餘人，逮捕92人，隔離62人……正式定為『胡風反革命集團』份子的78人。」但《文藝報》負責人、中國作家協會書記處書記康濯說：「全國被清查、揪鬥的達十餘萬人，被捕入獄的一萬多人。」

毛澤東在關於「揭露」胡風集團的指示中說：「借着這一鬥爭……揭露各種暗藏的反革命份子(國民黨特務份子、帝國主義特務份子、托派份子和其他反動份子)，進一步純潔革命隊伍。」於是在「反胡風運動」的同時開展「肅清暗藏反革命份子的鬥爭」，簡稱「肅反」運動。

1955年7月1日中共中央指示全國「黨的組織、國家機關、人民團體、文化教育機關和經濟機關」，「辨別和清理暗藏的反革命份子」。在8月25日〈關於徹底肅清暗藏的反革命份子的指示〉中，毛澤東估計黨政軍民機關、團體、企業、學校中的「反革命份子或其他壞份子均佔百分之五。」12月6日，毛澤東重申：「在肅反運動中，對於高級知識份子的重點對象，必須也同其他方面一樣，一般地控制在百分之五左右。」

這個「控制數字」很快變成必須達成且大大超過的目標。一個大學一關就是上百、幾百人。如北京大學鬥爭了二百多人。成都工學院鬥爭了三百多人，關押了一百多。

大批人在「肅反」運動中自殺，僅北京市就有484人。

1956年12月，毛澤東總結「肅反」運動，說：「從去年潘漢年、胡風事件以來，到今年審查了四百多萬人，搞出了十六萬嫌疑份子，查出了確實隱藏的只有三萬八千人是反革命份子。」「那三萬多人，一個不殺，大約百分之一勞改，其餘的人都在原單位工作。」

「三萬多人」的百分之一是三百多。實際上僅河北武清縣就逮捕了「反革命和各種犯罪份子」363名，「處決反革命份子16名」。廣西上林縣查出150名反革命和壞份子(其中60名是中小學教師)，三分之一逮捕判刑，三分之一送勞動教養，三分之一被開除公職或管制勞動，僅四人未予處分。

被用來證明肅反成績的「反革命份子」，絕大多數是冤案。如雲南瀘西縣有101名幹部、教師和工商界人士被定為「反革命」和「壞份子」，「其中逮捕判刑40名，開除勞教32名，管制留用20名，開除公職7名，運動中自殺2名」。1962年重新審理，結果全部是冤案。

亂抓濫捕，全國都如此。被逮捕判刑、送勞動教養、被開除公職或管制勞動的至少有三十萬人。三十萬正是毛澤東在「肅反」開始時定下的指標：「反革命五年抓一百五十萬，每年三十萬。」

九　反右運動（1957.6–1958.3）

在1956年4月底的中共中央政治局擴大會議上，毛澤東說：「在藝術上『百花齊放』，學術上『百家爭鳴』，應作為我們的方針。」11月，毛澤東宣佈：「我們要進行一次大的整風運動。」「主要是整主觀主義、官僚主義、宗派主義、貪污浪費以及下邊幹部的強迫命令作風。」而且要「開門整風」，請知識份子、民主黨派「幫助黨整風」。

「百家爭鳴」和「百花齊放」被濃縮為「鳴放」二字，被賦予「不平則鳴」、「有意見就放」的政治含義。為推動「鳴放」，毛澤東宣佈「言者無罪、聞者足戒」，還在最高國務會議上許諾黨外人士：「人民是有批評的權利的。」「憲法是應該實行的，言論、集會、結社自由、言論出版。」「有選舉權的，憲法就規定他有言論自由。」「現在階級鬥爭不鬥了，階級鬥爭停止了。」4月30日，毛澤東約集各黨派負責人和無黨派知名人士上天安門城樓，強調「整風總的題目是要處理人民內部矛盾，反對三個主義」。

5月1日，《人民日報》發表經毛本人反覆修改的中共中央〈關於整風運動的指示〉，宣佈「放手鼓勵批評，堅決實行『知無不言，言無不盡；言者無罪，聞者足戒；有則改之，無則加勉』的原則。」5月2日，《人民日報》發表社論〈為甚麼要整風〉，表示中共決心「讓人民有不同的意見敢於自由發表，能夠自由討論。」「使全體人民在社會主義社會中感覺到有充分的自由、平等和主人翁的感覺。」5月4日，毛澤東寫下〈關於請黨外人士幫助整風的指示〉，說要「請他們暢所欲言地對工作上的缺點錯誤提出批評」。

從5月初開始，全國各界人士在「整風座談會」上發言，「幫助黨整風」。5月14日，毛澤東指示「對黨外人士的錯誤的批評，特別是對右傾份子的言論，不要反駁，必須原樣地、不加粉飾地報導出來。」15日，毛澤東寫下僅黨內高層極少數人看到的〈事情正在起變化〉一文，說鼓勵人民「鳴放」是「為了讓人民見識這些毒草、毒氣，以便除掉它、滅掉它」，並稱為了「誘敵深入聚而殲之」，「右派的進攻還沒有達到頂點……我們還要讓他們猖狂一個時期，讓他們走到頂點」。16日，毛澤東指示全黨對批評「暫時（幾個星期內）不要批駁，使右翼份子在人民面前暴露其反動面目」。

5月19日，北京大學出現第一張鳴放大字報。21日，章伯鈞提出「政治設計院」的設想；22日，羅隆基提議設立「平反委員會」，「檢查三反、五反、肅反運動的偏差」；23日，中國人民大學學生林希翎演說抨擊中共實行封建社會主義；6月1日，儲安平抨擊中共實行「黨天下」。

6月8日，毛澤東發出「反擊右派份子」的指示，反右運動揭幕。

7月1日，毛澤東針對有人指責他搞陰謀，說：「有人說，這是陰謀。我們說，這是陽謀。」「右派不但有言論，而且有行動，他們是有罪的，『言者無罪』對他們不適用。」他宣佈：「資產階級反動右派和人民的矛盾是敵我矛盾。」「反右派就是肅反。這是新式肅反。」

全國共至少有60萬人被打成「右派份子」。此外，毛澤東又說：「右派是反對派，中右也反對我們。」約40萬人被打成「中右份子」。還有數萬人因「右派言行」而被定為地主、富農、反革命、壞份子。1978年，中共中央組織部部長胡耀邦主持「右派改正」工作，被「改正」者計有552,877人。「中右」份子未在其中。

十　大躍進運動（1958–1960）

1957年10月，毛澤東說，「1956年我國整個經濟、文化事業有了一個很大的躍進」，並批評國務院總理周恩來等「右傾」，是「促退派」。10月26日，毛澤東主持制定的〈1956年到1967年全國農業發展綱要（草案）〉正式公佈。

被毛澤東批為「促退派」的周恩來為了表示緊跟，指示《人民日報》寫社論，並把社論稿呈交毛澤東。毛見到文中「有條件也有必要在生產戰線上來一個大的躍進」，立即批准發表，說：「這是個偉大的發明，這個口號剝奪了反冒進的口號。」11月13日，「大的躍進」一詞隨社論在全國見報。

12月12日，《人民日報》發表經毛澤東修改審定的社論〈必須堅持多快好省的建設方針〉，正式採用「經濟戰線上的大躍進」的用語。

大躍進是「各項事業的全面躍進」，包括「全民辦工業、全民辦運輸、全民辦教育、全民辦科學、全民武裝」。

毛澤東認為，大躍進首先是鋼鐵生產大躍進。抓住鋼鐵才算抓到發展國民經濟的關鍵。他對東歐六國共產黨代表團介紹經驗道：「你把鋼鐵搞起來，其他東西都可以跟上來。」

「以鋼為綱，全面躍進。」1957年中國產鋼535萬噸。毛澤東要求1958年「翻一番」，達1,070萬噸。1959年繼續翻番，生產2,500萬至3,000萬噸。

但是到了1958年7月底，全國總共才生產了380萬噸鋼。毛澤東下令：「1958年的任務必須保證完成，一斤也不能少。」他決定發動全民煉鋼，並宣佈「誰煉不出鋼鐵，就要摘誰的烏紗帽」。

為了實現鋼產量「翻一番」，1958年的最後五個月，全國二十多省、市都置農業生產於不顧，調動數百萬農民建「土高爐」，搞「土法煉鋼」。全國共有「九千萬人上陣」。

因缺乏焦炭，全民伐樹。安徽省「有林地面積減少600萬畝」。湖北省成材林面積減少一半以上。全國森林面積減少數千萬畝。

因缺乏生鐵，全國收繳鐵器。幾億農民生活所用的鐵器，甚至商店的新鐵鍋都用來煉鋼。全國至少砸毀鐵鍋一億口。

12月22日，《人民日報》宣佈：「一年之間鋼產加番，在世界鋼鐵史上寫下輝煌的一章。1,070萬噸鋼——黨的偉大號召勝利實現。」

中共中央統計，1958年產糧8,600億斤，超過1957年產量3,700億斤的一倍。毛澤東說：「我們講七千五百億斤即翻一番多一點，那一千一百億斤不算。」於是「七千五百億斤」公佈於世。

這樣，工業的鋼產量和農業的糧食產量都「翻一番」，實現了「大躍進」。實際上，那「九千萬人上陣」的成果「1,070萬噸」鋼裏，至少有三百萬噸是「土鋼」，一半是泥土、一半連含鐵30%的鐵礦石還不如。糧食產量的真實數字只有3,827億斤。

十一　人民公社化運動（1958.3–1958.10）

1955年農業合作化運動開始後，毛澤東曾經讓其助手陳伯達提議「鄉社合一」，即將農村的基本政權鄉政府與農業生產合作社合併為一個機構。1958年3月，毛澤東親自出面，説「鄉社合一，將來就是共產主義的雛形，工農商學兵甚麼都管。」中共中央立即通過決議，將農業合作社「合併為大社」。

4月，河南遂平縣將27個小社合併成「鄉社合一」的「嵖岈山大社」。後仿蘇聯改名為「嵖岈山衞星集體農莊」。主管農業的副總理譚震林告訴遂平縣委，該社「比蘇聯集體農莊的層次要高，實際和巴黎公社的情況差不多」。於是改名為「嵖岈山衞星公社」。後毛澤東讓陳伯達派員去遂平，再度改名。「嵖岈山衞星人民公社」由是誕生。

毛澤東説：「巴黎公社是世界上第一個公社，遂平嵖岈山的衞星公社是第二個。」「我們的方向，應該逐步地有秩序地把工、農、商、學、兵，組成為一個大公社，從而構成我國社會的基本單位。」毛澤東設想，「農村中將是許多共產主義的公社……鄉村公社圍繞着城市，又成為更大的共產主義公社。前人的烏托邦的夢想將被實現，並將被超過。」中共中央宣佈：「共產主義在我國的實現，已經不是遙遠將來的事情了。」

全國各省市一哄而起，到9月底全國已經有90%以上的農戶參加了「工農商學兵互相結合、鄉社合一的人民公社」。農民一律稱「人民公社社員」。

「人民公社化」就是「共產化」。社員私有林木、果樹、家畜、自留地、墳地、場院不論大小，一律無代價收歸公社所有。糧、草、蔬菜、磚瓦、木料、鍋歸公。牲口、農具、運輸工具、副業工具，也變成了人民公社的財產。

毛澤東說：「公共食堂，吃飯不要錢，就是共產主義。」公社食堂吃飯不要錢，但食堂的房舍、炊具、燒柴、糧食、蔬菜及豬羊雞鴨，無不取自個人家庭。農民家中惟剩四壁。

毛澤東幾次講「不相信家庭要廢除不是馬克思主義」。他要求全國推廣徐水縣的「組織軍事化、行動戰鬥化、生活集體化」。各地人民公社紛紛實行「吃、住、學習、勞動四集體」。有的強令「大搬家」，男、女、老、少分別住宿。有的實行配偶「過星期六」制度。有的不許提「家庭」二字，改之以「小組」。直到毛澤東聽說山東壽張縣「消滅家庭」的情況，才下令禁止。

但人民公社的食堂是「社會主義陣地」，社員仍然不得在家中開伙。直到1961年5月，中共才宣佈解散人民公社的公共食堂。

人民公社使幾億農民貧窮至極點。1976年毛澤東死去時，全國人均糧食、棉花、油料的產量都低於1956年。1977年全國人均糧食仍然低於1955年。

1985年，人民公社解體。

十二　反右傾運動(1959.8–1960)

1958年虛假「大躍進」的惡果很快顯現。截至1959年1月12日，中共中央宣佈的「共產主義試點」河北徐水縣已有329人因缺糧致「浮腫病死亡」。2月，江蘇、河南、湖北、貴州、山東等省出現「餓死人的嚴重情況」。

但毛澤東在2月27日鄭州會議上說：「懷疑或者否認1958年的大躍進，懷疑或者否認人民公社的優越性。這種觀點顯然是完全錯誤的。」中共中央政治局委員、國防部長彭德懷持不同意見，在4月初上海政治局擴大會議上說：大躍進的政策從根本上是錯了！

7月2日，中央政治局擴大會議在江西廬山開幕。毛澤東承認大躍進有缺點：「去年糧食沒有翻一番，但增加30%是有的。」「不能說得不償失。」「全黨全民學了煉鋼鐵，算是出了學費。」而彭德懷幾次發言批評大躍進，並說「要講責任，人人有一份，包括毛澤東同志在內」。湖南省委第一書記周小舟建議彭將其發言整理成文。彭於7月13日夜寫了一封信由參謀交給毛澤東。信中提到「小資產階級的狂熱性，使我們容易犯左的錯誤」，「提出吃飯不要錢……提倡放開肚皮吃……經濟法則和科學規律輕易被否定等，都是一種左的傾向」。

毛澤東將彭的信冠以「意見書」發下，要與會者「評論這封信的性質」。他佈置未參加會議的林彪元帥和總參謀長黃克誠上廬山後，於7月23日召集全體會議，說「人若犯我，我必犯人」，對彭德懷發動突然襲擊。

8月16日八中全會閉幕，中共中央通過〈關於以彭德懷同志為首的反黨集團的錯誤的決定〉。「反黨集團」還包括黃克誠、周小舟和中央政治局候補委員張聞天。同一天，中共中央發佈〈為保衛黨的總路線、反對右傾機會主義而鬥爭〉的決議。全國開展反右傾運動。中共中央規定：凡是「攻擊總路線、大躍進和人民公社」、「支持以彭德懷同志為首的右傾機會主義反黨集團的綱領」、「借批評大躍進中的缺點為名，猖狂向黨進行攻擊的」都是「右傾機會主義份子」。

如貴州省委「捉拿小彭德懷」，打了43個「反黨集團」。甘肅「11,090人被重點批判，佔參加運動黨員幹部總數的14.4%。」山東省有24萬多生產大隊黨支書、生產隊長以上的幹部被批判和處分。

中共中央指示將「重點批判」的人數控制在農村人口總數的1%，即548萬以下。但實際上很多縣超過此數，如河南安陽縣1.7%，貴州仁懷縣2.6%，陝西渭南縣1.7%，甘肅隴西縣2.1%，安徽無為縣2.3%。

全國有三百幾十萬幹部和中共黨員，及至少七百萬各界非黨人士「被重點批判和定為右傾機會主義份子」。

廬山會議期間，甘肅省委第二書記霍維德向中央報告，全省「因缺糧和浮腫病致死的有2,200多人」。為此他被打成甘肅省「右傾反黨集團」的頭子。反右傾運動使本有可能避免或減輕的大饑荒迅速來臨。1,300萬人的甘肅省「非正常死亡」了十分之一。1958至1962年，全國有三千萬以上農村人口「非正常死亡」。

十三 「四清」運動（1962–1964.12）

由於鄉社合一的人民公社完全被公社、生產大隊、生產隊三級幹部掌握，不少幹部損公肥私，以致賬目、工分、錢款、庫糧混亂不清，簡稱「四不清」。1963年初，河北省保定地區開始搞「四清」：清賬目、清財務、清糧食、清工分。

河北「四清」不是政治運動。但因中共湖南省委報告説農村和城鎮階級鬥爭激烈，通過社會主義教育運動，「打退了敵人的氣焰」，毛澤東在1963年2月的中共中央工作會議上把湖南、河北的經驗總結為「社會主義教育，幹部教育，群眾教育，一抓就靈」，決定在全國農村開展「四清」運動，並在城市開展「五反」運動（反貪污盜竊、反投機倒把、反鋪張浪費、反分散主義、反官僚主義）。

1963年5月20日，中共中央下達〈關於目前農村工作中若干問題的決定〉中，再次強調「階級鬥爭，一抓就靈」。中央通知各地，該〈決定〉的「基本原則不但適用於農村，而且適用於城市」。「四清」和「五反」納入階級鬥爭的軌道。毛澤東數次強調農村「三分之一的生產隊掌握在敵人及其同盟者手裏」，城市工廠「經營管理方面已經資本主義化了」的，「是三分之一，二分之一，或者還更多些」。

1963年12月初，湖北省委把財務上的「四清」改成「清政治、清經濟、清思想、清組織」。中共中央認可此新提法。1965年1月，中共中央發佈文件：「城市和鄉村的社會主義教育運動，今後一律簡稱四清：清政治，清經濟，清組織，清思想。城市中社會主義教育運動過去稱為五反運動，以後通稱四清運動。」

「四清」運動的目標是解決「社會主義和資本主義的矛盾」，「運動的重點」是「整黨內那些走資本主義道路的當權派」。農村「走資本主義道路」的標誌是自留地、自由市場、自負盈虧和包產到戶（「三自一包」），家庭副業、個體販運買賣等。城市工廠企業的「專家治廠、獎金掛帥、計件工資、物質刺激、利潤第一」屬「走資本主義道路」。

被「走資本主義道路的當權派」「篡奪了領導權」的地方需「奪權」。基於「三分之一」組織「掌握在敵人及其同盟者手裏」的估計，大批幹部被解職。如四川宣漢縣30%的幹部被列為「壞人」革職。

大批基層幹部不堪鬥爭自殺身亡。如北京郊區通縣發生212起非正常死亡事件。陝西長安縣182人自殺，致死154人。青海省三千多名幹部自殺，99%是農村生產大隊、生產隊幹部。

「四清」還重新劃定家庭成份，補劃地主、富農、資本家。並非新地主富農，而是「漏劃地、富」。如北京郊區通縣補劃地主495戶、富農394戶，沒收其中847戶的房屋3,419間。江西景德镇市將346個勞動者改成了「資本家」。人口僅二百多萬的青海省「補劃、補定了三萬多地主、富農成份和地主、富農份子。」

許多人抗拒階級成份被改變而自殺。如四川廣安縣協興區二十多人因重新劃分成份而自殺。

在全國城鄉「四清」運動中非正常死亡的人數在十萬以上。

1964年春毛澤東說：「四清」運動至少搞三到四年。但1966年他就發動了另一場「文化大革命」。6月文革爆發時，大部分地區尚未結束的「四清」戛然中止。

文革社會倫理背景一瞥

林　達

一　反省紅色教育的前提

2003年，一部文革紀錄片《八九點鐘的太陽》面世。「八九點鐘的太陽」，這是毛澤東形容年輕人的一句話，電影探討的重點是那一代年輕人從被革命教育愚弄直到覺醒的經歷，是檢討革命教育的一個嘗試。它也盡力涵蓋、詮釋文革前的中國紅色宣傳教育、中國高層矛盾來源和十年文革的重大事件。

這樣一部小製作影片，當時就引出了極為對立的激烈爭論，也從一個側面傳達了文革研究現狀：一是研究少、影片堪稱稀有，在發生地中國，文革還是禁區，文字可私下做，出版略為鬆動，就能擠出一些在官方言論界線內的出版物。影片就不同，不僅需要資金，而且在可預見的未來，中國根本沒有上映可能。所以，一旦出來一部，會引起各方強烈關注。文革影片的份量，少得與如此重大的一段歷史完全不相稱；二是中國對文革研究和公佈真相的禁錮，帶來長期的認識分裂，對文革及其領導者，遠不像德國對猶太人浩劫及其責任者那樣，有相當一致的主流價值判斷——在中國和國際間都是如此。

迄今為止，中國學界不乏全部或局部肯定文革的學者；文革領導者在中國，仍然是官方推崇、民間追捧的英雄偉人；在西方，毛澤東遠非希特勒(Adolf Hitler)那樣的政治敏感人物：1989年建立的尼克遜總統圖書館暨博物館，陳列了尼克遜(Richard M. Nixon)認為是改變了世界的幾個國家領導人的真人尺度雕塑群像，毛澤東和周恩來是僅有的兩個坐在沙發上的坐像；2009年奧巴馬總統夫人米歇爾(Michelle L. R. Obama)主持裝飾的美國第一聖誕樹上，一個聖誕裝飾球的貼飾中，有一塊小小的波普藝術家畫的毛澤東像，引起爭議。我想，假如換作希特勒，哪怕是波普藝術，白宮一定會小心避開，免得觸發敏感議題；同年，美國前白宮新聞官在公開演説中聲稱毛澤東是對她最有影響的人物之一。假如切換到猶太人浩劫的責任者希特勒，這種情況絕不可能在德國、美國或者任何西方國家發生。

所以，對紅色教育的反省，其實有一個重要前提，就是首先明確文革浩劫毀滅性的災難後果，這和反省納粹教育的道理是一樣的。德國人認為，假如持續納粹教育，可能產生新一代納粹青年、可能導致浩劫重演，而浩劫的災難性是清楚的；那麼，反省紅色教育，也應該是為了避免產生新一代紅衛兵，避免再次出現文革。可是，文革究竟是甚麼，在國內、國際間都還是模糊得多的概念。也就是説，文革爆發迄今已經五十年，卻至今沒有強有力的文革敍述，推出被基本一致接受的結論來。

二 中國是否存在「受迫害核心群體」

一個原因，是文革的複雜性遮蔽了它的本質。在文革研究中，有很多人認為，文革迫害者與被迫害者之間的關係複雜。尤其是文革中有大批中共幹部和追隨者受到迫害，他們中的一些人，在文革之前也曾經參與迫害他人；在文革中，更普遍存在迫害和被迫害的多次循環，迫害者和被迫害者之間，似乎並沒有一條清楚界線。

這是對文革相當普遍的一個看法。我認為：中國從理論到現實，都長期存在一個「受迫害群體」，它是文革迫害模式的核心。這個群體從1949年開始被大規模「專政」，被非法殺戮、被無罪監禁、被非法限制自由(管制)、被非法剝奪財產。他們是所謂「四類份子」:地主、富農、反革命(含前國民黨政權的軍政人員被定為歷史反革命)、壞份子。他們的「納粹時期」,從1949年就開始了。而在「解放區」,即1949年前的共產黨佔領區,主要是隨着土改推行,遠早於1949年就形成專政雛形。當文革「紅色恐怖」壓倒一切,他們再次成為受迫害的最基本對象。

根據1954年《中華人民共和國憲法》第十九條的規定,「國家依照法律在一定時期內剝奪封建地主和官僚資本家的政治權利」。根據2004年最高人民檢察院網站上的統計,全國當時有兩千多萬地、富、反、壞份子失去公民權。這兩千多萬人,與1949年之後的迫害循環無關。從來沒有出現過讓他們起來迫害別人的一點點可能。在文革之前,最高人民法院院長謝覺哉在1964年12月26日在第三屆全國人大的工作報告中就公開宣稱:「在依靠群眾實行專政這一根本路線的指導下,⋯⋯人民群眾能不能制服四類份子,敢不敢把四類份子的絕大多數人管起來進行改造,既是衡量一個地方群眾是否充分發動,社會主義革命是否徹底的主要標誌之一,也是衡量這個地方的人民法院是否貫徹了群眾路線的主要標誌。」

據毛澤東1957年2月27日講話:僅1950年至52年,鎮壓反革命運動的處決達七十萬人。1955年7月1日,公安部在〈1955年到1958年全國逮捕反革命份子和各種犯罪份子的計劃綱要〉中承認:「歷時三年的鎮壓反革命運動期間共捕了3,585,432名,殺了753,275名」。鎮反其實並沒有停止於1953年,「到1955年第一季度為止⋯⋯共殺了765,761名」。

鎮反運動逮捕殺戮含少數所謂「惡霸地主」,而在1953年之前的土改運動,處死地主、富農甚至家屬,處死方式基本上是私刑處死(含酷刑折磨致死),也導致大量自殺。這些死亡並不在前面所述的鎮反殺戮數字之內。根據學者們的保守估計,僅土改,地主、富農及其家屬的死亡,就在一百萬至二百萬之間。因此,在1950年代初期的「四類份子」的死亡,不下兩百萬人,而在殺戮高潮下倖免的「四類份子」,是持續被迫害17年之後,在文革中整體陷入絕境。

再看「資產階級」。從1952年開始，「資產階級」就被毛澤東指定不再是中間階級，而是無產階級的政治對立面的「主要矛盾」。1956年公私合營的時候，把七十萬小商小販小手工業者等，劃入資產階級，加上近二十萬資本家，這是一個九十萬人的、從被「團結、利用、改造」，到愈來愈明確的被歧視迫害的「敵對階級」。在文革前，他們始終劍懸頭頂。文革一開始，他們是立即被掃入「四類份子」同等待遇的群體。這是數量高達兩千多萬人的「受迫害群體」。

三 「受迫害群體」成為文革迫害迅速擴大的依據

1949年以後，所謂「地、富、反、壞份子」，以及資產階級，基本上是歷史身份罪，已經無可改變。

地主富農在失去土地、資本家在失去企業、前政權軍政人員在失去服務機構之後，屬於個人的「身份罪」依然被迫存在。迫害模式因這個群體的存在而建立：以身份加以標識，即使沒有刑事罪行，也同樣可以失去一切公民權利，成為「群眾專政」，即民眾暴力的目標，沒有生命保障；罪行可以任意編造，無需經過法律程序認證；你是否存活，完全依賴於「形勢」——生存環境的暴力程度。

在文革前的「黑四類」，1957年後包括「資產階級右派」的「黑五類」，文革中擴大到「資產階級」，這個「紅色恐怖」的核心迫害對象，貫穿整個文革沒有改變，他們所承擔的罪名沒有改變，迫害的模式沒有改變。這個受迫害核心和模式的存在，是理解受迫害群體數量在文革迅速擴大的根源。其他被迫害對象，只要以同樣的身份加以標識，就自動納入這個模式。一個或一類人，只是在取得「身份罪名」之後，迫害者才取得任意傷害他們的權利。例如，「四類份子」在文革中被擴大為「黑七類」等等，其中「黑幫幹部」，是被指控為「走資本主義道路」、「資產階級在黨內代理人」，教師、知識份子是被指控為「資產階級知識份子」、「資產階級右派」，他們隨即取得罪人身份，進入了「受迫害群體」。一部分少年兒童是被指控為「地主、資產階級的孝子賢孫」、「狗崽子」而進入這個群體。文革中，「四類份子」、資產階級這一群體，加上對家屬、包括子女的株連，在當時六億人口中，被迫害人數就達到將近一億。

在文革前和文革中，建立起這個「身份罪群體」的理論，它一直強調中國現代歷史上政治鬥爭的相互殺戮，以國民黨殺過共產黨人為依據，作為文革以暴力對待「受迫害群體」充分理由：即存在「你死我活」的階級鬥爭。這個理論假設：此方若不殘酷對待甚至屠殺這個「身份罪群體」，就會被對方殺戮，將導致全部工農民眾的「千百萬人頭落地」。

這些說法，都刻意掩蓋了一個事實，那就是：在土改、鎮反、肅反大批被殺的無辜者(僅鎮反運動就有70萬人被殺)和因此形成的兩千萬「身份罪群體」，他們絕大多數無涉國共政治鬥爭，無涉所謂的「革命」「反革命」對峙，與任何政治並無干係。他們被劃入「敵對階級」，被指控「站在歷史錯誤一方」，只是一種政治陷害。絕大多數地主富農資本家只是合法擁有土地和企業的普通平民而已。

同時，由於文革涉及黨內鬥爭，文革研究大多會注重介紹文革前以毛澤東、劉少奇為首的高層，如何因經濟等議題產生分歧，以解釋文革一批幹部遭受迫害的來由。但是這些研究往往沒有同時指出：在以國家名義確立、迫害一個「身份罪群體」的問題上、在以專政替代法治的問題上，高層並無分歧。先是大批與政治鬥爭無關的無辜平民可以被誣陷殺害，往前再走一步，才是同樣與國共鬥爭無關的黨內意見不同者，也可以被誣陷、推入同一深淵。沒有法治界限，就沒有「罪與非罪」的標準。

文革浩劫的實質，就是主政者刻意徹底毀掉法治基礎，大規模誣陷濫殺與政治完全無關的平民，是主政者一手操控、鼓動暴民，收放自如。不是暴民政治，而是暴君政治，更與民主風馬牛不相及。因此，民間派別再多，都是在指責對方不如自己對當政者更忠誠，沒有一個公開反對當政者的人能僥倖得以生存。

四　「身份罪人」和「好人」

正因為有一條清楚劃出「身份罪」的界限，因此，所有被擴大進去的被迫害對象，要逃離迫害，都是宣稱自己被誤會了身份，聲明自己不是地主資產階級同路人。最典型的，就是50萬「資產階級右派」，他們中的絕大多數人，在和「四類份子」、資產階級一起飽受蹂躪之後，爭取「平反」的方式就是竭力將自己和「資產階級」劃清界限。他們不會嘗試以解救同受迫害「身份罪群體」的方式，同時爭取自己的被解救。不僅因為這樣做不可能成功，還因為1949年之後的反覆政治教育，就是階級鬥爭學説。在這個被普遍接受的學説之下，地、富、反壞份子構成階級敵人，而這個「身份罪群體」不可能消失。它不僅存在於專政迫害中，也存在於絕大多數普通「好人」的心中。這些「身份罪人」的家屬和孩子，也必須以「揭發親人劃清界限」、「宣佈脱離家庭」來嘗試規避迫害，但由於血緣關係，他們極少逃脱成功。

回顧文革，遇羅克寫出〈出身論〉，質疑了「身份罪牽連下一代」，由是作為一個典型的、挑戰體制的英雄，受到大家應有的推崇和紀念。但我也看到，大家往往忽略了千千萬萬個與政治無涉，從來沒有一絲挑戰革命形勢的念頭，巴不得找個地洞蹲在裏面不要被人看見，卻被紅衛兵少男少女們拉出去打死或被迫自殺的人。大量出現這樣的受難者，才是浩劫。

文革研究一般都普遍注意並且提到了文革第一波對於地、富、反、壞份子的衝擊，但是，研究最關注的往往還是圍繞中共黨內政治鬥爭和社會上的派別鬥爭的主場景，而被迫害的「身份罪人」卻只是文革模模糊糊的背景。更為清楚的受害者，是國家主席劉少奇和大量革命幹部、知識份子。他們也是文革後由政府主持的「撥亂反正」模式中應予「平反」的「典型好人」。

這個思維模式是：文革作為一種「錯誤」，雖然是迫害了好人，他們卻是被誤認為是壞人而錯遭迫害，文革災難，就是把大批革命幹部打成了「黑幫」，把大批革命知識份子打成了「資產階級知識份子」，把一批革命幹部子弟打成了「黑幫子女」，把大批「好人」打成了「身份罪人」。那麼「四類份子」和資產階級呢？兩千萬中國「身份罪群體」呢？那條清楚的、受迫害核心群體的界限，在文革結束的時候再次出現。好、壞以此為界。

文革結束，「身份罪人」還是「罪人」，對他們的鎮壓還是對的。所以，在「好人們」歡呼文革結束的1976年，中國的「身份罪群體」還處在「不許亂説亂動」的處境。雖然對「好人」的甄別平反也花了一段時間，可是，在文革結束的那一天，他們就產生希望和信心，知道自己遲早是要脱離「身份罪群體」、被「平反」的。而在1976年，中國「身份罪群體」並沒有這樣的希望。因為，「撥亂反正」是「撥」文革中迫害的擴大之「亂」，是「反」(返回) 到文革前的十七年之「正」。

雖然，文革的教訓也漸漸引出對十七年 (1949–1966) 的一定程度的反省。在文革結束七年以後的1983年，又熬了大半個文革的時間，「四類份子」才獲得公民權，但歧視理論和環境依舊。他們處境的改善，只是黨「勝利完成了」對他們的「教育改造任務」，而並不是説，他們從來就應該是人。

一方面，中國「身份罪群體」在文革前和文革中被迫害和大批死亡沒有被全面描述，導致文革浩劫的屠殺事實被掩蓋了一大塊；另一方面，「好人」式的平反模式，使得文革的浩劫本質，變得更為面目不清。文革中被陷害而劃入「身份罪群體」的受迫害共產黨幹部群體，在文革後急於重返「好人」身份，他們中絕大多數人認為，恢復自己的「好人」身份，等同完成文革的「撥亂反正」，他們並不改變原來對「身份罪」的迫害理論。這使得一些人因反感這些幹部不反省自己在文革前參與或支持迫害他人，卻又主導了文革後控訴的話語權，因而不願意把中共幹部在文革中遭受的大規模暴力殘害也看作是相同性質的迫害，甚至有人認為，民眾對這些幹部的暴力，是對他們在文革前執行專制政策的一種合理反抗。

我想，浩劫的本質，就是以獨裁者煽動的民眾暴力，對他意欲迫害的對象，實行大規模非法傷害和殺戮，這樣的專政模式完全取代法治。在納粹德國，獨裁者把迫害對象認定為一個特定種族；在文革前和文革中，中國獨裁者把迫害對象認定為一個特定的「身份罪人」社會群體，在需要的時候任意擴大這個群體，在政治鬥爭需要的時候，甚至不排除擴大到自己的昔日戰友和支持者。這種暴力煽動雖然有局部短暫的失控，但是從全域和本質上看，文革中鬥爭共產黨幹部，甚至對他們施以暴力的民眾，並非自由意志的反抗者，而仍然是被獨裁者利用掌控的工具。對幹部攻擊的起始和中止、攻擊的方式、幹部被「保護」起來還是被「解放」，或者繼續留在暴力中，最終都是由文革的領導者決定，而不是由民眾所能掌控。

因此，文革中的所有受害者，都是浩劫的組成部分。而由「四類份子」開始的「身份罪群體」，仍然是浩劫迫害的核心。

五　失衡的文革研究描述

因迫害導致大量死亡，是納粹時期和文革時期的基本共同特徵，也是它們在本質上一致的原因。假如說，納粹對猶太人迫害的浩劫，大屠殺是佔歷史描述的絕對主體。那麼，這樣的主體描述對文革始終沒有形成，倒是出現更多紅衛兵那一代年輕人的文字回憶。他們對文革的回顧反省、對自身群體的研究，無疑是必須的，但是，我也認為，在文革研究中，不應該出現整體表述天秤的嚴重傾斜，造成這種失衡的原因是甚麼？

第一個原因，當然是文革研究在中國還屬禁區。這是和二戰之後的德國非常不同的地方。希特勒和他的國家社會主義黨都在一場侵略戰爭失敗之後，退出政治舞台。新一輪領導人沒有歷史負擔。而中國文革結束，是執政黨自身變化的結果。文革結束是一個突變，而政黨思維方式的變化卻是漸進的。它的固有思維之一，就是很難容忍黨外質疑，因此，對文革的所謂「撥亂反正」非常有限。

第二個原因，是在時過境遷之後，文革浩劫和猶太人浩劫，二者的敍述主體不同，源自倖存者的劫後遭遇完全不同。二戰之後，猶太人痛定思痛，倖存者們能夠集合起來追求民族生存。為了讓這個民族能夠記住自己幾近被滅絕的經歷，更是為了喚起歷來對猶太人充滿歧視敵意的世界各國民眾的反省，他們組成大量民間組織、基金會，建立博物館，集合民間資金，拍攝大量文獻紀錄片，把猶太民族的遭遇提升到人類悲劇的層面，把納粹的迫害追溯到反人類罪的層面，才使得今天的浩劫教育成為國際社會認同的人類歷史教訓。

而中國的「四類份子」和資本家，即使在文革結束那一刻，他們仍然是黑的。1976年文革結束，對他們中大多數人來說，只是可以指望開始一個不能對他們任意打、殺的「講政策」時期，有了較多人身安全，不至於在隨時可能發生的「批鬥會」上立斃杖下了。可是，他們的身份罪並沒有任何變化。不要說「四類份子」，「資產階級」仍然在文革後的經年累月中，成為一切批判目標的定語，例如批判「資產階級自由化」。

文革結束兩年多之後，絕大部分「四類份子」和資本家被「摘帽」、恢復公民權(全體恢復公民權是在文革結束七年之後)。可是，「摘帽」並不是安全的絕對保障。「摘帽」不是法律確認這些人原本就是公民，理所當然擁有平等權利，而是執政黨的一個寬恕決定。事實上，在決定中，沒有檢討多年來無罪殺戮和剝奪兩千多萬人公民權利的政府罪行，而是讚揚自己以迫害的方式「改造」他們成功：「經過做大量的艱苦細緻的工作，他們的絕大多數得到了改造，成為自食其力的勞動者。1979年元月，中央決定給全國六百多萬名『四類份子』摘帽，恢復了他們的政治權利。1983年後，國家又給所剩的79,504名地、富、反、壞份子中的78,327名摘掉了帽子，並糾正錯戴『四類份子』帽子的982名，對有現行違法犯罪行為的195名，分別予以逮捕或勞動教養，從而勝利完成了自解放以來對兩千多萬名地主、富農、反革命、壞份子的教育改造任務」，「83年後國家又恢復了近八萬名四類份子的公民權」。

在1979年1月11日，中共中央〈關於地主、富農份子摘帽問題和地、富子女成份問題的決定〉說：「地主、富農份子經過二十多年以至三十多年的勞動改造，他們當中的絕大多數已經成為自食其力的勞動者。」中央決定：除極少數堅持反動立場至今還沒有改造好的以外，凡是多年來遵守法令，老實勞動，不做壞事的地主、富農份子，以及反革命份子、壞份子，經過群眾評審，縣革命委員會批准，一律摘掉帽子，給予人民公社社員待遇。首先是對「勞動改造」迫害的肯定，再以「群眾評審，縣革委批准」的程序摘帽，如此「摘帽」，自然帶着極大的不確定性。他們的「反動立場」是「天然」的，只是現在，「經過群眾評審」，主觀判定你在「勞動改造」之後「改變了立場」，把你劃出這個群體。可是，「專政」仍然留在憲法中，在可能發生的另一個「中央決定」、「群眾評審」中，你當然可以再被劃回來，因為幾十年的迫害本身沒有被否定，形成迫害的理論沒有改變。

在土改時期被鎮壓殺掉的地主，在鎮反肅反中被處決的反革命不算，從1954年到1979年的25年中，有70%的「四類份子」，一千多萬人消失了。他們的死亡率遠遠高於正常死亡。猶太人在浩劫中的死亡，是600萬人。

我們設想一下，假如是猶太人倖存者剛剛走出集中營，從溫和化了的前納粹政府手裏拿到這樣一張摘帽決定，而他們還必須在德國生活下去，無法離開，猶太人怎麼可能給世界帶來今天的浩劫反省？不會的。就像直到我們感覺已經經歷了天翻地覆變化的今日中國，試想一下，是否可能出現一個類似「猶太人浩劫基金會」、「猶太人浩劫倖存者協會」那樣的中國「地主、富農、反革命、壞份子、資產階級浩劫基金會」、「中國黑五類文革倖存者協會」？沒有可能。因為在今天的中國，根深蒂固的文革思維仍然在起作用。從官方甚至民眾來看，打出這樣的身份，就是「沒有改造好」、「企圖變天」的證據。而這些倖存者仍然生活在長期迫害後恐懼的陰影之中。他們仍然是被政府寬大的、改造好了的罪人，而不是理直氣壯的浩劫受害者。德國浩劫的受害主體，是站出來質疑人類良知的整個猶太民族。中國文革的受害主體是零散地消失在人群之中、不希望被人注意到的、一個又一個的幽魂。

在文革發動五十週年的2016年，這個狀況不僅沒有改變，憲法中保留的「專政」被高調肯定，而遺憾的是，中國「身份罪群體」倖存者已經基本離世。就這樣，本來應該站出來，對文革浩劫的歷史傳承負起責任的受害主體，那個「身份罪群體」在歷史敘述中始終缺席。

六 敍述主體無法替代

曼(Thomas Mann)在二戰剛剛結束時説過：「希特勒把德國變成了一個刑訊室。」在文革中國，這是一個遠為廣泛的事實陳述。德國對猶太人的殺戮主要通過集中營由軍人執行；而文革中，中國城市的每一個工作單位，每一個居民區，每一個大、中、小學校，農村的幾乎每個村莊，都在發生人身侮辱(鬥爭會)、非法羈押(隔離審查)、體罰和刑訊。被打死打傷和不堪折磨的自殺死亡大量發生。平民廣泛涉入暴行，紅衛兵只是衝在最前面的其中一批而已。

文革和紅衛兵的興起，只是政府把原來就存在的對「身份罪群體」的「群眾專政」許可權擴大、專政範圍擴大，把任意侵犯掠奪他人財產、刑訊、監禁、處死和酷刑致死他人的權力下放到普通民眾，包括正值青春期的青少年手中，激發起人的獸性一面，教育使他們認為，殘暴行為只要假借革命名義就是可以的，甚至是「正義」的。在這一點上，文革中的中國也和納粹德國契合。《八九點鐘的太陽》引入了紅色教育中的電影示範，在紅衛兵一代看的國產電影中，鬥爭地主的羞辱、暴力，是一個常見場面。

文革中對老弱婦幼施以刑罰，顯然不是源於對革命理想的追求，只不過是被異常氣氛激發起來的虐待狂心理和獸性。不然，就無法解釋，普通人無法忍受的殘酷，會成為嗜好，甚至帶有娛樂和慶典的特徵。暴力蔓延的更重要原因，是政府只利用所謂「法律」對「敵人」施加迫害，而沒有任何正常社會中法律對侵害生命財產罪行的懲罰，文革只是長期迫害「身份罪群體」的制度性擴大。

很難否認，在納粹德國，青年一代也有和紅衛兵一代近似的政治迷幻。在《八九點鐘的太陽》攝製組建立的同名網站上，首頁有一幅照片是文革中的一個家庭，在兩三歲孩子的指揮下，一家人從小到大排成一列，高高興興各拿一本《毛主席語錄》。在描寫納粹迫害同性戀的紀錄片 *Paragraph 175* 中，有一個幾乎完全相同的場景。影片中，一大家子德國人高高興興地在自己家花園前從大到小排隊，然後，微笑着，一起行希特勒式的舉手禮。兩個場景如實傳達了同樣的政治迷幻在不同國家的社會中擴散深入的程度。

在德國，被虛幻政治理想和納粹教育蒙騙的一代人，無疑也有大量事後覺醒者，也有和紅衛兵一樣反省社會教育、心路歷程的需要。可是，在對整個浩劫反省中，這部分比重相對要輕得多，甚至微不足道。原因之一是，人們認為：面對大規模屠殺，不論那些參與者最初懷着怎樣的政治理想，在屠殺發生時，只可能是人的獸性主導。這種獸性是被甚麼催化劑催成的，已經很少有人關心。這部分探討弱化，也因為納粹教育已經隨納粹政權一起消失。在今天德國教育中，哪怕出現任何一點相關跡象，例如，集體主義、要求思想的整齊劃一、鼓勵對政黨和領袖的效忠頌揚等等，都會遇到非常敏感的、本能的警惕。

而中國情況完全不同，「國慶六十年」前後，文革前那些「三忠於」英雄和教育模式，又在對今天孩子推出新的一輪版本來。所以，對革命教育的檢討，對今天的中國青少年仍然有現實意義。但這又是非常糾葛的議題：一方面，尋求暴力形成的教育原因無疑是重要的。另一方面，之所以重要，因為它的後果是嚴重的反人類罪行。在整個文革研究和紀錄片領域中，由於政府阻擾採訪以及「猶太人群體」的恐懼，反人類罪行事實不清，相對於德國浩劫，文革面目也就模糊不清。例如，根據天津人民出版社於1986年出版的《「文化大革命」十年史》，從1966年8月27日至9月1日，北京東郊大興縣13個公社共殺害地主富農及其家屬325人，年齡38天至80歲，22戶被殺絕。在《那個年代中的我們》一書中，根據目擊者張連和在他的回憶文章〈五進馬村勸停殺〉中揭露，其中的馬村「在村內東、南、西、北四方設四個監獄，分男老、男壯、婦女、兒童四監，另設一個刑場，隨捉隨入，隨提隨審，隨殺隨埋，真乃一條龍行事」。很難想像，在德國猶太人浩劫之後，這樣的事件會不成為今天廣泛的浩劫教育範本。而大興縣受難倖存者卻一言未發。公開採訪這一事件仍然是被禁止的。據《八九點鐘的太陽》劇組介紹，他們有採訪意願，並做了努力，卻沒有得到採訪大興縣屠殺事件的可能。

清楚看到，浩劫就是大規模的人類群體滅絕，這是德國對任何納粹教育傾向會特別敏感的前提。假如浩劫本身面目不清，發掘其原因的意義也就隨之弱化了。文革主體敘述消失，好比在敘述德國浩劫時缺少或者弱化了猶太人遭遇。敘述主體缺席，出來講述研究文革的，就多為紅衛兵這一代，其中有施暴者，也有一個相對溫和的群體。通過他們，是否也能對文革深刻反省呢？我想是不可能的。敘述主體不同，關注點也必然不同。當一個過去的施暴者面對公眾(也等同要面對自己的親屬後代)，會很自然出於本能迴避自己曾經有過的暴行細節。關鍵是，他們根本無從表達他們從未有過的被傷害和被恐怖淹沒的經驗。

我舉一小段經歷恐怖者對文革的敘述，那是湖南瀏陽一中84歲老教師龔雨人在2001年的回憶：「紅衛兵，其實就是瀏陽一中的學生，用繩子捆着我愛人唐政去瀏陽一中大禮堂鬥爭，我和瀏陽一中幾個家庭成份大的老師坐在下面陪鬥。我眼巴巴望着她挨罵挨打，看着看着她站不住了，倒在台上。紅衛兵還去打她，罵她裝死。我驚叫一聲，也被紅衛兵打倒在地。批鬥會散會後，我把她背回家就死了。真是昏天黑地。我的大一點的兒子被捆吊在房門口的樹上，兩個小女孩嚇得走出去了。我的雙手被反捆着，學校用幾塊木板釘個箱子，把唐政老師丟在裏面，一些學生向屍體吐痰打瓦片。當時瀏陽一中的校長趙一安站在旁邊，我向他叩頭，請他制止，他說是革命行動。就這樣用繩子捆着我去埋了我的愛人唐政老師。」這是恐怖體驗，這樣的主體敘述，紅衛兵一代永遠無法替代。不論是歷史場景中，還是現在，施暴者和受害者的雙方感受顯然是不一樣的。

在主體敍述缺席、施暴者不可能出來承擔的時候，最容易出來回顧文革的，主要是當年紅衛兵一代年輕人中的溫和群體。他們和黨文化的關係演進，類似互為推動的信仰與對黨和領袖的戀父情感，最終又因欺騙被揭露帶來信仰情感雙重崩潰。這一群體的反省主題通常引入「理想主義」。

結果，文革浩劫的敍述大圖景出現偏差。中國「身份罪群體」的遭遇、文革浩劫本質的暴力、殺戮和因此帶來的恐怖，沒有機會被充分表述、告之世界和中國後代青年。而紅衛兵一代中溫和青年群體的感受回顧、文革中各種人的複雜狀態和心態的發掘，文革風雲人物的自述自辯，甚至對文革發動者的「理想主義追求」的探討，魚龍混雜，愈來愈多，本來希望通過探討文革「更複雜層面」，因而收穫「更深刻反省」的初衷，在屠殺現實的前提缺失下，複雜探討的分寸無法把握，反而容易流於片面與碎片化，最終事與願違，淹沒了最基本的是非判斷。

總之，中國文革對比二戰後猶太人的浩劫敍述，差別顯著。德國人認為：揭露暴行本身，展現暴行的大量犧牲者，是最主要的「牢記猶太人在納粹統治下被屠殺、滅絕的歷史悲劇」的方式，也是「鍥而不捨地追尋悲劇根源、防止悲劇重演」的反省依據。我認為，這樣的方式顯然也適用於中國文革。可惜的是，即使我們想沿用猶太人反省的模式，由於中國「身份罪群體」的缺席，也根本無法實現。

在本來就為數不多的文革研究中，文革浩劫受害者的核心，一個中國「身份罪群體」的聲音，他們在浩劫中經歷的無可逃遁的深重恐怖，在紅衛兵暴力下的大批死亡，甚至在文革結束時依然無法消除的絕望，沒有被強調。而那是這段歷史中最基本、份量最重的東西。

今天，當年年輕一代成為文革回憶和研究主角的局面依舊。同時，今天也有紅衛兵出來因事實誤差為自己是否參與暴行進行辯解，我想，就個人層面來說，任何人都有澄清事實、為自己辯護的權利。文革推行的，就是任意舉罪卻不容辯解的思維方式，因此，今天當然不能以文革方式來反對文革。可是我也想到，就整體層面來說，文革敍述、中華人民共和國建國六十年的歷史敍述，都在政府干預下嚴重失衡，而這種失衡再也無法彌補。紅衛兵還可以為自己被誤會的罪名辯護，甚至為自己的文革心態作出他人無法證偽的辯解，而中國的「猶太人群體」卻從來沒有得到為自己被誣陷罪名辯護的權利，他們一部分被消滅；餘下的倖存者，也在得到發言機會之前，就已經默默地、永遠地消失了。

文革對文化及經濟的破壞

1966年的「破四舊」運動

丁 抒

一 毛澤東發明「文化領域的專政」

1966年5月16日，中共中央下達的關於文化大革命的〈五一六通知〉中，「無產階級對資產階級專政，無產階級在上層建築其中包括在各個文化領域的專政」幾句話，是毛澤東加上的。這「文化領域的專政」，是毛澤東的發明。古代是「封建主義」、外國是「資本主義」、其他共產黨是「修正主義」。那「封、資、修」便是毛澤東「文化專政」的對象。

同月，毛澤東提出「一切牛鬼蛇神」的新名詞，新成立的中央文化大革命領導小組組長陳伯達即口授《人民日報》社論〈橫掃一切牛鬼蛇神〉，於6月1日發佈全國。10日，毛澤東點明這場「革命」的重點是：「學術界、教育界、新聞界、出版界、文藝界、大學、中學、小學。」大、中、小學教員，教育工作者成為文革開刀的祭品。

當時的大、中學生，1957年反右運動之後開始接受教育。他們全盤接受「階級鬥爭觀念」，認同毛澤東的指示「階級鬥爭是你們的一門主課」。官方媒介的鼓勵，使得中學生裏對政治最敏感的一批人篤信自己的歷史使命就是做「革命接班人」，儘管還不知道誰是他們的「革命對象」。

當他們聽到中央廣播電台播發的北京大學聶元梓等人的大字報和北大黨委書記、副書記被撤銷職務的消息，才明白革命的對象就在校園裏，就是老師和學校領導人。毛澤東於5月7日給林彪信中說的「資產階級知識份子統治我們學校的現象，再也不能繼續下去了」，更是革命的號角。接着學校停課，學生們嚮往的革命大潮終於來臨。

學生們篤信「革命」行動有天然的合法性與正義性，他們都能流利地背誦《毛主席語錄》「革命不是請客吃飯」，「革命是暴動，是一個階級推翻一個階級的暴烈的行動」。每所中學甚至小學都有老師和領導被學生毆打。

當時，毛澤東隱蔽在湖南韶山老家附近的滴水洞別墅誰也不見，只特許姨姪孫女王海蓉和女英文翻譯唐聞生去住了幾天。「聽到王海蓉匯報到北京紅衛兵揪鬥老幹部時，毛澤東興奮極了，不住地發出笑聲，沒表態，實際上是贊同紅衛兵的過火行為。」

這時，中共北京市委第一書記李雪峰傳達了毛澤東〈關於發生打人事件的指示〉:「打就打嘛，好人打好人誤會，不打不相識；好人打壞人，活該；壞人打好人，好人光榮。」

二　毛澤東:「好人打壞人，活該」

7月26日，北京大學的萬人集會上，北大附中紅衛兵彭小蒙在台上用皮帶抽打北大工作組組長張承先。講完話後她正要走下台，在主席台就座的毛澤東的夫人、中央文革小組副組長江青趨前將她拉回，熱烈握手，繼之擁抱親吻，以示熱烈支持其「革命行動」。28日，江青又在一次會上重複毛澤東的話:「好人打壞人，活該；壞人打好人，好人光榮。好人打好人是誤會，不打不相識。」

8月1日，毛澤東在寫給清華大學附中紅衛兵的信中特別提到彭小蒙，對她「在北京大學全體師生員工大會上，代表她們紅旗戰鬥小組所作的很好的革命演說，表示熱烈的支持」。

8月5日，毛澤東寫下針對劉少奇的小字報「炮打司令部」，並發出中央文件撤銷早前劉少奇批發的旨在制止「亂打亂鬥」的文件。就在同日下午，北京師大女附中一群以中共高幹子女為主的紅衛兵用她們才有的軍用銅頭皮帶圍毆校長卞仲耘，致使卞大小便失禁，奄奄一息。她們將卞放在一輛三輪車上拒絕送醫。晚上送醫院時卞已無可能救治。第二天，學校文革負責人、女紅衛兵劉進發表廣播講話：「昨天發生了武鬥，是為了殺卞仲耘的威風。因為她有心臟病，高血壓，死了。毛主席說：好人打壞人，活該。大家不要因為發生這件事，就縮手縮腳，不敢幹了。」

對此事件，北京市政府及公安局等一切國家機器均保持沉默。

8月8日，中共中央公佈〈關於無產階級文化大革命的決定〉，用一個通俗的「舊」字替代了對學生有點深奧的「封、資、修」：「資產階級雖然已經被推翻，但是，他們企圖用剝削階級的舊思想、舊文化、舊風俗、舊習慣，來腐蝕群眾，征服人心，力求達到他們復辟的目的。」這個〈決定〉為學生提供了行動的靈感。他們的視野落到校園之外的整個「舊世界」。17日夜，北京第二中學的紅衛兵廣為張貼其〈最後通牒——向舊世界宣戰〉：「我們一定要堵住一切鑽向資本主義的孔道，砸碎一切培育修正主義的溫牀，決不留情！」

這時中學生只知道「四舊」，還沒聽到「破四舊」這個詞。「破四舊、立四新」是剛當選為新任中共中央副主席的林彪創造的。

三　林彪創造新名詞「破四舊、立四新」

林彪在8月12日中共中央八屆十一中全會閉幕式首次提出：「打垮一切牛鬼蛇神，破『四舊』、立『四新』。」這是他研究《毛澤東語錄》「破字當頭，立也就在其中了」後的獨特創造，也是「破四舊」的首次面世。

「破四舊、立四新」的公開出場是在8月18日的慶祝無產階級文化大革命群眾大會上。這一天，毛澤東在天安門城樓檢閱數十萬紅衛兵遊行，並邀請了1,500名代表上天安門。來自校長已被紅衛兵打死的那所北師大女附中的宋彬彬給毛戴上了紅衛兵袖章。

在天安門城樓上，佩戴着紅衛兵袖章的毛澤東看着林彪唸經他審閱的講稿：「我們要大破一切剝削階級的舊思想，舊文化，舊風俗，舊習慣」，「我們要大立無產階級的權威，要大立無產階級的新思想，新文化，新風俗，新習慣。一句話，就是要大立毛澤東思想」。

四 毛澤東：「破四舊是大好事」

中共中央〈關於無產階級文化大革命的決定〉裏有這樣一段話：「毛主席經常告訴我們，革命不能那樣雅致，那樣文質彬彬，那樣溫良恭儉讓。」毛澤東接受宋彬彬的紅衛兵袖章時聽到宋說她的名字是「文質彬彬的彬」，告訴她「要武嘛」。當天下午集會散後，北京101中學紅衛兵即開始其「要武」行動。他們圍毆美術教師陳寶坤，直至將其打死。次日清晨，北京中學生開始了「砸爛舊世界」的行動。

一切外來的和古代的文化都可冠以「封、資、修」，都是「四舊」。亨得利鐘錶眼鏡行是「資」，招牌被砸爛，換成「首都鐘錶店」；協和醫院原先是美國人興辦的，改名為「反帝醫院」。全聚德烤鴨店屬「封」，改名為「北京烤鴨店」。廳堂的山水畫全部是「四舊」，被撕毀，換上毛澤東畫像。《人民日報》稱讚說：「紅衛兵在『全聚德』點起了革命烈火。」

8月20日，毛澤東接到林彪送去的報導「破四舊」的簡報，批示：「（破四舊）是大好事，徹底暴露牛鬼蛇神。這樣可以打出一條路來。」

8月23日，全國各大報刊均以頭版頭條報導「無產階級文化大革命的浪潮席捲首都街道」。《解放軍報》號召全國青年「按照毛主席的教導，拿起革命的大掃把，大掃特掃，轟轟烈烈，掃它個天翻地覆」。

8月25日，《人民日報》號召全國「橫掃一切舊習俗」。

五 「橫掃一切舊習俗」

這是毛澤東「文化領域專政」的一次大規模實踐。當時擔任北京市委第二書記的吳德說：「首都一帶頭，『破四舊』運動便發展到全國，演變成了一場轟轟烈烈的『打、砸、搶』，塗炭生靈，塗炭神州。」

婦女的香水、燙髮，青年人的瘦褲腿、「尖頭皮鞋」、「怪髮型」，一概屬「資產階級」。《人民日報》聲援紅衛兵，引用紅衛兵的話說：「難道工農兵還抹香水、穿尖皮鞋嗎？」

天津中學生率先響應。他們設立路卡，拿着剪子、理髮推子、榔頭檢查過往行人：凡尖頭的「火箭皮鞋」都被砸扁，長辮子一律剪掉，「怪髮型」用理髮推子推掉，「高跟鞋」一律鋸短，並宣佈「這是革命行動」。

南京有中學紅衛兵手持剪刀，在街上見到穿旗袍的婦女，上去就把她的旗袍剪壞。見到燙頭髮的婦女，二話不說就剪她的燙髮。

在上海首當其衝的是「窄褲腳管」，用尺子量後不足六寸的一律剪開，剪到大腿。「尖頭皮鞋」則砸到不能穿的地步，任主人光腳板走回家。

寧夏固原縣設了一個剪辮子站，路過的姑娘凡留有長辮的一律剪掉。

曾三次蟬聯世界冠軍的乒乓球運動員莊則棟說了一句：「紅衛兵剪人家頭髮，怎麼不去剪毛主席的？」因攻擊偉大領袖，鬥爭國家體委主任榮高棠時，他被揪上台陪鬥，掛在他身上的牌子上寫的是「現行反革命」。

廣州「紅衛兵還在大街小巷設立哨卡，攔截路人，檢查他們的褲子是否太窄，頭髮是否捲曲，婦女是否塗脂抹粉。凡是被他們認定屬資產階級的衣服，一律當眾用剪刀絞爛，或潑上墨水；抹了髮油的頭髮，或紮了長辮子，也成為攻擊目標，紅衛兵們一哄而上，七手八腳，把他們的頭髮剪成一窩亂草，再當眾訓斥一番，方可放行」。一個港澳同胞歸國訪問團剛進入廣州就有人挨了一剪子。副總理兼外交部長陳毅在北京接見他們時說:「不要見怪,你們看到我們這樣好的後代應當高興。」

六 「帝王將相」、龍、鳳、獅子都屬「舊文化」

北京頤和園內的三百米長廊及亭台樓閣裏有無數精細的油漆畫,畫的不是人物、故事,就是山水、花草、蟲鳥。人物故事如「劉、關、張三英戰呂布」,都是「帝王將相、才子佳人」,全屬「舊文化」。北京體育學院的學生到頤和園逐一檢視雕樑畫棟,凡是畫了人物的一律用白漆塗刷覆蓋。

全國各工藝美術品生產廠家大清掃,凡有「帝王將相、才子佳人」內容的被銷毀或被處理。各地方,如浙江建德縣審查各類商品,凡商標上印有龍和鳳的,一概沒收焚燒。

副總理李先念在全國工藝美術行業會議上指示「停止生產帝王將相、才子佳人」,「為甚麼要生產這些東西?要大破大立」。有人提議枱布都繡上《毛主席語錄》,李當即表態:「對內(銷售)的我同意。」

龍鳳皆「四舊」。北京戲曲學校的學生把從京劇院抄出的戲裝龍袍、鳳冠、道具搬到孔廟大院焚燒,還逼迫包括作家老舍在內的「牛鬼蛇神」圍着火堆跪成一圈,用皮帶、棍棒痛打。一天後,老舍投湖自盡。

全國各地方劇團的戲裝龍袍、鳳帔,都是「四舊」。杭州一家經營戲裝道具的商店被搗毀後,戲裝、道具都被搬到馬路上焚燒。

湖南寧鄉縣花鼓戲劇團的戲裝道具,「絕大部分被毀」。

廣西融安縣桂劇團剛買進的綢緞行頭服飾,還沒用過一次就被付之一炬。連遠在中蘇邊境的黑龍江省嘉蔭縣文化館的戲裝、圖書,也被中學生搬到大街上,一一焚燒。

獅子也是「四舊」。國務院總理周恩來對北京學生說:「獅子非搬掉不可,對獅子來一個最後通牒,連我們這個(包括新華門在內)獅子統統搬掉了。對獅子下最後通牒，我是同意的，因為那獅子是封建產物。」

河南安陽九龍壁自明代完好保存至今，紅衛兵將它砸成了一堵頹壁。

廣西南寧市邕江大橋欄杆的鳳凰浮雕，全被砸毀。

瀋陽紅衛兵砸爛了遼寧省博物館門前的一對彩陶獅子；大連星海公園一對漢白玉獅子被砸得腿斷身殘。

哈爾濱市最大的佛寺極樂寺，銅製、木製、泥塑佛像，漢白玉石獅子和古文物鐵鼎，通通被毀。

始建於唐代的四川什邡縣龍居寺，門前大獅子被掀入溪澗中，寺內神像全被搗毀，所藏經書全部收繳，殿內器具無存，寺宅為之一空。

江西安遠縣宗祠門前的大石獅、屋脊上的小石獅，幾乎都被砸毀。

湖南寧鄉縣鄉間橋頭多有石獅為飾物，「在破四舊中絕大部分被毀」。

山西運城博物館原是關帝廟。因運城是關羽的出生地，歷代修葺保存得特別完好。門前那對數米高的石獅子被砸得肢體斷裂；母獅身上的五隻幼獅都砸成了碎石塊。殘破的獅子被扔進了臭水坑。

8月下旬的一天，北大附中和清華附中的紅衛兵到北大西校門要砸石獅和門內的華表。北大學生聞訊，上千人跑到西校門保護石獅和華表，迫使紅衛兵退走，那對石獅和華表才安然度過瘋狂的「破四舊」運動。

七　「破四舊」中倒下的古建築

四川合川縣（今重慶市合川區）聳立在東山上的文筆塔，建於明代，是一座六面九層密簷式磚砌白塔，被指為「四舊」而拆掉。

浙江三門縣文峰塔，被炸毀；平湖縣的「北寺雙塔被拆除」。

安徽含山縣褒禪山，北宋王安石遊覽此山時作〈遊褒禪山記〉後名揚四海。「破四舊」中，褒禪山大小二塔被炸毀。宿松縣有建於乾隆年間的文峰古塔和建於道光年間的文峰新塔，均於1967年拆毀。定遠縣著名的令狐古塔被摧毀。滁縣城南磚石結構的十三層古塔，建於北宋年間，「破四舊」中被拆除。桐廬縣城呈等邊三角形的三座古塔，其中兩座被摧毀了。

山東萊陽縣塔身高二十五米的文筆峰塔，「文化大革命中毀沒」。

江西崇義縣被《崇義縣志》形容為「高聳插天」的文峰塔，被拆毀。

意大利有比薩斜塔，湖南武岡縣也有個斜塔：始建於宋代，由磚砌成，七級呈八面角錐狀，各級簷下均畫有精細的飛禽走獸、亭台樓閣、樹木花草。如今被一百公斤烈性炸藥轟倒。

上海「龍華寺山門、七百尊佛像、藏品被十七個單位千餘名紅衛兵砸毀殆盡，焚燒持續三天」。他們還要用繩索、拖拉機拉倒龍華塔，幸得圍觀市民奮勇趨前，「裏外數層圍塔保護，塔倖免於難」。

上海寶山縣「江南重鎮坊」被拆除；浙江臨海縣六座牌坊全被拆毀；湖北通城縣「搗毀牌坊、寶塔二十八座」。

河南省延津縣城明代牌坊，四柱三孔，殿閣式屋頂，脊上蹲獸造型生動。浮雕或為飛天仙女、誦經立僧、演奏樂伎，或為鬧梅喜鵲、報曉晨雞、待露荷花，被公認為「河朔諸縣石坊之冠」，亦「毀於紅衛兵之手」。

山東肥城縣，「近千件文物丟失；十一處古墓、二十二處古建築、十處古遺址、三十多塊重要石刻遭到破壞」。

河南南陽諸葛草廬，紅衛兵將「三道石坊及人物塑像、祠存明成化年間塑造的十八尊琉璃羅漢全部搗毀」。

中共中央總書記鄧小平老家四川廣安縣牌坊村，村名得於紀念鄧氏先人鄧時敏的「德政坊」。今「德政坊」被炸毀，村名改為「反修大隊」。

廣東珠海梅溪牌坊群有三座並列的花崗石牌坊，是石建築中的藝術珍品。中學生用耕牛和拖拉機拉倒了其中的一座。在他們試圖拉倒另外兩座時，梅溪村民群集牌坊靜坐，才保住剩下的兩座。

8月24日，清華大學紅衛兵聯合開進校園的清華附中、北大附中等十二所中學的數千名紅衛兵，「鎮壓狗崽子」，並拉倒、砸碎了建於1909年的標誌性建築「二校門」。

哈爾濱聖尼古拉大教堂是世上僅有的兩座同樣的俄國東正教大教堂之一。教堂建築連同經卷、器皿，全部被毀。大教堂被夷為平地。

沒人宣佈長城是「四舊」，但京城「破四舊」，缺衣少食，更缺建築石料的郊區農民看中了萬里長城的城磚。大家一起扒長城，扒來城磚壘豬圈、蓋房或鋪路。文化大革命期間北京段長城被拆了一百零八里！

八　全國一致砸孔廟

「紅八月」時「破四舊」，並沒有人壯膽破壞山東曲阜的孔廟、孔府、孔林（孔子家族墓地）。10月，中央文革小組要員戚本禹通過《紅旗》雜誌負責人林傑指使北京師範大學紅衛兵頭領譚厚蘭去山東曲阜「造孔家店的反」。因為孔子是「萬世師表」，造孔子反的歷史使命理應由未來的教師們承包。

譚厚蘭領命，就孔府、孔廟、孔林被國務院列為「全國重點文物保護單位」一事向國務院遞交「抗議信」，說：「毛主席說：『一些階級勝利了，一些階級消滅了。這就是歷史，這就是幾千年的文明史。』因此，所謂文物，也只能是階級鬥爭的產物。」「毛主席諄諄教導我們：『這類反動文化是替帝國主義封建階級服務的，是應該被打倒的東西。不把這種東西打倒，甚麼新文化都是建立不起來的。……它們之間的鬥爭是生死鬥爭。』」

11月9日，譚厚蘭一行二百多人到曲阜，與曲阜師範學院「毛澤東思想紅衛兵」聯合成立「討孔聯絡站」。砸孔墳前，他們請示了戚本禹，戚又請示中央文革小組組長陳伯達。12日，陳批示「孔墳可以挖掉」，又說「孔夫子的廟要辦成階級鬥爭教育展覽館，辦成《收租院》」。

11月28、29日連續兩天，十萬人眾聚集「徹底搗毀孔家店大會」，向毛澤東發去「致敬電」：「敬愛的毛主席：我們造反了！我們造反了！孔老二的泥胎被我們拉了出來，『萬世師表』的大匾被我們摘了下來。」「孔老二的墳墓被我們鏟平了，封建帝王歌功頌德的廟碑被我們砸碎了，孔廟中的泥胎偶像被我們搗毀了。」

孔府、孔廟、孔林，共計有1,000多塊石碑被砸斷或推倒，燒毀、毀壞文物6,000多件，10萬多冊書籍被燒毀或被當做廢紙處理。

全國各地的孔廟大多數被「橫掃」。9月，長沙市高等院校紅衛兵到零陵縣，發動當地中學生將文廟建築群的大成殿、崇聖祠等全部摧毀。

安徽霍邱縣文廟，雕樑畫棟、飛簷翹角，龍、虎、獅、象、鼇等粉彩浮雕皆為精美的工藝美術品。「房飾浮雕在文化大革命中統被砸毀」。

山東萊陽縣文廟，「大成殿雕樑畫棟，飛簷斗拱，氣勢雄偉。……文化大革命期間，大成殿被拆除」。吉林市文廟為全國四大孔廟之一，「破四舊」中嚴重受損，文革後歷時五年方修復。

九　各地佛寺大清掃

建於唐初，規模宏大的湖北新洲縣報恩寺，毀於「破四舊」。

陝西鎮巴縣建於宋代的篙坪寺，歷代屢次修建，保存至今，被紅衛兵砸毀；惟寺內的大鐘重達六噸而砸不壞，現為中國最大的古鐘之一。

位於呼倫貝爾草原腹地的甘珠兒廟（又稱壽寧寺），「1939年的（日本與蘇聯）諾門罕戰爭，使甘珠爾廟遭到嚴重破壞，最後沒能逃過文革的浩劫，毀於一旦」。

與緬甸接壤的雲南瑞麗縣地處邊疆，「全縣百餘座奘寺佛像被毀，二十餘萬冊經書被焚……十一個宗教上層人士全部外出（緬甸）」。

湖南衡山大小一百多座寺廟裏的各種珍貴的雕塑品，除了劉備、關羽、張飛三尊恰在部隊施工範圍內，被苫布遮蓋而倖免外，全部被砸毀。

陝西安塞縣的宋代樊莊石窟、石寺河石窟，窟內各造像的頭和手都被砸毀。陝北第一石刻大佛在安塞縣滴水溝。安塞縣中學數百名師生前往龍泉寺掃蕩神像，又砸毀了滴水溝的大石佛。陝西周至縣樓觀台是兩千五百年前老子(哲學家李耳)講經授學並著述《道德經》處。如今樓觀台等古蹟被破壞，道士全部被迫還俗。

皖南九華山，僧、尼全被勒令還俗，成為當地人民公社佛教大隊的社員。政府補助每人每月五元生活費。一些僧、尼則配對成了家。

浙江奉化縣溪口鎮，幼時蔣介石常去遊玩的古剎被平毀，廟裏的和尚都被勒令還俗，成了種田人。

9月，山西大學紅衛兵到五台山掃蕩四舊，砸廟宇、鬥和尚尼姑。地方黨官隨後下令將289名僧、尼、喇嘛逐出山門，遣送回了原籍。

山西代縣有一千六百年歷史的天台寺的塑像、壁畫，被一掃而空；絳縣華山腳下，始建於唐、元代重修的太陰寺的壁畫，「其繪畫藝術之高超可與永樂宮壁畫相媲美，可惜毀於十年內亂」。

成都紅衛兵開到新津縣，與當地學生一起，「將川西名勝『純陽觀』的所有塑像搗毀。全縣……絕大多數廟宇的塑像、壁畫被搗毀」。四川什邡縣慧劍寺內的宋代畫像和明代五百羅漢全部被灰漿塗抹而徹底毀掉。樂山大佛高達七十米，砸不了。紅衛兵便把大佛背後烏尤寺的泥塑精品五百羅漢的頭逐一砸掉，一個不漏(筆者1971年所見全是無頭佛)。

新疆吐魯番附近火焰山千佛洞內的壁畫是珍貴的藝術品。20世紀初曾被人盜割，賣到西方。壁畫流失到國外，畢竟還珍藏在博物館裏。而紅衛兵的作為卻重在一個「破」字：他們將千佛洞剩下的壁畫中的人物的眼睛挖空，或乾脆將壁畫用黃泥水塗抹一番，完成了「破四舊」。

廣州華林寺泥塑五百羅漢像，全部被「破四舊」的紅衛兵搗碎。

古都洛陽白馬寺是中國第一個佛教寺院。「破四舊」時，鄰近農村白馬寺生產大隊的黨支部書記率領農民，將遼代泥塑十八羅漢全部砸毀。兩千年前一位印度高僧帶來的貝葉經被焚。稀世之寶玉馬被砸爛。

有唐宣宗御題寺額「密印禪寺」的湖南寧鄉縣密印寺，1934年重修時以「鎏金佛像磚一萬二千一百八十二塊嵌諸四壁」，1966年「遭到嚴重破壞」。文化大革命結束後，日本佛教史蹟參觀團提出要前往訪問，湖南省政府趕緊斥資修葺，方挽回了一點顏面。

十　藏區的「破四舊」

「破四舊」中，全國各藏區的寺廟遭到滅頂之災。

如青海海南藏族自治州貴德縣，「摧毀了建築藝術水平較高的文昌廟、南海殿、貢巴寺等45座寺廟。燒毀宗教用品及經卷六十八萬部(件)」。

8月24日，以拉薩中學紅衛兵為主體、拉薩各居民委員會參與的近千人在有一千二百多年歷史的大昭寺召開誓師大會，對毛澤東像宣誓：「我們要做新世界的主人 。」然後開始掃四舊。紅衛兵剝去釋迦牟尼十二歲等身像身上的珠寶裝飾，砍了銅質佛像一刀。大昭寺內一千多年來積累的金銀珠寶全部散失。大昭寺裏安置「紅衛兵破四舊成果展覽辦公室」，用以堆放西藏各地送來的「四舊」物品。供奉在小昭寺的釋迦牟尼八歲等身像，被鋸成兩半扔進了一個倉庫。

除了日喀則地區薩迦縣的薩迦南寺以及江孜的白居寺因用作糧庫紅衛兵不得進入而完好無損外，藏區的喇嘛寺院全被掃蕩了一遍。

10月間，周恩來幾次發表講話肯定西藏「破四舊」，說：「這次文化大革命是思想大革命，就是要把喇嘛制度徹底打碎，解放小喇嘛。」「西藏正在破四舊，打廟宇，破喇嘛制度，這都很好。」「但也要考慮保留幾所大廟，否則，老年人會對我們不滿意。」直到1972年美國總統尼克遜訪華時，他才指示修復已被改為政府招待所的大昭寺（1980年完成重建）。

十一 「挖祖墳」

在「橫掃一切牛鬼蛇神」的口號激勵下，大、中學生們成為毀壞民族文物的尖兵、挖祖墳的主力軍。中國人一向自稱「炎黃子孫」，炎帝晚年巡視天下時在今湖南酃縣病逝。公元967年，宋人在酃縣鹿元坡建殿奉祀炎帝，自此香火不斷。中共執政後五年，主殿被焚，未再修復。「破四舊」時，「炎帝陵全部破壞」。

四千年前，大禹帶領人民治水，「三過家門而不入」。若說中國有過「人民大救星」，他或許可算一個。但他名列帝王，浙江紹興會稽山的大禹廟被拆毀，大禹塑像被砸爛，頭顱齊頸部截斷，放在平板車上遊街示眾。

戰國時代水利專家李冰父子在四川灌縣修築都江堰，造福人民兩千年。而今都江堰「二王廟」的泥塑、石刻、木雕等均被紅衛兵搗毀、焚燒。

書聖王羲之是山東人，晚年稱病棄官後長住今浙江嵊縣金庭鄉。他的舊居金庭觀及墓廬完好保存至今。嵊縣紅衛兵認為王羲之官拜右軍將軍，也是「帝王將相」，將王墓及佔地二十畝的金庭觀幾乎全部平毀。

南宋名將岳飛老家在河南湯陰縣。湯陰中學生將岳飛塑像連同秦檜「五奸黨」的鐵跪像一併砸爛。杭州中學紅衛兵在岳廟大門貼上「岳飛不是民族英雄，岳廟該砸」的大字報後，不僅砸了岳廟，連岳墳也刨了個底朝天。

內蒙古伊金霍洛旗的三十多名幹部，外加近百名工人、農民，前往成吉思汗陵園，砸毀「成吉思汗陵園」牌匾，改換為「勞動人民文化館」，將陵園內的文物和陳設「洗劫一空」。

明代官至南京右都御史的清官海瑞，生於瓊州府瓊山縣（今海南島海口市）。「破四舊」的紅衞兵不遠千里，趕到海南島天涯海角，掘開海瑞墓，抬走遺骸。幾天後又給海瑞遺骨戴上高帽子，在海口市遊街示眾、焚毀。

清末丞相張之洞生前用慈禧太后賞賜的錢在家鄉河北南皮縣創辦了一所中學。如今這所中學的紅衞兵手執皮帶，驅使「黑五類」刨開張墓，將夫婦尚未腐爛的屍體吊在樹上。屍骸無人敢收，一個月後被狗吃掉。

山東青島的一位中學老師領着一幫初中生以「讓保皇派頭子出來示眾」為由，刨開1898年「戊戌變法」的主要人物康有為的墓，將其遺骨拴上繩子遊街，一邊拖着一邊鞭撻。遊完街，將康氏頭顱送進「青島市造反有理展覽會」，標籤上寫道：「中國最大的保皇派康有為的狗頭」。展覽結束時美術工作者王集欽悄悄收進木箱。1984年重修康墓時，康氏顱骨方得安葬。

詹天佑1909年建成中國第一條由中國工程師主持建造的鐵路京綏鐵路（北京至張家口）。詹氏去世後，中華工程師學會與京綏鐵路同人在該鐵路穿越八達嶺的青龍橋車站為他建了個銅像。北京鐵道學院的紅衞兵認為詹氏屬毛主席劃定的「資產階級知識份子」。他們砸掉中華民國總統徐世昌頒書的碑文，把詹氏銅像拉倒，打翻在地，完成了「革命行動」。

袁世凱1912年被推舉為中華民國首任總統，1915年曾一度企圖恢復帝制，1916年死後歸葬老家河南安陽。「破四舊」時袁墓被炸壞。

湖北武昌，華中師範學院和武漢大學的紅衞兵用鐵鎬鑿開中華民國第二任總統黎元洪的墓，扒下尚未腐爛的黎氏遺骸上的總統制服和總統冠。黎氏遺體火化後被丟棄。墓碑及和骨灰都不知所終。

中華民國第四任總統徐世昌生於河南衞輝府府城（今汲縣），死於天津，歸葬河南輝縣。「破四舊」時徐墓亦被平毀。

浙江奉化縣溪口鎮蔣介石生母之墓被上海去的大學生和寧波去的中學生聯合掘開，其遺骸和墓碑都被丟進了樹林。

「七七事變」時殉國的國軍第29軍副軍長佟麟閣和132師師長趙登禹的墓園在北京西郊香山和盧溝橋畔。兩墓都被掘毀，骨殖拋擲荒野。

中共創建者陳獨秀1942年在四川去世時，蔣介石曾差人送一千元大洋作奠儀，「他的墓原在江津城外，後遷安慶老家，文革中被搗毀」。

抗戰初全國人民讀到的那份蔣介石「抗戰文告」，「地無分南北東西，人無分男女老幼，一致團結起來抗戰……」實出自畫家傅抱石之手。替蔣介石寫文告就是反動派，南京紅衛兵徹底掃平了傅氏墓地。

國家副主席宋慶齡父母墓所在的上海縣萬國公墓，「1967年2月6被毀」，「墓藏幾乎全被砸毀，花木和建築無一倖存，墓地成了工廠和菜園」。

1967年5月，北京政法學院的紅衛兵掘了1927至1928年中共中央政治局負責人瞿秋白的墓，並向全國告示他們「怒砸大叛徒瞿秋白的狗墓」，「把瞿秋白的臭骨扔出了八寶山」。

凡在中國史籍中有名的古人，差不多都在「破四舊」狂潮中被掘了墳。

十二　全國大抄家

周恩來說：「橫掃一切牛鬼蛇神」「是掃走資本主義道路的當權派，沒有改造好的地、富、反、壞、右和資產階級反動學術權威」。有意無意地，周恩來漏掉了十年前就已服從「社會主義改造」交出資產的資本家。

要「橫掃四舊」，就格外要破這些人家裏的「四舊」，就得去抄他們的家。毛澤東的夫人江青於1980年受審判時就是這樣為自己辯護的：「破四舊必然導致抄家，這是革命行動。」

在嚴密的檔案制度下，每個人在公安局、派出所的檔案裏都被歸了類。公安部部長謝富治8月下旬在北京市公安局的一次會議上說：

「民警要站在紅衛兵一邊……供給他們情況，把五類份子的情況介紹給他們。」於是各地派出所與中學紅衛兵合作，將「地富反壞右」的名單交給他們。紅衛兵根據名冊，將他們全數抄了家。全北京市有11.4萬餘戶人家被抄。金銀製品、古董、字畫、工藝品，都屬封、資、修，沒收或砸爛、焚燒。

在中央文革小組副組長張春橋打電話要市委「不要作束縛群眾手腳的規定」後，上海決定放手抄家。從8月29日開始有組織地抄了三天。中學紅衛兵出面領頭，上海警備區向他們提供汽車。全市「抄了十萬戶資本家」。上海首富、原永安百貨公司的老闆郭琳爽本是「愛國資本家」的代表人物。他在家門張貼署名大字報表示「願將本人家私全部獻出」，但珍藏的百餘件名貴玉器還是被抄家的紅衛兵砸毀無遺。上海全市抄沒鋼琴597架，後由市委轉送給了中小學。

上海川沙縣50多萬人，7,800多戶人家被抄；松江縣1,900多戶人家被抄。全市市區139萬戶，11.45萬餘戶；郊區農村102萬戶，抄家4.32萬餘戶。共有15.77萬餘戶被抄，佔總戶數的6.5%。

大抄家遍及全國城鄉。8月下旬，十世班禪在西藏日喀則的家和青海循化縣的舊居被抄得一乾二淨（文革後，西藏政府擬折價50萬元賠償他在日喀則的家被抄的損失，他未接受）。

「蘇州被查抄財物的共有64,056戶，財物中僅圖書、字畫、文物等就達17萬件以上」；天津市到9月下旬統計，抄家1.2萬戶；9、10月間，重慶市「『紅衛兵』對街道13,160戶『牛鬼蛇神』實行抄家」。

廣州市公安局9月5日統計，全市有4,570戶被抄家，市郊農村有三千多戶「五類份子」和「不法份子」家被抄。

廣西蒼梧縣「被抄家的有1,577戶」；浙江嵊縣8,000餘戶被抄。

以農村人民公社為單位計，江蘇江寧縣僅祿口公社就有308戶被抄，抄走金銀器皿、飾物及日用品7,500件。上海奉賢縣青村公社315戶被抄，毀字畫227幅，書刊6,000餘冊。毀廟庵16所，菩薩186尊。

與越、老接壤的雲南江城哈尼族彝族自治縣只有8,916戶人家，被抄家的有565戶。這「文化領域的專政」，是漢人的特權。整個少數民族的文化成了革命對象。「金銀首飾、銀幣也被列為『四舊』沒收。凡是花紋、圖案、繪畫沒有革命內容的器皿、刺繡、服飾、家具等等，都算為『四舊』，一概搗毀」。此外，還「強迫少數民族婦女改變民族服裝，交出首飾和服裝上的銀飾佩物，僅哈播一個鄉就收交了首飾、銀元八十多斤」。

廣西都安瑤族自治縣，「金銀首飾、銀幣也被列為『四舊』沒收。凡無『革命內容』的花紋、圖案、繪畫、器皿、刺繡、服飾、家具、商品一概禁止擺賣，並予搗毀。同時，對地、富、反、壞和『有問題』的人，進行抄家，甚至拆牆挖地。其他階層有『四舊』物品也須交出處理」。

由於家中有「四舊物品」就可以抄，被抄家者遠多於「四類份子」人數。如浙江黃岩縣，紅衛兵和農村基層幹部「在城鄉抄家4萬餘戶，沒收5,300餘戶財物，燒毀大量書畫，毀壞大批珍貴文物和古蹟」。

全國總計，被抄家的很可能接近1,000萬戶。

十三　舉國焚書燒畫

「破四舊」高潮中毛澤東把北京市委第二書記吳德找去匯報時，吳說「市委沒有力量控制局面，解決不了『破四舊』產生的混亂局面」。毛說：「北京幾個朝代的遺老沒人動過，這次『破四舊』動了，這樣也好。」

北京宣武區「丞相胡同」的六戶人家都是「幾個朝代的遺老」，都被抄了家。其中一家祖上在明、清兩代都有人做過兵部尚書。從這戶人家抄走的文物古董、明清家具、古籍裝了十七輛卡車，僅古籍就裝了三卡車。

與毛澤東同齡的學者梁漱溟1953年曾被毛批為「用筆桿子殺人」，是當然的「牛鬼蛇神」。他祖上三代都在北京為官，藏有大批書籍字畫。紅衛兵撕字畫、砸古玩，全部堆到院子裏燒。他們把《辭源》和

《辭海》扔進火海時説：「我們革命的紅衛兵小將，有《新華字典》就夠了。」

到文化部部長茅盾家「破四舊」的學生沒燒他的書，僅呵斥他：「書太多了沒有用處，都是些『封、資、修』的東西，只要有部毛選就夠用了！」

俞平伯是1954年毛澤東發動的對《〈紅樓夢〉研究》批判運動的首要目標，是當然的「資產階級反動學者」。他的祖父、父親都是前清進士，紅衛兵抄走俞家幾世積存的藏書，燒光了俞氏收藏的學術研究資料。

毛澤東在中南海的居所收藏有畫家惠孝同作的畫。但此時國畫家幾乎都是「牛鬼蛇神」，惠孝同也不例外。他有個全身通黑的木雕小象，惟象牙用真象牙雕成。那是作家老舍訪問印度時印度友人的贈品，老舍轉贈給惠孝同的。抄他家的學生看到小象，舉起就砸，將象牙砸得粉碎。砸完他的畫室，又勒令他自書「橫掃一切牛鬼蛇神」貼於門窗，才揚長而去。

故宮博物院專職鑒定並修復字畫的專家洪秋聲幾十年間費盡心血收藏了一大批歷代名人字畫，如今全都被指為「四舊」抄走，付之一炬。事後，洪老先生含着眼淚對人説：「一百多斤字畫，燒了好長時間啊！」

蘇州桃花塢木刻年畫社的著名畫家淩虛花幾十年工夫收集的上千張中國各地的古版畫，全部被抄走燒成了灰。

南京著名書法家林散之珍藏多年的字畫及他自己的作品全部被燒。

上海名畫家劉海粟被中學紅衛兵抄家後，其珍藏的書畫都被堆在街上焚燒，燒了五個多小時才被制止。

廣州紅衛兵掃蕩基督教光孝堂的全部圖書，燒了兩天兩夜。

湖南衡山縣第一中學的教職員工和學生一起，「砸爛學校圖書館，將二十餘萬冊圖書付之一炬，煙火數日不熄。」

紅衛兵焚書，無遠弗屆。當年諸葛亮病死葬身的陝西勉縣，「珍藏於人民群眾中數以萬計的古字、古畫和玉石珍品，大部丟失或毀壞。」

甘肅通渭縣，「私人珍藏的珍貴書籍、古字畫大多數被焚毀」。

湖北通城縣焚毀的十萬餘冊古書中，有一萬多冊是民間家族宗譜。

廣西都安瑤族自治縣，「除馬克思、恩格斯、列寧、斯大林、毛澤東著作外的各種書籍都被列為『四舊』，大量焚燒」；廣西防城縣，「文物館幾千部古典書籍、文物、資料和檔案全部被燒毀」。

雲南江城哈尼族、彝族自治縣，「除馬克思、恩格斯、列寧、斯大林、毛澤東的著作外，其他書籍都被列為『四舊』，大量焚燒」。

江浙一帶人文薈萃，留存至今的古籍特別多，僅寧波地區送到造紙廠打成紙漿的明清版的線裝古書就有80噸！

在極度恐怖之中，許多人趕在被紅衛兵抄家前自行關門「掃四舊」。

曾參與組建中國共產黨、出席中共第一次代表大會的國務院參事包惠僧，存有中共第一任總書記陳獨秀給他的一百多封信。他挨了紅衛兵一頓棍棒後，驚嚇之餘，讓子女將陳獨秀的書信全都送進了火堆！

從1954年起擔任毛澤東專職醫生的李志綏，12年裏積累了十多本日記。因恐懼紅衛兵抄家，他在一個晚上將日記全部付之一炬。

原北京大學校長馬寅初的子女將他的書信、手稿，全部燒毀。

著名木刻家、中央美術館館長劉峴被勒令將全部「四舊」交到機關後，把他多年來的木刻作品的原版全部投進了火爐。名滿天下的書法家、84歲的中央文史館副館長沈尹默家居上海，他的大部分墨寶被上海畫院抄走拿到畫院當廢紙使用。沈將剩餘的作品及珍藏的明、清書法家的真蹟撕成碎片，在洗腳盆裏泡成紙漿，再捏成紙團，放進菜籃，讓兒子在深夜倒進了蘇州河。另一位居住在杭州的中央文史館副館長馬一浮也是84歲，家被紅衛兵搜羅一空，他懇求「留下一方硯台給我寫寫字，好不好」，得到的卻是一記耳光。馬老悲憤交集，不久即死去。

上海作家巴金自行燒了珍藏保存了幾十年的家信。畫家林風眠的家被抄、畫被焚燒後，自己將剩下的作品浸入浴缸、倒進馬桶、沉入糞池。

抄家中發現的任何同外國有關的物品都可能招致殺身之禍。

天津一位老畫家有空屋出租，被指為「資本家」。紅衛兵抄他家時發現他的畫在美國展覽過的證書，指他是「美國特務」。接連三天，夫婦倆和女兒被紅衛兵抽打、批鬥，連飯也沒吃。三人決定自殺。寫下遺書後，由女兒用小刀割斷父親的頸動脈，而後母女跳樓，但都沒死。母親被醫院拒收拖死；女兒被救活，被當局以「抗拒運動殺人罪」判處無期徒刑。

蘭州農業學校女教師毛應星是「右派份子」。她保存着哥哥毛應斗1940年代與楊振寧、李政道等一同從西南聯大赴美留學前託她保管的幾百枚郵票，包括各國領導人的肖像郵票。她後來被甘肅省委定案槍決，那些郵票是其「罪證材料」之一。

1955年從美國歸來的清華大學工程物理系教授李恆德自行燒毀了其博士證書和早先美國的教授聘書。1951年從英國回到國內的中國科學院物理學家黃昆在幾年前收到楊振寧輾轉託人送的著作《基本粒子——原子物理上一些發現的簡史》，在扉頁上有楊的題字「給黃昆：紀念我們共同了解現代物理秘奧的時日」。在恐懼中，黃昆撕毀了那張有楊題字的扉頁。

1920、30年代的詩人、中山大學老教授梁宗岱珍藏的二十多封法國著名文學家羅蘭（Romain Rolland）和瓦雷里（Paul Valéry）給他的信，全都被抄家的紅衛兵毀掉。30、40年代任倫敦大學講師兼《大公報》駐英記者的蕭乾保存了八十多封英國作家福斯特（Edward M. Forster）的信。在極度恐怖之中，他燒了福斯特的全部信件。

中國科學院中南分院副院長周小舟是1959年被毛澤東定為「反黨集團」成員的原中共湖南省委第一書記。他在12月自殺之前，將自己畢生珍藏的文物全部燒掉。他一邊燒一邊大哭：「這才是真正的有罪啊！」

十四　數萬人在「破四舊」中被打死

毛澤東、林彪在聽取吳德匯報北京「破四舊」情況時，林彪說：「這是個偉大的運動，只要掌握一條，不要打死人。」但正如江青所說，抄家是「革命行動」，紅衛兵堅信毛澤東說的「革命是暴動，是一個階級推翻一個階級的暴烈的行動」。抄家時打人、打死人是必然的。

北京129中學的學生抄經濟學家、中央工商行政管理局副局長千家駒的家時，一邊抽打他一邊說：「有毛主席撐腰，打死你白打！」

家裏有「四舊」或「反動」物品被抄出，就有可能被打，甚至被打死。

中央音樂學院院長馬思聰家隔壁的一位婦女，被抄家的紅衛兵指說家中有收發報機，給蔣介石發過情報，拉到街上當眾打死。

8月24日，一個羅姓初三學生率領十幾名初中生封了西四一個四合院的門。除女主人的兒媳汪克寬(東方歌舞團鋼琴家)急於去單位開會被獲准離去，一家五口被扣。學生們將黃家洗劫一空後撿到了一隻子彈殼，立即要黃家人交出槍枝。交不出來，便將女主人、老母親、女兒黃偉班(北大醫院大夫)、兒子黃瑞五(建材部玻璃設計院技術員)及小孫子的保姆捆綁毒打。失血過多的黃家人喝了看守的紅衛兵給的水後，除女主人外的四個人即刻死去。第二天，女主人用刮鬍子刀割頸身亡。

不少人因抄家時被抄出金銀首飾而被打死。北京女職工何敏的母親誤以為女兒的家不會被抄，偷偷將一些金子藏在了女兒女婿的箱子裏而沒告訴他們。可是紅衛兵抄了何敏家且抄出金子，當場打死了何敏的丈夫。

8月23日《人民日報》發表社論〈工農兵要堅決支持革命學生〉後，紅衛兵請勞動模範、掏糞工人時傳祥講話並把講話錄音四處播放：「我們工人階級堅決做你們革命小將的後盾。你們打死多少，我們就搬多少。」

各省、市公安局長正擔心放手讓學生隨意打死人，運動過後自己會被追究，毛澤東於8月22日批轉了一個名為〈嚴禁出動警察鎮壓革命學生運動〉的文件，規定：「不准以任何藉口，出動警察干涉、鎮壓革命學生運動。」「警察一律不得進入學校。」「運動中一律不逮捕人。」他還在23日的中央工作會議上說：「對各地所謂『亂』的問題，採取甚麼方針？我的意見是亂它幾個月。」「我看北京亂得不厲害。」

於是公安部長謝富治召集各省、市公安局長開會，說：「打死人的紅衛兵是否蹲監？我看打死就打死了，我們根本管不着。」某省公安局長問：「拘捕起來總可以吧？」謝答道：「你們能捕得光嗎？全國九千萬紅衛兵，到時，他們不衝你的公安局就好了。」「不能按常規辦事，不能按刑事案件去辦。如果你把打人的人扣留起來，捕起來，你們就要犯錯誤。」

不過，當打死人的數目大到連謝富治也感到害怕時，他要公安部和北京市委第二書記吳德各擬寫一份「要求不准打死人」的文件。可是毛澤東當天夜裏看到公安部遞呈的文件稿，立即嚴厲批評說：「你們還是想壓制群眾。文化大革命剛開始發動，你們不能像消防隊救火一樣。」毛澤東不准發佈這份「要求不准打死人」的文件，結果便如吳德所說：「混亂的局面就無人敢加以制止了。」

由於政府、公安部門的放縱，北京中學紅衛兵肆虐了半個多月。後來中共官方公佈，1,772人在此期間被紅衛兵打死。郊區農村被紅衛兵和「貧、下中農」打死的「五類份子」未被當局統計在內。

僅昌平縣和大興縣就各有幾百人被打死。昌平縣的一些人民公社屠殺「五類份子」時，提出「斬草除根」、「留女不留男」的口號，僅幾個月的男嬰也打死，各人民公社間甚至展開殺人比賽。燕丹村隸屬北郊農場，農場領導到燕丹村動員說：「毛主席說，東風必須壓倒西風。」根據這句話，燕丹村立刻打死了七個人。

8月26日，大興縣公安系統傳達公安部長謝富治的講話。次日開始，全縣十三個公社先後屠殺「五類份子」及其家屬。其中大辛莊人民公社公社黨委書記因家庭出身是「地富」已被關押，屠殺由公社主任、公社團委書記組織，共殺害一百多人。中心生產大隊的「貧下中農協會」主席用鍘刀鍘死了16人，鍘死的人都塞進一口深井裏，直到井快塞滿才中止。9月1日上午大興縣委派人制止時，全公社已殺害324人，22戶人家被殺絕。

6月中毛澤東曾對李志綏醫生說：「這次恐怕又要有千把人自殺。現在是天翻地覆了。我就是高興天下大亂。」實際上毛大大低估了這場運動的瘋狂。8月24日，作家老舍在城北太平湖投水自殺後，「短短的一星期內，它竟成為殉難者的聖地，有成十上百的人在這裏投湖」。

到頤和園跳湖、到香山鬼見愁（山頂懸崖名）投崖的多了。有的紅衛兵組織起來守衛香山，不讓欲逃避鬥爭的「牛鬼蛇神」得逞。8月27日，千家駒登香山時被紅衛兵發覺，跟蹤至半山腰，並命令他下山。途中千從山崖跳下，失去知覺。紅衛兵救了他，通知中央工商管理局將千接走。

上海市在「破四舊」中打死的人遠較北京為少，而且其中市郊佘山天主教大教堂的馬神父、原國民政府駐法國蕭姓參事等人還是被南下上海的北京紅衛兵打死的。但自殺者不少。上海市有446人被抄家後自殺，另有169人被掛牌鬥爭、遊街及「剃陰陽頭」等凌辱後自殺。其中半數以上身亡。

廣州紅衛兵打死的各類「份子」數目不詳。當時任職廣州軍區司令部辦公室的遲澤厚說：「毛澤東主義紅衛兵，他們是打砸搶的能手，可以說殺人不眨眼，抄家啊、打啊、破四舊啊、砸啊、燒啊，幹的是這些。」廣州有人曾「目睹七位右派朋友被打死」，「（19）79年平反，七人重新安葬，並立石碑，上刻『某某同志之墓』」。

農村中的死亡數字也很大。上海寶山縣「破四舊」期間，「發生非正常死亡七十餘起」；雲南鎮雄縣，在8月「橫掃一切牛鬼蛇神」時「捆綁、吊打、搜家、罰款，受害者達三千餘人，其中打傷三十餘人，打傷致死十餘人」；江城縣「截至1967年2月18日，全縣逼死十三人，失蹤六人」。

周恩來說：「如果要查出逃亡地主，可以捉回去。」河北省有的農村不僅殺戮村裏的地主富農，連早已離開當地的地主也要找出下落，揪回去。有一個老北京人早在1930年代就棄土經商，其河北老家農村的「貧下中農」到北京把他揪回家鄉，按「外逃地主」罪活活打死。

在成千上萬人已經被紅衛兵打死之後的9月15日，毛澤東再次接見全國各地師生，林彪再次在大會上唸經毛澤東審閱的講稿，再度誇獎紅衛兵，說：「你們在大破『四舊』、大立『四新』的戰鬥中，取得了光輝的戰果。那些走資本主義道路的當權派，那些資產階級反動『權威』，那些吸血鬼，寄生蟲，都被你們搞得狼狽不堪。你們做得對，做得好！」

十五　全國被趕出城區者數以百萬計

8月24日，北京第四中學「革命師生」發佈〈關於驅逐四類份子的五項命令〉：「1966年9月10日以前，一切鑽進北京的地、富、反、壞份子必須滾出北京。滾回老家老老實實地勞動改造。不許亂說亂動。如不老實，立即鎮壓。」「各派出所把所有地、富、反、壞份子名單用大字報公佈。走一個銷一個，便於群眾監督檢查。」

此〈命令〉的出籠背後是否有當局的直接指揮不得而知。但這個與「破四舊」抄家同時進行的「遣返行動」是當局要做、已經在做的事。早在5月中旬，周恩來就遵照毛澤東的指示成立並主持旨在「保衛毛主席」的「首都工作組」。為「防止突發事變」，除調動兩個步兵師給北京衛戍部隊外，還有清查民間槍枝彈藥、清理社會人口的任務。所以周恩來談到「遣返行動」時說：「文化大革命初期，總要把地、富、反、壞弄走。有些不穩當的人也調一調」；「不是一般出身不好的『黑五類』都打擊。我們說的是那些暗藏的在城裏搗亂的」；「像羅瑞卿的岳母有血債，住在北京，被你們趕走了，這很好」。

「有問題的人」、「不穩當的人」並不限於「地、富、反、壞」。所以被「趕走」者的範圍遠遠超出「四類份子」。

一段時間裏，北京每日有幾千人被遣返「原籍」。北京火車站和城外西直門火車站的廣場上，被勒令穿上黑色褲襖的「黑五類」扶老攜幼，在兩旁手裏拿着皮帶、木棍的紅衛兵的通道裏，忍受不時襲來的皮帶、拳頭，進站登車。凡被抄出攜帶了少量人民幣，哪怕只有一百元的，也要挨毒打，甚至當場打死。有的還沒到達「原籍」就已經在途中被解押者打死。北京「全市被遣返到農村的幹部、職工共三萬三千多人，加上他們的親屬子女共遣返了十二萬五千人」。

「遣返」風颸遍全國。上海市區有9,260餘人被遣送回鄉。廣州被押送回鄉的「四類份子」有2,000多人，還有6,000多人被勒令自行回鄉。廣西南寧市「清理所謂『牛鬼蛇神』回原籍監督勞動五千多人」。新疆自治區黨委和公安機關配合烏魯木齊地區紅衛兵總部，於11月3日頒佈通令，將全市「五類份子」、「牛鬼蛇神」都趕到了農村。內蒙古伊金霍洛旗從城鎮居民中新劃出的81名「四類份子」及51名「地富成員」遣送農村。

1966年10月，中央文革小組指示北京大、中學紅衛兵、北京軍區、公安部及北京市公安局、中國革命博物館和歷史博物館聯合籌辦「首都紅衛兵無產階級文化大革命抄家戰果展覽會」，由北京軍區政治部一位副主任和公安部一位局長負責領導。宗旨是藉展示紅衛兵在「破四舊」運動中，特別是抄家的「輝煌戰果」，把文化大革命引向深入。據這個展覽「從始至終的參加者」、一位北京軍區幹部回憶：

> 我們在數以百計的大專院校和基層單位看到了不少堆集如山的抄家「戰果」。如在北京大學、人民大學看到被查抄的馮友蘭、翦伯贊、尚鉞等人的書籍（其中大量是古籍線裝書和文物古董）……在文聯看到從著名作家田漢、老舍、蕭軍、駱賓基、端木蕻良以及從著名京劇演員馬連良、荀慧生、白芸生家中抄出的字畫和藝術品等等。……據不完全統計，從6月至10月初，全國紅衛兵收繳的現金、存款和公債券就達428億元，黃金118.8萬餘兩、古董1,000多萬件，挖出所謂的「階級敵人」1.66萬餘人，破獲「反革命」案犯1,700餘宗，從城區趕走的「牛鬼蛇神」達×××多萬人。

歷經半年多準備，展覽於1967年初夏開張。1968年12月，毛澤東發出「知識青年到農村去，接受貧下中農的再教育，很有必要」的指示。這回從城區趕走到農村去的正是「紅衛兵小將」。「首都紅衛兵無產階級文化大革命抄家戰果展覽會」在1969年初閉館，「紅衛兵運動」已成為歷史。惟「破四舊」運動的發動者將被永遠記錄在其恥辱柱上。

註：限於篇幅，略去原稿有關資料來源的137條註釋。大部分來自公開出版的地方志。

文革中的中國知識份子

丁 東

區分社會階層，中國古代有「士農工商」之謂，現代有「工農兵學商」之別。知識份子大體對應於「士」或「學」。中華人民共和國成立以後，通常用工人、農民、軍人、幹部、知識份子來區分社會身份，知識份子成為一類社會身份的總稱，其中包括教師、醫生、工程師、科學家、藝術家、記者、編輯、翻譯、律師、會計師等，他們的共同特點是教育程度較高。但教育程度是個歷史概念，在中國高等教育遠未大眾化的毛澤東時代，受過中等專業教育的人，在人事管理中便稱為知識份子。也就是說，在文革中知識份子有特定的內涵。當時這一階層的命運與其他社會階層有甚麼不同？本文做一概要的分析。

一　文革中不同階層的地位變動

文革是一次劇烈的社會變動。

軍人地位上升最為突出。經過1967年「三支兩軍」，軍人出掌各地各級政權的現象相當普遍，「九一三事件」以後這個勢頭才停止。

工人的地位也是相對上升的，當時流行的宣傳是工人階級必須領導一切。1968年夏，毛澤東拋棄紅衛兵以後，一批工人被提拔到領導崗位或作為工宣隊佔領上層建築。

貧下中農在宣傳中雖然受到吹捧，陳永貴等少數農民進入領導機構或參加佔領上層建築，但城鄉戶口二元結構在文革中被強化，統購統銷使農產品生產者在經濟上受損，農民實際處於社會底層，連溫飽都沒有保障。

幹部在文革初期曾受衝擊，毛澤東確定文革的重點是整黨內走資本主義道路的當權派，各級黨政官員首當其衝。在中華人民共和國發生的歷次政治運動中，大量黨政領導幹部失去權力，受到批判，文革是唯一的一次。

知識份子在文革中，也是一個受傷害較大的階層。本來，知識份子是腦力勞動者，即使按馬克思的剩餘價值理論，知識份子也應當歸入工人階級。毛澤東在1925年撰寫〈中國社會各階級的分析〉時就把中國不同層次的知識份子分別列入大資產階級、中產階級和小資產階級。1942年在延安文藝座談會上，又說：「拿未曾改造的知識份子與工農比較，就覺得知識份子不但精神有很多不乾淨處，就是身體也不乾淨，最乾淨的還是工人農民，儘管他們手是黑的，腳上有牛屎，還是比大小資產階級都乾淨。」中華人民共和國成立以後，毛澤東看到民國時代受教育的知識份子在世界觀上和他有差異，於是判斷他們的世界觀是資產階級的，屬資產階級知識份子。他運用國家的力量對知識份子進行思想改造。經過多次政治運動，特別是大規模整肅知識份子的反右運動，知識份子已經成為一個失去尊嚴、戰戰兢兢的階層。共產黨執政後培養的知識份子，毛澤東也不信任。1966年5月7日，他在給林彪的信中說：資產階級知識份子統治我們學校的現象再也不能繼續下去了。文革更瀰漫着知識愈多愈反動的反智主義思潮。當時有「臭老九」的說法，把知識份子列在「地、富、反、壞、右、叛徒、特務、走資派」之後。這雖是一種戲稱，也反映了知識份子在文革中的實際遭遇。

二　傷害知識份子的三次高潮

文革是一個長達十年的歷史過程。大運動期間套着許多小運動，對知識份子的傷害大體有三次高潮。

第一波是文革的發動期。文革的前奏是從意識形態領域反修入手的，人文科知識份子首當其衝。在哲學界，批判了楊獻珍的「合二而一」。在經濟學界，批判了孫冶方的「利潤掛帥」。在歷史學界，批判了翦伯贊的「歷史主義」和「讓步政策」。在文學藝術界，批判了電影《北國江南》、《早春二月》、《舞台姐妹》、《紅日》、《兵臨城下》、《革命家庭》、《林家舖子》、《聶耳》、《怒潮》、《不夜城》、《兩家人》、《逆風千里》，戲劇《李慧娘》、《謝瑤環》和「寫中間人物論」、「有鬼無害論」等。毛澤東在1963年12月12日和1964年6月27日作出對文學藝術的兩個批示，斷定文藝界各協會和他們所掌握的刊物的大多數，十五年來基本上不執行黨的政策，最近幾年，竟然跌到了修正主義的邊緣。夏衍、田漢、陽翰笙、邵荃麟等文藝界領導人都被點名批判。

第一個被推上祭壇的是歷史學家吳晗。吳晗在中國公學讀書時，因《胡應麟年譜》得到胡適的賞識，推薦到清華讀書，後專攻明史，1940年代加入共產黨，1950年代出任北京市副市長，他對黨一直積極緊跟。1959年毛澤東提出找歷史學家寫寫海瑞的文章。胡喬木傳達了毛澤東的意思，吳晗很快寫成了《海瑞罵皇帝》，之後又寫了劇本《海瑞罷官》。沒想到這齣戲成了文革的突破口。毛澤東本來的目標是劉少奇，但他採取的方法是從外圍突破，於是從與劉少奇接近的彭真入手。而吳晗正是北京市長彭真的副手。江青組織姚文元撰寫〈評新編歷史劇《海瑞罷官》〉，認定吳晗反黨反社會主義，動員工農兵憤怒聲討。文革進入群眾運動高潮以後，吳晗幾乎每天都要接受批鬥，忍受屈辱和皮肉之苦。1968年3月，吳晗正式被捕入獄。妻子袁震也被「群眾專政」。1969年，袁震病重，由於是吳晗家屬，醫院不肯搶救而去世。不久吳晗也死在獄中。

鄧拓、吳晗和廖沫沙都是有文人情結的北京市領導幹部。他們曾合作開設雜文專欄「三家村札記」。吳晗被點名批判以後，彭真讓鄧拓出面寫文章，想把問題的性質限定在學術範圍，結果「三家村」一起成為批判重點，1966年5月18日鄧拓絕望自殺，他的遺書寫道：「許多工農兵作者都說：『聽了廣播，看了報上刊登鄧拓一夥反黨反社會主義的黑話，氣憤極了。』我完全懂得他們的心情。我對所有批評我的人絕無半點怨言。」「我的這一顆心，永遠是向着敬愛的黨，向着敬愛的毛主席。」

1966年5月16日，中共中央發出〈五一六通知〉，號召「徹底揭露那批反黨反社會主義的所謂『學術權威』的資產階級反動立場，徹底批判學術界、教育界、新聞界、文藝界、出版界的資產階級反動思想，奪取在這些文化領域中的領導權。而要做到這一點，必須同時批判混進黨裏、政府裏、軍隊裏和文化領域的各界裏的資產階級代表人物，清洗這些人。」「混進黨裏、政府裏、軍隊裏和各種文化界的資產階級代表人物，是一批反革命的修正主義份子，一旦時機成熟，他們就會要奪取政權，由無產階級專政變為資產階級專政。這些人物，有些已被我們識破了，有些則還沒有被識破，有些正在受到我們信用，被培養為我們的接班人，例如赫魯曉夫那樣的人物，他們現正睡在我們的身旁，各級黨委必須充分注意這一點。」

〈五一六通知〉向黨內傳達後，全國各地黨政領導都想爭取主動，拋出了一批分管文教工作的領導幹部和知名作家學者，當作鬥爭的靶子。從1966年5月8日到8月10日，在全國各地報刊上被點名批判者有174名。中共中央在此期間批轉、簽發了十幾個文件，點了近兩百名黨內的領導幹部。

1966年6月1日，毛澤東決定全文廣播北京大學哲學系聶元梓等七人的大字報，點名批判北京大學校長陸平等人。毛澤東批示：北京大學這個反動堡壘，從此可以打破。《人民日報》等輿論機器，高調號召「橫掃一切牛鬼蛇神」。大中學校停課鬧革命，文革進入大規模群眾運動階段。武漢大學校長李達、南京大學校長匡亞明、清華大學校長蔣南翔、上海音樂學院的院長賀綠汀等五十多位大學校長，學術界、教育界、新聞界、文藝界、出版界的一些知名人士，被各地黨委拋出，成為「反動學術權威」。其中一部分在巨大的精神壓力下，不堪凌辱，在絕望中棄世。

作家老舍本是無黨派人士，中華人民共和國成立以來積極靠攏共產黨，在歷次政治運動中都沒有受到衝擊。文革初召開的亞非作家會議上他還是中方出席的代表人物。他本來生病住院，還是主動要求到單位參加運動。1966年8月23日下午3點半，一隊紅衛兵衝進北京市文聯、文化局，把四十多名老作家趕到大院，在陽光下罰站，每個人脖子上掛上「黑幫」的大牌子，用銅頭皮帶往背上抽打，老舍也在其中。打過之後，紅衛兵又押着他們到國子監，這時有人揭發老舍拿了美國的稿費，紅衛兵以為這是重大的政治問題，於是拿起木刀向他頭上砍去，老舍被砍得滿臉是血。在外受辱，家人冷漠，老舍於8月24日凌晨投太平湖自盡。

在1966年5月到9月間自殺的著名知識份子，還有田家英、陳笑雨、陳夢家、儲安平、言慧珠、劉盼遂、李平心、劉克林和傅雷夫婦等。

1966年8月1日，毛澤東寫信支持清華附中紅衛兵，8月18日又登上天安門城樓，戴上了紅衛兵袖章。林彪發表講話，號召「破四舊」。這個月當時稱為「紅八月」，發生了一系列學生打老師的暴力事件。

1966年8月5日下午，北京師大女附中副校長卞仲耘被學生毒打致死。同時被打的還有副校長胡志濤、劉致平，教導主任梅樹民、汪玉冰。8月17日，北京101中學的美術教師陳葆昆被打死。一起被打的還有十多名教師和校領導幹部。他們被強迫在煤渣鋪的校園小路上四肢爬行，雙手和膝蓋鮮血淋漓。8月19日，北京四、六、八中紅衛兵在中山公園音樂堂開鬥爭會，北京教育局和三所中學的領導幹部二十多人跪在舞台上，不斷被紅衛兵掄起銅頭皮帶抽打。八中副校長溫寒江，脖子上套着一根繩子，讓他從兩公里外的學校一路跑到中山公園，繩子的另一端牽在一個騎自行車的紅衛兵手裏。他被打得渾身是血，昏厥過去。教育局局長孫國梁被打斷三根肋骨。同日，北京外語學院附中紅衛兵打死了教員張輔仁和張福臻。北京女三中紅衛兵用皮鞭和捆着帶釘子的木棍，拷打校長沙坪到深夜。8月20日上午，奄奄一息的沙坪在一千六百多人全校師生參加的鬥爭會上，被毆打致死。數學教師張梅岩被抄家後服毒身亡。體育教員何世瑾自殺。8月22日，在北京第八中學，學校黨支部書記華錦被毒打後自殺。副校長、化學老師韓九芳背上被打出兩個大洞，引起敗血症，留下嚴重後遺症，並且終身致殘。歷史老師申先哲被打後自殺。北京房山中學的校長王哲在飽受折磨後自殺。紅衛兵強迫該校其他「牛鬼蛇神」跪在王哲的屍體前面挨鬥。8月25日，北京師大二附中紅衛兵打死黨支部書記姜培良和語文教師靳正宇，讓校長高雲站在烈日下曝曬，額頭上被扎了一排圖釘，還用沸水澆。同日，北京二十六中校長高萬春被五花大綁，跪在鋪有碎石的凳子上鬥爭，爾後自殺。這些中學的校長和教師，都是勤勤懇懇的教育工作者，但文革前的中學已經向學生大力灌輸階級仇恨，盲從的中學生，聽信砸爛教育黑線的狂熱鼓譟，自以為投身革命，模仿湖南農民運動的暴力方式，對師長大打出手，一批校長和老師淪為「紅八月」的犧牲品。

第二波是清查「五一六」運動。1967年5月底，北京鋼鐵學院學生張建旗發起「五一六」兵團，6月2日貼出〈給周總理的一封公開信〉的大字報。北京外國語學院學生劉令凱為首的「六一六」戰鬥組也把矛頭指向周恩來。他們認為，劉少奇被打倒以後，主要矛盾是「新文革」與「舊政府」的矛盾。周恩來是「二月逆流」的「黑後台」。反對周恩來的學生充其量不過幾十人，號稱兵團不過是虛張聲勢。1967年9月，毛澤東在姚文元文章〈評陶鑄的兩本書〉送審時，加了一段話：「這個反革命組織，不敢公開見人，幾個月來在北京藏在地下，他們的成員和領袖，大部分現在還不清楚，他們只在夜深人靜時派人出來貼傳單，寫標語。對這類人物，廣大群眾正在調查研究，不久就可以弄明白。」一場聲勢浩大的清查「五一六」反革命陰謀集團運動，由此在全國展開。

「五一六」兵團和「六一六」戰鬥組的全部參加者很快被抓捕。抓了學生以後就抓「黑後台」。9月4日抓了外語學院上級領導外交部的副部級幹部陳家康，9月5日抓了外交部和機要局的王煥德。接着，穆欣（中央文革小組成員、《光明日報》總編輯）、林傑（《紅旗》雜誌編輯）、周景芳（北京市革委會常委兼秘書長）、趙易亞（《解放軍報》總編輯）和潘梓年、吳傳啟、林聿時等中國科學院哲學社會科學部的左派都當作「五一六」的「黑後台」投入監獄。中國科學院哲學社會科學部雲集了一批全國著名的社會人文學者，當時成為清查「五一六」的重點單位。學部在文革成立了幾個觀點不同的群眾組織，他們從王力、關鋒、戚本禹等渠道得到上面一些信息，看風造反，互相攻擊。幾個組織的頭頭都成了清查「五一六」的重點。學部被打成「五一六」份子的竟然佔總人數的一半以上。

清查「五一六」運動從最初查組織，擴展到查思想，沒有組織聯繫的人也可以當作清查對象，使這場運動的打擊千倍萬倍地擴大。

中國科學院物理所有一百多人被打為「五一六」反革命份子，是物理所建所以來的最大冤案。

1967年3月10日，衛生部造反派開會批判「城市老爺衛生部」，涉及一些中央領導人享受醫療特權的事。於是，著名醫學專家、中央領導人的保健醫生葉心清等人被打成了「五一六」份子。

中央樂團兩派組織「井岡山」、「東方紅」，幾乎全軍覆沒，骨幹人物都成了「五一六」份子。有的人先審查別人「五一六」，後來自己也成了「五一六」。近百位嫌疑對象被下放「五七幹校」勞動改造。

北京師範大學圍剿「五一六」份子，錢鍾書、楊絳的女婿王德一不堪誣陷，選擇自殺。

江蘇等地方因為地方領導人有意藉清查「五一六」運動打擊異己，傷害面比北京還大。僅江蘇一省，就整了十幾萬人。南京市被認定為「五一六」大本營，組織了2萬多人的專案隊伍，舉辦了各類學習班3,900多個，進入學習班的多達20多萬人次，全市上下共召開坦白會、批鬥會、寬嚴會等1,200多場。到1972年底，2萬多人打成「五一六」份子，逼死300多人。當時南京流行一種說法：「五一六，家家有，不是親來就是友。」南京歌舞團副團長，女演員李香芝在文革初期起來造反，並被推選為省歌舞團「紅色造反隊」勤務組成員。她貼了一張反對找女演員為首長陪舞的大字報，寫了一份意見書準備寄到北京，要求中央首長帶頭不要找演員去陪舞，但未寄出。審查者抓住她挨整後說的話，將其判處死刑，1971年9月2日舉行公審，押赴刑場槍決。

經過清查「五一六」運動，文革初期積極參加造反一度活躍的知識份子，絕大多數挨整，相當一批淪為專政對象。

第三波是1968年的「清理階級隊伍」。是年春發表了毛澤東的最新指示：「無產階級文化大革命，實質上是在社會主義條件下，無產階級反對資產階級和一切剝削階級的政治大革命，是中國共產黨及其領導下的廣大革命人民群眾和國民黨反動派長期鬥爭的繼續，是無產階級和資產階級階級鬥爭的繼續。」以此為據，民國時代和國民黨、三青團有瓜葛的人都成了清隊的重點。毛澤東派8341部隊組成工人解放軍宣傳隊，進駐北京大學、清華大學和北京的六家工廠(合稱六廠二校)，開展運動。清隊運動雖然不是專門針對知識份子，但對知識份子的實際傷害比1966年面積更大，持續時間更長，後果更嚴重。「清理階級隊伍」的具體操作者不是文革前的黨委部門，也不是文革初的紅衛兵組織，而是剛剛成立的各級革命委員會和掌握基層單位領導權的軍宣隊、工宣隊。直接運用政權力量實施專政，挨整的人更加無奈和無助。

清華大學當時有6,000名教職員工，在清隊中，被審查的有1,228人，非正常死亡16人。北京大學有900多人被重點審查，佔全校教職總人數的22.5%，迫害致死的23人。葉企孫教授是中國近代物理的先驅，物理學界的一代宗師，李政道、錢學森、錢三強、王淦昌等都是他的學生。1968年清隊時已經70歲。1938年，他的學生熊大縝去冀中抗日。葉企孫在後方搜購一些雷管、炸藥等軍用物資。熊大縝在冀中被懷疑為漢奸，秘密逮捕，在押送途中被用石塊砸死。清隊時重提此事，將葉企孫關押。提審時他說：「我是科學家，我是老實的，我不說假話。」1968年4月到1969年11月他被中央軍委辦事組以「國民黨中統在清華核心人物」逮捕，釋放後審查到1975年。此時老人已經神志不清，經常衣着邋遢，弓着背在街頭晃蕩。友人和他在街頭相遇，他說：「你有錢請借給我幾個，讓我填填肚子。」

翦伯贊本是馬克思主義史學家，1949年以後黨派遣他到北京大學歷史系做掌門人。文革第一波成為史學界資產階級學術權威的代表。1968年10月，毛澤東在八屆十二中全會講話中提到對翦伯贊這樣的「資產階級學術權威」也要給出路。「劉少奇專案組」想在翦伯贊得到解脫前再令他交代有關劉少奇的問題。1968年12月18日夜，翦伯贊和夫人戴淑婉一起服安眠藥自殺。在中山裝的衣袋裏留下紙條，上寫「我實在交代不出甚麼問題，所以走了這條絕路。」「毛主席萬歲，萬萬歲！」

中國科學院京區職工總數9,279人，被群眾專政和隔離審查的881人，被定敵我性質的102人。副研究員以上高級知識份子180名，被立案審查的107名，其中83人工資被扣，每人每月僅發給相當於原工資6%的生活費。中國科學院長春光學精密機械研究所166位、長春應用化學研究所110位老科學家和青年科技人員打成特務。長春光學精密機械研究所在軍代表單奎章的把持下，刑訊逼供，整出了四條「特務線」。全所有300多人被誣陷「與特務有牽連」，150多人被隔離審查，5人被送公安機關，13人被逼自殺。

更多的著名知識份子在清理隊伍中絕望自殺。1968年10月的一個夜晚，著名氣象學家趙九章在飽嘗批鬥、折磨和屈辱後，在中關村家中服安眠藥自殺，沒有留下任何遺書。同時期自殺的還有中國近代物理學奠基人、中科院學部委員饒毓泰，中國計算機研製和斷裂力學研究的先驅之一董鐵寶，數學宗師熊慶來，康奈爾大學昆蟲學博士劉崇樂，真菌專家鄧叔群，化工冶金專家葉渚沛等，電影表演藝術家上官雲珠，黃梅戲著名演員嚴鳳英，國家乒乓球隊教練傅其芳和姜永寧，中國第一個世界體育冠軍的乒乓球運動員容國團等。從美國留學歸來的中國科學院大連化學物理研究所研究員蕭光琰和妻子甄素輝及14歲的女兒洛洛一家都自殺身亡。

歷史學家陳寅恪文革初即被冠上「資產階級反動學術權威」等罪名，工資停發，存款凍結。1969年春節後，陳寅恪一家被掃地出門，遷至中山大學校園西南區一所破敗的平房居住。此時陳寅恪衰弱得只能進一點「流食」，偶有親友偷偷登門拜望，他在病榻上已不能説話，眼角不斷有淚流出，還被迫作口頭交代。1969年10月7日凌晨，陳寅恪溘然長逝，四十幾天後，夫人唐篔隨他而去。

三波衝擊之後，對知識份子的傷害和侮辱並沒有結束。直到1970年代中期還先後發生過批判晉劇《三上桃峰》、湘劇《園丁之歌》、電影《創業》和黑畫事件。在教育界則有張鐵生白卷風波、河南馬振扶中學事件、小學生黃帥日記風波，官方力圖堅持對知識份子的精神高壓，維護教育界文藝界的黑線專政論，打擊黑線回潮，但其聲勢已經是強弩之末。

三　文革中的科學研究

科學研究的主體是知識份子。在文革期間，兩彈一星等國防科學技術研究仍是國家反帝反修和備戰的要務，雖然受到某些干擾，沒有停頓。領導研製兩彈一星的科學家錢學森、朱光亞在中共九大當選了中央候補委員，這是科學家第一次進入中央委員會。錢學森原是美國加州理工大學教授，1955年歸國，1959年加入中國共產黨。他是中國導彈和航天科技的開創者，受到毛澤東的特別器重。1970年召開的中共九屆二中全會上，他的發言上了華北組簡報，也沒有影響對他的信任，中共十大繼續當選中央候補委員。

但是，文革的狂潮席捲各個領域，一些國防科研單位不免也受到運動的衝擊。火箭專家姚桐斌1947年負笈英倫，1951年獲工學博士。後赴聯邦德國亞亨工業大學任教，在金屬液體理論研究中取得突破性進展。他於1957年9月回國，便進入成立不久的國防部第五研究院。國家組建第七機械工業部，他擔任703所所長。作為中國第一代航天材料工藝專家和技術領路人，他主持液體火箭發動機材料和焊接結構的振動疲勞破壞問題研究，對火箭部件的設計、選材和製造起了指導性的作用。文革當中，第七機械工業部分為兩大派組織，每派都有通天人物求得中央首長支持。1968年夏天，兩派衝突在京郊南苑升級為大型武鬥。6月8日中午，姚桐斌回家吃飯，剛剛拿起碗筷，就有人衝進家門，架着他往外推，在路上用暖氣管猛擊頭部，打昏了以後，還不准送醫院搶救，下午他就停止了呼吸。其中一個直接下手的是姓高的炊事員，另一個是姓于的電工，他們本來和姚桐斌算不上是同事，聽信了打倒「反動學術權威」的政治鼓譟，被派性衝昏了頭腦，便淪為兇手。這種悲劇並不符合文革發動者的本來意圖，高、于二人分別判處15年和12年徒刑。

越南戰爭期間急需抗瘧疾藥物，越方向中國求助，中國政府緊急動員國內有關研究人員聯合攻關，成功研製青蒿素。在研製過程中，老專家在文革中靠邊站，資歷不深的研究實習員屠呦呦獲得了擔當重任的機會。但當時研究成果屬集體。如果不是饒毅等人在21世紀以國際通行的科學史方法考證清楚當年屠呦呦所起的關鍵作用，拉斯克獎和諾貝爾獎也無法評價她在科學研究中的創造性發現。

文革中主流的科學觀十分狹隘。周培源主張恢復基礎科學理論研究被視為回潮。中學數理化課程都改成了三機一泵。從事基礎性的科學研究的知識份子，整體上業務荒廢，與世界先進水平差距拉大。1971年，中國重回聯合國，和西方外交回暖，個別取得國際承認的新成果的科學家，還是受到了高層青睞。1973年2月，陳景潤完成了對哥德巴赫猜想的證明，數學所羅聲雄、喬立風共同起草了一份簡報，越過數學所，直接送給了中科院領導。武衡時任中國科學院黨組副書記，看到簡報，在全院大會上不點名地表揚了陳景潤在數學的基礎理論研究方面，做出了一項具有世界先進水平的成果。當時新華社記者顧邁南採訪調查後寫了兩篇內參，刊登在專供高層閱讀的《國內動態清樣》上。江青在這份《清樣》上批示：「主席，是否先救活陳景潤為好？」毛澤東批示：「請文元同志辦。」姚文元又批示：「陳景潤的論文在哲學上有甚麼意義？」江青對秘書説：「姚文元『書呆子』，他的批示文不對題。你給遲群打個電話，告訴他趕快到我這裏來，這是他負責的領域。」後來遲群和武衡、顧邁南、協和醫院張孝騫一行人，登門看望陳景潤，把他接到清華大學，向他傳達了毛澤東的批示，並由張孝騫等大夫給他作了體檢，讓他住進了解放軍309醫院。隨後，陳景潤的論文，以最快的速度在《中國科學》英文版第十六卷第二期上發表。從此，陳景潤處境大變。周恩來提名他為四屆全國人大代表，並由時任副總理的華國鋒落實。胡耀邦在中科院主持工作期間，也想為陳景潤調整住房。陳景潤成了風雲人物。陳景潤的數學研究不需要複雜的實驗條件和團隊合作，個人有紙有筆有時間推算就可以進行。但他的成果得到國際同行的好評，高層領導不論哪個派別，都要把他當作政治資本。

與自然科學和工程技術相比，文革年代社會人文領域的成果更加乏善可陳。只有極其個別的學者，超越了時代的思想桎梏，作出卓爾不群的探索。

學者顧準於1930年代加入中共，在1957年提出應以市場價格的自由漲落來調節生產，在中國最早提出社會主義市場經濟理論。在政治上，他主張民主社會主義和兩黨制；在思想文化上，他主張理性爭鳴。他在1957和1965年兩次被打成右派。在文革中潛心研究中外歷史、文化和哲學，反思從全世界從1871到1917年以來的革命思潮，追問革命的理想主義為甚麼會演化為庸俗的教條主義，提出走向經驗主義，從一元論走向多元論的思路。他的思想探索和研究成果以文章、筆記、通信的形式保留下來，達到了獨特的思想深度和歷史的前瞻性。

在文革中留下獨立思考成果的知識份子還有張聞天、梁漱溟、惲逸群、馮毅之等人。他們的學術思想背景不同，深度不同，都屬難能可貴。

還有一些舊學根底深厚老知識份子，選擇了詩詞這種凝練而含蓄的藝術形式、表達了獨立思考和人格堅守，知名的有聶紺弩、牟宜之、黃萬里等。洪傳經教授是安徽懷寧人，1931年赴歐洲留學，在法國獲經濟學博士學位，1935年回國後先後任教於湖南大學、蘭州大學。1955年放棄教職，寓居杭州。1970年寫出「塞流農斷市，廢學士耕田。唱罷三忠曲，低頭欲問天」，「千古文明史，居然是鬥爭。教人不怕死，隨我莫偷生。寶像驅神鬼，紅書勝甲兵。雄謨震今古，寰宇早知名」，諷刺個人崇拜。

四　御用知識份子的命運

在文革過程中，還有一類御用知識份子，在政治舞台上發揮過特殊作用。比如中央文革小組的陳伯達、張春橋、王力、關鋒、戚本禹、姚文元等人，都在文革中扮演了重要的角色。

毛澤東發動文革，其意圖不便通過原有的機構實施，於是由江青出面，通過上海市委，找到張春橋、姚文元，撰寫〈評新編歷史劇《海瑞罷官》〉，點名批判吳晗，火燒向北京市委書記彭真。接着，毛澤東又派江青取得林彪支持，召開部隊文藝座談會，向「文藝黑線」發難，火燒中宣部。積極參加批判的戚本禹、關鋒等左派，成為毛澤東、江青麾下的尖兵。

中央文革小組是1966年5月政治局擴大會議決定成立的。小組的人員主要來自四個方面。一是原來中央寫作班子和意識形態領導班子中可用的人，如康生、王力；二是學術批判中的左派，如張春橋、姚文元、戚本禹、關鋒、尹達；三是支持和參加部隊座談會的軍方將領，如劉志堅、謝鏜忠；四是毛澤東寄與希望的中南局領導人陶鑄、王任重。毛澤東的秘書陳伯達被提名為組長。陳伯達想推卻而不得。他行政能力不強，性格軟弱，可以保證江青在小組內有更大的施展空間。

中央在1963年就成立過中央反修文件起草小組，直屬中央政治局常委。組長康生，副組長吳冷西，成員有王力等人，職能是為中共中央起草「九評」等反修文章，這些文章極大地影響了中國人的思想觀念，為文革做了輿論準備，但這個小組不是權力機構，沒有行政職能。

1964年7月，毛澤東又提議成立領導學術批判的文化革命小組，彭真為組長，陸定一、康生、周揚、吳冷西為組員。下設辦公室，胡繩為辦公室主任，成員有許立群、吳冷西、姚溱、王力、范若愚等。這是一個分管意識形態的權力機構。姚溱、許立群在1966年2月起草了〈二月提綱〉，以中共中央文件發出，與毛澤東策動批判《海瑞罷官》的意圖相悖，受到毛澤東批評。1966年4月決定成立撤銷〈二月提綱〉的〈五一六通知〉起草小組，經江青提名，陳伯達為組長，成員有康生、江青、張春橋、吳冷西、王力、尹達、陳亞丁、關鋒、戚本禹、穆欣。在此基礎上，1966年5月28日，正式成立中央文革小組，陳伯達任組長，康生任顧問，江青、王任重、劉志堅、張春橋為副組長；成員有謝鏜忠、王力、關鋒、戚本禹、姚文元、尹達、穆欣、郭影秋、鄭季翹、楊植霖、劉文珍等。8月2日，增加陶鑄為顧問。中央文革小組隸屬於中央政治局常委，是領導文化大革命的指揮機構，在釣魚台辦公，下設一組辦事機構。

中央文革從成立到1966年底，成員愈來愈少，陶鑄、王任重、劉志堅、謝鏜忠、尹達、穆欣、郭影秋、鄭季翹、楊植霖、劉文珍等先後出局，但權力愈來愈大。中共主管黨務的日常工作機構原來是中央書記處，因總書記鄧小平失勢，1966年秋就不再履行職能，而由中央文革小組取代。從1967年1月起，中共中央、國務院、中央軍委、中央文革小組共同發號施令。1967年2月以後，李富春、陳毅、聶榮臻、李先念、譚震林、徐向前、葉劍英等中央政治局委員因「二月逆流」事件被迫檢討，此後主持中央日常工作的領導機構就成了中央文革碰頭會，其成員有中央文革小組和周恩來、謝富治等十餘人。直到1969年中共九大選出新的中央領導機構以前，中央文革碰頭會主掌國家政務長達兩年。

中央文革成員不是一代人，陳伯達當時已經六十開外，張春橋、關鋒、王力不到五十歲，戚本禹，姚文元才三十幾歲。他們都是青年時代參加中共，長期從事意識形態工作，在思想和文風上深得毛澤東真傳和賞識的筆桿子。在文革中，他們成為毛澤東理論思想的概括者和總結者，政治部署的發佈者和宣傳者。〈五一六通知〉、〈十六條〉、九大、十大政治報告等指導全域的綱領性文件，都出自他們之筆。在文革期間，毛澤東的部署頻繁變化，其政治意圖通常用兩種方式發佈。一種是中共中央文件，內部傳達貫徹。一種是政論文章，通過報刊、電台等媒體發表，號令全民領會。這些政論文章，也出自中央文革的筆桿子之手。通常以兩報一刊(《人民日報》、《紅旗》雜誌、《解放軍報》)社論的名義發表。但一些特殊時候，以個人署名形式發佈。戚本禹的〈愛國主義還是賣國主義〉，姚文元的〈評陶鑄的兩本書〉、〈工人階級必須領導一切〉、〈論林彪反黨集團的社會基礎〉，張春橋的〈論對資產階級的全面專政〉，都在此列。這些文章都是經毛澤東審定，中央討論通過的。一時間，他們因代聖立言為中外矚目。

中共九大以後，中央文革小組結束，江青、張春橋、姚文元進入中央政治局，繼續掌控意識形態。一波狂熱的高潮過後，文革由盛而衰，黨內和社會上的否定思潮此起彼伏。毛澤東為了挽回頹勢，先後發動批林批孔，評法批儒，學習無產階級專政理論，批判資產階級法權，評《水滸》批宋江，批鄧反擊右傾翻案風等運動。在這些運動中，徐景賢、朱永嘉領導的上海市委寫作組(筆名「羅思鼎」等)，遲群、謝靜宜領導的北大清華兩校寫作組(筆名「梁效」等)，發揮了特殊作用。他們在毛澤東或江青、張春橋、姚文元的授意下，寫作了大量文章，支撐了文革後期的主流宣傳。但這些文章的感召力與文革前的「九評」和文革初的政論已經不可同日而語。不僅因未經中央討論審定權威性不足，更重要的是民意已經產生強烈的反感，人心向背已經不在主流意識形態一邊了。

這些筆桿子一度大紅大紫，最後都沒有好下場。1967年秋天到1968年初，毛澤東為了安撫軍方，王力、關鋒、戚本禹先後被拋棄。

1970年九屆二中全會上，林彪向張春橋發難，毛澤東為了反制林彪，又拋棄了陳伯達。陳伯達文革前就向中央建議發展電子工業，未獲採納。起草九大政治報告主張發展經濟又被斥為「唯生產力論」。毛澤東逝世後，華國鋒一舉抓捕「四人幫」。至此，這些筆桿子都從坐陣釣魚台的中央要員變成了秦城監獄的階下囚。

文革中的農村

陳意新

文革中的農村是甚麼樣？長期以來，學術界和公眾對此都知之甚少。一個原因是中國農村地域人文的廣闊和多樣。1966年文革開始時，全國有7.03萬個人民公社，65.1萬個生產大隊，約516萬個生產隊，300多萬個自然村落，1.37億戶和6.07億人口，並且各地農村的地理環境、風俗文化、政治生態、宗族矛盾和歷史積怨都各不相同。面對數量如此巨大的村莊和人口，任何想對農村的文革做一些概括性的梳理都很困難。另一個原因是缺乏資料。文革時中國的村莊絕大多數都處於交通不便之地，與外界信息相通有限，農民既無財力也無時間來辦文革小報，農村裏的造反和派性武鬥事件很少能傳出去，而城裏人感興趣的是城市的政治形勢，沒有人要到鄉下去探索文革。其結果是農村的文革所留下的記載非常少。

但近年來學者們通過口述訪談和挖掘檔案顯示：農村中有文革是實實在在的事情，造反、武鬥和「清理階級隊伍」等文革前三年城市中發生的大事在農村一件不少，並且農村裏還有城市中未見過的野蠻的集體性屠殺。農民為甚麼要起來造反和武鬥？農村為甚麼會發生集體屠殺的暴民政治？整個文革的十年浩劫對農民的生活有甚麼影響？基於學者們的研究、新出現的檔案，以及一些農民自己寫的回憶錄，本文對以上的問題進行審視以求達到對文革中的農村有一個粗略的框架性的認識，而理解文革對農民的影響我們則首先需要辨認文革前夕農村和農民處於甚麼樣的地位。

一　文革前夕的農村與農民

文革前夕的中國農村處在國家強制的集體經濟制度之下，農民是為國家進行糧食生產的勞動機器。中共奪取政權後於1950至1952年實施了土改，沒收了地主的土地在農村中進行平均主義的分配。土改徹底改變了農村中具有千年歷史的產權傳統，終結了農民通過勞動積聚土地財產的期望。緊接着從1953年國家開始實施了統購統銷政策，對糧、棉、油實行統一徵購，規定農民只能將糧、棉、油產品按國家確定的價格賣給國家。這項政策開啟了國家對主要農產品的壟斷，根本性地限制了農村的商品活動和農民的市場交易自由。1956至1958年，從高級農業生產合作社的建立到人民公社的興起，中共對農村經濟實行了集體化，將私有的土地、耕畜和大型農具收歸集體所有，消滅了傳統的個體小農經濟。在集體化過程中農民們先後變成了高級社和人民公社的社員，同時無可避免地成了國家的勞動機器。作為社員，農戶不再對農業生產的目標和方法擁有自主權；他們在生產隊裏按國家制定的計劃去生產，年終時按上級批准的方案來分配一年的勞動成果。可見，農民是被束縛於土地的勞動機器。1958年國家推行的戶籍制度把中國居民分為「農業戶口」和「非農業戶口」，對農業戶口離開居住地的遷徙、就業、住房、糧食供給等事項進行了嚴格的限制，使農民徹底失去了社會流動的權利，只能被困於鄉土從事農業生產。1958至1962年的大躍進曾剝奪了農民個人對食物的擁有權，導致三千萬以上農村人口非正常死亡，但就文革前農村和農民所處的地位而言，起到根本性影響的主要是土改、統購統銷、集體化和戶籍。在這些制度性的變更中，農村經濟的目的不再是為農戶的消費，而是為向國家控制的整個社會提供以糧食為主的消費資源；農戶失去了傳統的產權和市場、生產的自主、遷徙的自由。

文革前夕的農村還是中共一系列政治理念的試驗場所，農民是政治運動中被擺弄的試驗品。在共和國初期，中共的政治目標是鞏固政權和建立新民主主義社會。因此，在1950至1952年的鎮反和土改中，中共通過在農村進行訴苦、公審和處決的方式鎮壓了一百多萬農村的反革命份子、地主和土改的反抗者，從肉體上消滅了國民黨政權人員和地主階級，也讓農民認識了中共以暴力改變農村社會的威懾力。1953年中共開始對農業實行社會主義改造，以一系列政治運動動員了許多農民加入合作社，不願入社的農民則被批判為落後份子，甚至作為「反富農運動」的對象，迫使他們面對強大的政治壓力。及至大躍進年代，中共決定擺脱蘇聯的經驗以走出中國自己的經濟建設道路，爭取提前進入共產主義，在農村中颳起了「共產風」，其結局是農民遭受的大饑荒。在饑荒結束後，中共重啟階級鬥爭，並出人意料地認為農村中的權力已有三分之一不在黨的手裏，從1963年開始在農村中開展了被稱之為「四清」的社會主義教育運動。這些連綿不斷的政治運動讓農民感到了疲倦，更重要的是讓農村基層幹部之間結下了怨恨。例如1959年中共在農村中開展了反右傾運動，導致了一批對大躍進有意見的幹部下台；到了1961至1962年中共在農村裏開展整風整社運動，又造成了一批在大躍進中執行了殘酷政策的幹部下台；1963年「四清」運動開始後，又有一批大躍進之後上台的幹部下了台。每一批幹部在下台時都會經歷令人羞辱的群眾批判會，都會認為自己是被別人整下了台。在十幾年的政治運動中，農村像是一張烙餅被中共翻來覆去，幹部就像是餅上的芝麻，每次翻動都會抖落一批。

二　文革初年的造反

在1966年毛澤東發動文革時，農村顯然不需要這樣一場政治運動。首先，「四清」運動在大部分農村地區只是剛開展不久，許多農村幹部剛被撤職，農村需要穩定。其次，農民已被政治運動試驗弄得疲憊不堪。每次運動一來，上級就派工作組在農民中進行動員，白天勞動夜晚開會，被鬥爭的對象總是本鄉本土的地富反壞份子、犯錯誤的幹部，或佔了集體便宜的社員。農民們多年來一次次地被運動，卻甚少獲得實際利益，難以再承受政治運動的衝擊。第三，大躍進饑荒剛過去不久，許多地方仍然口糧不足需要救濟，農民特別需要休養生息。

中共中央在文革開始時也沒打算讓農民參加文革。毛澤東把文革的重點定在了大中城市的文化教育單位和黨政領導機關，明顯地是想把文革發動成一場城市學生的造反運動。儘管中共中央在1966年8月8日〈關於無產階級文化大革命的決定〉(以下稱〈十六條〉)中指出工農兵是文革的「主力軍」，但在隨後的文件中卻一直要求農村要結合文革把「四清」運動進行到底，清楚地視「四清」而非文革為農村的主要政治運動。1966年9月14日中共中央在發出〈關於縣以下農村文化大革命的規定及附件〉(以下稱〈規定〉)中指出：農村的文革仍按原「四清」的部署結合進行；北京和外地的學生、紅衛兵均不到縣以下各級機關和社、隊去串聯，縣以下各級幹部和公社社員，也不要外出串聯；秋收大忙時，農村應集中力量搞好秋收秋種和秋購，城市學校的革命師生和紅衛兵也應動員下鄉，有組織地到農村參加勞動，幫助秋收。中央文件的意圖很清楚，農民主要事情是搞生產，不是搞造反。

但也正如〈規定〉的附件所展示，有些農民自己搞起了造反：在黑龍江雙城縣，縣裏的造反派在1966年8月22日召開了文革的「點火大會」，提出了「炮打司令部」，在會上縣委書記和縣長都被鬥了。到9月2日，全縣21個公社已有11個公社和生產隊炮打了司令部，公社和大、小隊幹部大多數被鬥了；不少公社、生產隊已陷於癱瘓，有不少社隊幹部出走了，有的不知下落，生產無人負責了。其他省區的農村也有類似的造反，並且也很激烈。如在廣東東莞縣的茶山公社及其下屬增埠大隊，1966年底農民組織了造反行動，公社的好幾個幹部在被批鬥後自殺身亡。農民之所以能夠起來造反，是因為中共中央決定文革中不派工作隊，放手讓「群眾自己解放自己」。

然而，要弄清農民為甚麼要起來造反卻是一個複雜的問題，因為文革到了農村會變得地方化：生產隊、大隊和公社的領導會成為「走資派」，村莊一級的地方衝突會成為造反的動因。例如，在浙江海寧縣鹽官公社的聯民村，幾個最初起來造反的青年人或因為覺得自己在農村懷才不遇，或是憎惡當地農村的不良風氣和現象，他們的造反可謂是起源於農村內部的一種「內生型」造反。而在河北饒陽縣的五公村，農村裏的造反主要受到了大城市紅衞兵的催化，是一種「外生型」的造反。1967年1至2月，北京師範大學、中國人民大學和天津南開大學的紅衞兵先後來到五公村拔除所謂劉少奇資產階級反動路線的「黑旗」、五公村的黨支部書記暨全國農業勞動模範耿長鎖。在外地大學生紅衞兵的激勵下，五公村裏一些對耿長鎖有意見的人組織造反隊，批鬥了耿長鎖。

就目前已有的研究著述來看，對農村裏造反影響比較大的主要是知識青年和「四清」運動。從1950年代起全國有少量的城鎮知青插隊農村，在大躍進、大饑荒之後知青插隊的數量增大了。1962年至1966年上半年全國城鎮下放了129萬知青，插隊農村為87萬，其餘去了國營農場。國家下放知青着眼於舒緩城市的就業和糧食供應壓力，被下放的知青主要是城市裏沒有工作的社會青年和沒有考上高中或大學的應屆和歷屆畢業生，其中許多人所謂考試「落榜」是因為家庭出身不好在錄取時遭到了歧視。這些被國家強行動員而離開了城市的知青對自己的上山下鄉有着不甘，依然嚮往城市的生活。文革開始後，知青們積極參與運動，把造反視為一個改變自己命運的機會。從1966年8月到1968年底，中國知青們展開了持久的「回城鬧革命」造反行動，在1967年5月「回城鬧革命」的高潮時有40多萬知青返城。知青們把「上山下鄉」說成是劉少奇資產階級反動路線的產物，認為自己是受害者，企圖通過這樣的造反行動而重新回到城市。

知青的造反行動也同時發生在農村，帶動了農村的造反運動。在廣東的陳村大隊，50名1964年從廣州下放的知青中有人騎自行車回廣州去看了文革大字報，回村後就在大隊組織了第一支造反隊伍「毛澤東思想紅衞兵」，以知青為主並吸收了一些青年農民。在安徽祁門縣大坦公社，一批1965年秋下放的合肥知青定期集體收聽廣播討論國家大事。當他們聽到中共中央播放了關於文革的〈十六條〉後，1966年8

月率先在公社所在地向公社團委書記貼出了全社的第一張大字報，隨後又組織了大會批鬥了公社黨委書記，並在12月底組織了包括農民在內的「紅革司」(紅衞兵革命造反司令部)。正如一位大坦的農民所回憶，「當時文革開始，知青是主人」；而一位在大坦生活了一輩子的知青則回憶，「我們不來，農村的造反造不起來」。

「四清」運動對文革的造反具有更為重要的影響，其原因在於「四清」中充滿了暴力與恐嚇，權力的交替，在鄉村幹部中留下了怨恨。中共領導人之一薄一波在回憶錄説道，「四清」自1963年初開始試點以來，「在許多地方，甚至發生多次打人、捆人等現象，自殺、逃跑等事情經常發生」。例如，湖北省在「四清」的第一批試點鋪開前後死了2,000多人，第二批試點開始後，僅襄樊地區在25天內就死了74人。廣東在1963年秋冬的試點中，共發生自殺案件602起，死亡503人。湖南省在試點開始後，到2月底已死了76人。這種暴力與恐嚇持續於「四清」運動的整個過程。1965年初，北京郊區通縣的「四清」工作隊中有110個工作隊打了人，造成70多起自殺，死了50多人；同時期山西洪洞縣也死了40至50人。農村的「四清」在工作隊的指導下，讓農民對基層幹部實行所謂「背靠背揭發」、「面對面提意見」，要求每個幹部都要在群眾中「洗澡」過關，未能過關前要暫時被免職。有些被揭發出來的問題純屬子虛烏有，或屬誇大，或屬他人有意對過去仇怨的報復，而幹部則常在暴力和壓力下被逼迫承認自己有問題，或被免職以等待結論。這種「四清」的方式不僅導致了很多人自殺，也在「四清」被免職的所謂「下台幹部」中留下了很強的怨恨。

文革的造反為「四清」的下台幹部們提供了洗刷自己、向工作隊和反對過自己的人報復的機會，因為「四清」很快被批判為是在執行劉少奇的資產階級反動路線的運動，下台幹部當然可以認為自己是反動路線的受害者。在文革前夕，全國結束了「四清」的地方有694個縣、市，約佔總數的三分之一，其中包括北京和上海，而絕大多數農村地區「四清」只是剛開始不久。中共中央在1966年9月發出〈規定〉時還希望農村的文革按「四清」的部署進行，但到了1966年12月15日，中共中央改變了〈規定〉中關於農村文革的方針，決定在農村開展文革，鼓勵農村中搞串聯和成立紅衛兵組織，並指示「把四清運動納入文化大革命中去。在文化大革命中，解決四清問題和四清複查的問題」。這一決定導致了「四清」運動結束和「四清」工作隊的連夜撤退，為「四清」下台幹部們成立造反組織開了綠燈。

在1966年底和1967年初，造反在許多農村地區形成風氣，其中揪鬥「四清」工作隊成為主流。如在浙江海寧的鹽官公社，1967年1月造反高潮時，造反派把「四清」工作隊的「大小頭目都揪了回來」，在公社禮堂組織了批鬥大會，責令這些頭目們交代自己的錯誤；在聯民大隊，造反派不僅揪回了工作隊批鬥，並讓工作隊剛扶上台的大隊書記顧君祥陪鬥，使顧君祥從此失去了權力。在安徽定遠縣連江公社，「四清」中被免職的公社書記朱長文在年底成立了造反派組織「興無滅資造反團」，吸引了全公社十個大隊的「四清」下台幹部和部分農民參加，到了1967年1月份朱長文組織了農民造反隊伍去安徽來安縣揪鬥當時派駐在連江公社的「四清」工作隊，不過未能成功迫使來安縣交出工作隊成員名單。

通過造反揪鬥工作隊可以出一口怨氣，但「四清」下台幹部們真正想要的是「翻案」，因為只有洗刷自己才可能官復原職。在定遠縣，朱長文在揪鬥工作隊未果後帶領了自己的追隨者去了縣城，組織了「控告團」，要控告「四清」工作隊和資產階級反動路線對自己以及其他幹部的迫害，並吸引了全縣其他公社「四清」下台幹部的參加，很快演變成了一個跨全縣的造反組織。朱長文隨後帶着控告團一些成員去了省城和北京，希望有上級領導為自己洗刷「四清」中的罪名。當這一切由於當時各級領導癱瘓而未能產生結果時，朱長文加劇了造反的行動，決定焚燒檔案中「四清」整人的「黑材料」來洗刷自己。《安徽省志．檔案志》對此有下述記載：「1967年春，定遠縣不法份子朱長文等糾集一些人，組織『控告團』，在全縣搜集、焚毀四清和其他各種檔案材料25萬份。」其他地方也有這種造反行動，只不過沒有朱長文的「焚毀」如此激烈。1967年1月23日，湖北紅安縣造反派的領袖集合了五百多人，藉搜查「黑材料」為名，砸破縣委組織部的檔案室，索走了「四清」退職人員檔案七十六袋，3月下旬這些檔案才被追回。

三　文革中的武鬥

進入1967年，上海造反派於「一月風暴」(又稱「一月革命」)中奪權之後，全國各省市造反派也紛紛奪權，並在奪權後因權力的執掌與分配而分裂，派性間的武鬥很快從拳腳走向了棍棒、槍枝，甚至軍械，在夏天達到了高潮。農村裏很少有奪權行動，派性武鬥卻沒有例外。個別農村地區有過知名的奪權事件。例如山西昔陽縣大寨大隊黨支部書記陳永貴曾在周恩來的授意下組織了紅衛兵，於1967年2月11日奪了昔陽縣的權，在奪權後擔任了縣「造反總指揮部」的總指揮。但陳永貴是毛澤東親自扶持的中國農民的榜樣，被稱之為「毛主席的好學生」，是文革中特殊的政治人物，他的奪權其他農村地區很難仿效。當時，昔陽縣委已被縣城裏的中學生造反派紅衛兵奪權，陳永貴覺得紅衛兵不懂也無法領導農業生產，於是決定二次奪權，「把娃娃的權奪回來」。由於陳永貴的特殊性，他奪權後在昔陽縣沒有遭到有力的派性挑戰，並且他的奪權行動還在《人民日報》上受到了讚揚。但除了陳永貴外，其他省裏沒有農民造反派直接奪取縣委權力的案例，也很少有農民造反派直接奪取公社權力的案例。實際上中共中央也不希望農村基層有奪權行為，在1967年3月7日還專門下達了〈關於農村生產大隊和生產隊在春耕期間不要奪權的通知〉。

但農村裏有派性，還有武鬥，這在各地縣志中都有所記載。不少武鬥是城鎮裏的造反派拉攏和鼓動農民參加的。他們給予農民物質利益，利用農民做打手。如在四川武勝縣，縣裏的造反派在1967年1月奪權後分裂，6月開始武鬥，8月用上了槍枝，到了1968年武鬥高潮時農民也席捲其中，在4至7月的幾次大武鬥中共打死了84人。在高潮期間兩派的頭目強行提走了國家現金4.5萬元，糧票11.4萬公斤以及大米、麵粉、菜油、豬肉等大量物資用於武鬥。最後，在1968年8月和9月縣人武部和生產指揮部抽調了機關幹部組織了宣傳隊深入農村，宣傳中央制止武鬥事件的佈告，動員群眾和幹部集中精力搞好秋收工作，總算終結了武鬥。在陝西城固縣，包括農民在內的造反組織「紅五總」(學總、工總、農總、教總、前指〔「前指」是甚麼，縣志沒有說，一般來說是沿用紅軍時代「前敵指揮部」的簡稱〕)，在1968年7月去南鄭縣攻打另一派組織，雙方各打死12人，其中有城固縣八角公社的黨委書記和社長。農民進城參加武鬥是一個廣泛的現象。中共中央在了解到江西、四川、浙江、湖北、湖南、河南、安徽、寧夏、山西等地的農民進城參加武鬥的事件後，於1967年7月13日下達了〈關於禁止挑動農民進城參加武鬥的通知〉，把農民參加武鬥歸結為黨內一小撮走資本主義道路當權派的陰謀，但武勝縣1968年的大武鬥顯示，中央的通知對武鬥高潮中打紅了眼的派性組織沒有甚麼用。

有些武鬥則發生在鄉村。1967年8月，在安徽金寨縣地古碑區(1968年改成公社)，一個名為「五湖四海造反兵團」的組織激起了民憤，「被打死數十人」；在安徽黟縣西遞村造反派的武鬥中，一人被槍擊致死；在安徽祁門縣平里公社紅光大隊，派性武鬥打死了四人，其中二人是知青。1967年12月，在祁門縣大坦公社，以農民為主的「貧革司」(貧下中農革命造反司令部)在大山裏追擊以知青為主的「紅革司」時不斷開槍射擊，誤殺了一位生產隊長，後來在擊潰了「紅革司」後把知青骨幹全部捕獲，關押毒打。在安徽定遠縣，朱長文領導的組織「大促聯」在1967年8月22日和對立派於爐橋鎮附近動槍武鬥，打死了對方七人，多為爐橋鎮附近七里塘公社的農民基幹民兵。在武鬥高潮中，鄉間的武鬥激烈程度並不亞於城裏的武鬥。

農村裏沒有多少奪權行動，那麼農民怎樣分派、為甚麼有殊死的武鬥？傳統的宗族衝突可能是派性形成的一個原因。但就目前的研究來看，「四清」是農村裏派性武鬥的根本起因。在定遠縣，朱長文先在連江公社組織了「興無滅資造反團」，然後去縣裏組織了「控告團」，後來把他的支持者集結起來成立了「大促聯」，但無論他怎樣變，他的跨全縣組織總是被稱之為「翻派」，要翻「四清」運動的案，而他的對立派則被稱為「保派」，要保衛「四清」運動的成功。在定遠縣七里塘公社，「四清」上台的幹部在1967年初組織了「五保衛兵團」，當公社的「翻派」造反組織在公社奪了權並將公社大院洗劫一空後，「五保衛兵團」在三天後就集合了三千多人攻打「翻派」，迫使「翻派」逃走。實際上，朱長文的「大促聯」在爐橋鎮的武鬥也是定遠縣的「翻派」對「保派」的一次大規模攻擊。

即便在知青與當地農民的衝突中，「四清」運動也是決定性的，因為知青通常得到「四清」工作隊的重用，在「四清」中幫助工作隊整了農村的幹部和農民。在廣東的陳村大隊，「四清」工作隊於1966年底撤走，以知青為主的「毛澤東思想紅衛兵」在向大隊奪權失敗後，兩位知青領袖反被大隊書記及農民關押了很長一段時間，因為知青曾與「四清」工作隊一起整了大隊書記和部分農民。在祁門的大坦公社，「紅革司」的知青曾是「四清」工作隊有力的助手，而「貧革司」的實際操縱者是「四清」中被整的公社幹部。儘管兩派的武鬥看上去是文革中的派性，但根源來自於「四清」。「紅革司」的骨幹知青高飛對此有着領悟：

> 這場短命的（四清）運動卻給我們公社留下了難以彌合的群眾與群眾、群眾與幹部之間的裂痕，而且裂痕迅速擴大，以致在日後發展成自相殘殺的武鬥。工作隊點起的火、挑起的矛盾，引發的事端很多都被推到我們這些走不了、躲不開的知青身上。從此，我們被捲入了一場血與火的災難之中……

四　屠殺和清理階級敵人

文革中農村令人震驚的事件是對所謂「階級敵人」的屠殺和清理。中共取得權力後始終注重階級鬥爭，不僅在農村裏把一批人劃為「剝削階級」，並在學校教育及公眾教育中一直強調要仇恨階級敵人。農村中的地富反壞「四類份子」不僅是社會的賤民，並且他們的子女從

1950年代中期以來就受到歧視，尤其是在升學和招工方面。在毛澤東於1962年提出「千萬不要忘記階級鬥爭」後，剝削階級成員和他們的子女在更廣泛的生活範圍裏受到了歧視。實際上，經過土改和鎮反的屠殺、大躍進到「四清」期間對所謂「黑四類」的懲治，至文革前農村中有剝削身份的人已經大量減少，且他們大多也認識到自己是政治賤民，不敢亂説亂動。但在農村裏，階級成份仍沿襲着土改時期的劃分，地主或富農死亡後，他們的家庭成份繼續由其第二代或第三代子女繼承。中共長期對「黑四類」所實施的專政和暴力，以及在政治教育中灌輸的階級鬥爭理念始終讓中國社會的基本群眾認為：階級敵人必須被消滅，懲治「四類份子」是正當的行為，殺地富反壞沒有錯。文革開始後，紅色「血統論」興起，純潔革命隊伍、消滅階級敵人更是從認識轉向了行動。

對農村的地富反壞屠殺首先發生在北京郊區大興縣。1966年8月27日至9月1日，大興縣的13個公社48個大隊殺害了「四類份子」及家屬共325人，其中最大的80歲，最小的是38天，有22戶被殺絕；屠殺規模最大的是大辛莊公社，在8月31日一夜殺死了100多人。這種屠殺具有國家暴力的性質，因為它出自國家權力的慫恿。1966年7月28日江青在接見海淀區中學生談到紅衛兵打人的問題時説：「毛主席説過：『好人打壞人活該』。」這一説法一時間成為紅衛兵和造反派打人，甚至打死人的理由。8月26日公安部長謝富治在北京市公安局擴大會議上説：「群眾打死人，我不贊成，但群眾對壞人恨之入骨，我們勸阻不住，就不要勉強 。」在同一天，大興縣公安系統對謝富治講話進行了傳達，其結果是大興縣在27日開始了屠殺。在大辛莊公社，8月31日晚上公社主任高福興和公社團委書記胡德福召開各大隊幹部會議，要求連夜將地富份子及其親屬全部殺掉，全公社19個大隊中有六個大隊連夜採取了行動，其餘的大隊未能行動，是因為在9月1日上午大興縣副縣長等抵達了大辛莊公社傳達了上級禁止屠殺的指示。大興縣農村的屠殺不僅在於人數多，還在於其殘忍。大部分地富及其子女是被鐵鍬和棍棒打死，嬰兒和兒童被摔死，有個別嬰兒被劈開撕成兩半。在大辛莊公社中心大隊，貧協主席一個人用鍘刀鍘死了16個人，自己也因緊張而癱倒。在高喊階級鬥爭的時代，對於如此殘忍的殺人事件，高福興和胡德福到了1970至1971年間不過是各被判處八年徒刑，其他的屠殺參與者大多沒有受到法律的懲罰。

比大興縣屠殺規模大得多的是1967年8至10月湖南道縣的大屠殺。1967年8月8日，道縣在派性武鬥中發生了「紅聯」(紅戰士聯合司令部)衝擊縣人武部的搶槍事件。在這之後的8月11日，「紅聯」決定攻打另一派「革聯」(鬥批改聯合指揮部)的所在地，召開了全縣各區武裝部長會議，要求加強對「四類份子」的管制，鞏固起「紅聯」的大後方。同一天，縣人武部長劉世斌和縣委副書記熊炳恩則召開了全縣各區各公社負責人電話會，通報了「八八」搶槍事件中縣人武部槍枝彈藥被搶的情況，要求把民兵組織起來，保護人民的生命財產安全，加強對階級敵人的專政。在這兩個會議後，全縣各區、各公社開始佈置了對「四類份子」的鎮壓工作，從8月13日開始屠殺，一直殺到了10月17日。根據道縣屠殺研究者譚合成的統計，在屠殺中道縣36個鄉鎮共有4,345人被殺，其中「四類份子」1,994人，「四類份子」子女2,153人，二者為死者總數的95%；槍打、刀殺、沉河、活埋為四種主要的殺人方式。道縣的屠殺也影響到了整個零陵地區，全地區10個縣市包括道縣在內共殺死了7,096人，另有1,397人自殺。10個縣市全部死者中「四類份子」3,576人，「四類份子」子女4,057人，為總數的84%。被殺者中年紀最大者78歲，最小者10天，未成年者826人。

比道縣屠殺規模更大的是1968年7至10月廣西的大屠殺。廣西大屠殺按中共文革後複查文革遺留問題的文件中的統計，共導致了八萬多人的死亡。它是由廣西自治區革委會主任韋國清佈置、動用了軍隊對造反派組織「廣西四二二革命行動指揮部」的鎮壓。由於中共中央在7月3日指出廣西的武鬥和混亂是由於「一小撮階級敵人的破壞」，農村中的「四類份子」便因此而成為了屠殺中附帶的目標，但卻被殺了很多。廣西的屠殺比道縣的屠殺有過之而無不及，死者有各種各樣被處死的方法，最殘忍的事件是一些幹部和農民把「四類份子」的人肉和內臟煮了或炒了當菜吃，另有上千例對「四類份子」妻女的強姦。文革的著名研究者宋永毅把廣西的大屠殺稱為「人間地獄」。無論在廣西還是在前述的道縣，屠殺的策劃者和指揮者們到了1980年代中期對文革遺留問題進行調查時才受到了處理，或被撤銷職務、開除黨籍；或被判處有期徒刑。這些在廣西和道縣，以及大興縣的屠殺其本質是國家暴力：被屠殺的「四類份子」及其家屬不能反抗，對革命行動的反抗會招致國家專政機關以法律名義加以更為正式的鎮壓。

對農村「四類份子」的集體性屠殺還發生在廣東、湖北等一些省份，但對農村裏所有「四類份子」的噩夢卻是「清理階級隊伍」運動。毛澤東靠階級鬥爭這根弦來繃緊中國的社會，即便在奪取政權多年後仍不肯放鬆。文革開始時，中共中央在〈十六條〉中說得很清楚，文革的重點是整黨內一小撮走資本主義道路的當權派。但到了1966年12月中共中央在決定農村開展文革時卻告訴農民：農村文革的重點是整「走資派」和「沒有改造好的地富反壞右份子」。鑒於此，農村裏的地富反壞右從農村文革開始就是要被整的對象，因為沒人能夠擔保他們已經改造好了。農村裏的造反派和革命群眾為了表示自己是真正的革命者，常常更敢於向階級敵人下手。1967年2至3月，安徽省祁門縣大坦公社的兩個對立組織「紅革司」和「貧革司」為了表現自己更為革命，搶着鬥爭光華大隊的一個地主，在鬥爭會上亂拳打死了那名地主。

在1968年5月25日毛澤東發出了關於「北京新華印刷廠軍管會發動群眾開展對敵鬥爭的經驗」的批示後，「清理階級隊伍」作為一場運動在全國展開。北京新華印刷廠的經驗是清理隱藏的階級敵人，調查懷疑對象所不為人知的政治歷史，但當運動開展到全國後，對被懷疑對象的秘密調查、逼供信、拷打成為常用的手段。在農村，很多地方的「清理階級隊伍」意味着「消滅階級敵人」。在江西，省革委會主任程世清為全省定的口號是「三查」：查叛徒、查特務、查現行反革命，結果在全省導致了狂熱的「殺害階級敵人」，其中興國縣殺了270多人，瑞金縣殺了300多人，于都縣殺了500多人。在縣志中沒有記錄殺人的地方，「清理階級隊伍」通常會揪出很多階級敵人。例如在湖南寧鄉縣，「清理階級隊伍」挖出了階級敵人9,835個；陝西西鄉縣大打了一場「清隊人民戰爭」，揪鬥了1萬多人；浙江淳安縣清理出各類階級敵人11.1萬多人；在江蘇高郵縣，13,326人被作為地富反壞右和叛徒、特務等遭到了審查。全國的縣志中有很多此類的記載。

數字雖然駭人，但它們很難反映出被清理對象的痛苦人生經驗。在江西宜黃縣梨溪公社里陰大隊，「清理階級隊伍」時鄰村有人舉報里陰大隊有人參加了「反共救國軍」。結果，陂下村的共產黨員、貧農鄒懷壽和地主出身的一位李姓農民因為經常在一起喝酒，被誣為「反共救國軍」的骨幹，被抓去批鬥，逼他們供出反革命活動罪行，交代發展了哪些成員。鄒李二人因實在說不出來東西，被刑具整得死去活來，無法忍受，一個用麻繩懸樑自盡，另一個用剪刀把自己的喉管剪斷，還好被送去醫院後搶救及時而沒有失去生命。陂下村另一個農民洪子龍在國民黨時期曾在縣裏當過一名警察，也被誣為「反共救國軍」成員，在批鬥中受盡鞭打棍砸，脊椎骨被打得斷裂，四肢均骨折，最後為了解脫自己而用繩子把自己活活勒死在牀上。坪山村的鄒懷早，貧農出身，被國民黨抓去當過兵，也被誣為「反共救國軍」的成員，被綁、被打、被火燒，熬不過酷刑，上吊身亡。這些經驗太痛苦，罪名卻是莫須有：後來查實整個江西省根本不存在「反共救國軍」組織。

五　文革後期的路線教育運動

在經歷了文革最初三年的動盪後，全國逐漸恢復秩序，農村裏也安靜了下來。在這之後的1971至1976年間的批林整風、批林批孔、評法批儒、反擊右傾翻案風等階段性政治運動大都以城市地區為主，沒有農民多少事。這些運動雖然也短暫派出過宣講團隊到農村裏去批判林彪、孔子等等，但它們在農村沒有具體的目標，與農民的生活聯繫不緊密。大部分的農村地區很窮，農民要搞生產吃飯，對宣傳性的運動沒甚麼興趣。

文革初期三年之後在農村裏真正具有大舉動的政治運動是1973至1978年的「黨的基本路線教育運動」。這場運動是「四清」運動的翻版，中共重新拾起了工作隊這個武器，各級組織派出了人數眾多的工作隊深入農村去抓階級鬥爭和路線鬥爭。例如在廣東省，路線教育在全省2,202個公社開展，省裏派出了21萬人的工作隊，準備從1973年8月到1977年夏天分四批搞完運動。在廣西南寧地區，地委和各縣(市)在1973年9月22日至10月4日訓練了12,300名骨幹，抽調了5,150名國家幹部組成了工作隊派下鄉，其中包括地委常委和地區革委會主任7人，縣(市)委常委63人，並在全地縣抓了22個先行點。路線教育運動的關鍵在於它在農村有目標，除了高喊階級鬥爭和路線鬥爭之外，它要「解決社員中的資本主義傾向，集體經濟內部的資本主義傾向，幹部中的超支欠款和貪污挪用問題」，而資本主義傾向則包括許多內容，如多分自留地、私人開荒、分田單幹、副業單幹、上市出賣自家產品等等，都是一些農民在日常生活中常做的事。因此，在這場路線教育運動中，普通農民和基層幹部又一次成為運動的對象。

然而，農村裏的人包括幹部在內都對這場運動感到厭倦。農村的大部分生產隊不過是上百人左右，在多年生活中人們相互知根知底，來來回回的揭發和鬥爭只是增加了農村人口的疲憊和相互間的怨恨。在政治運動經歷多了之後，農民實際上已經對運動不太在乎。在安徽定遠縣連江公社東風大隊，瞿漢佑1960年任大隊長；1966年「四清」時因「多吃多佔」被工作隊撤職；1971年被任命為大隊革委會主任，相當於恢復到文革前的大隊長；1976年又因「多吃多佔」被路線教育工作隊免職。但此時的他已是政治運動的「老運動員」，對群眾的批評檢舉一概不承認，對撤職復職亦不在乎，運動對瞿漢佑這樣農村幹部的影響明顯地愈來愈小。普通農民也對這場運動不重視。在廣東吳川縣覃巴公社米樂大隊，路線教育工作隊員黎勁風發現他所被派駐並需負責的第二生產隊「甘當『後進』，每次開會反反覆覆通知，甚至到各家各戶催來催去，也來不齊人」。隊裏沒有「階級敵人」，沒查出「階級鬥爭新動向」，也沒發現「資本主義」，組織批判「階級鬥爭熄滅論」也沒效果。按黎勁風的說法，由於農民的不重視，也幸虧他自己的工作不深入，第二生產隊的村民才在路線教育運動中「少遭受折騰」。

雖然農村裏的人對路線教育沒興趣，但運動的組織者們卻不輕易放過農村。在南寧地區，1973年地委在48個單位開展了「清理階級隊伍」工作，破獲現行反革命案16起，清查歷史積案341起，挖出隱藏的階級敵人116人，並歸納出了「當前農村兩個階級、兩條道路、兩條路線鬥爭尖銳的具體表現」共七種。1975年5月地委領導又要求各個縣在兩條路線鬥爭中找出「資產階級代理人」，結果是一批公社和大隊幹部成為了「代理人」，被遊街批鬥。在崇左縣，一位公社書記和兩位大隊書記作為「代理人」在全縣被遊鬥，其中馱盧公社的大隊書記梁甫在遊鬥中被迫害致死。1975年7至8月，地委要求各縣開展「批修批資總體戰」，掀起批判「新老資產階級份子」的高潮。在這場運動中全地區共處理了幹部、群眾1,237人，其中開除黨籍的224人，判刑的481人，拘留、逮捕466人，作其他處理66人。

不過，在「四人幫」於1976年10月垮台後，路線教育運動在全國很快把工作中心轉為「揭批『四人幫』的反革命罪行」，與原來開展運動時的路線宗旨很不一樣，運動實際上已難以為繼，到了1977年便迅速結束了。前面所提到的南寧地區的「新老資產階級份子」的案子到了1980年代複查時全為冤假錯案，所謂「新老資產階級份子」都得到徹底平反。折騰人的運動雖然過去，但農村幹部和農民已深受其害。

六　停滯的農村經濟

對農民攸關的當然是經濟生活，但文革中農村的經濟卻陷於停滯。停滯的一個重要原因是國家對農業投資不重視。大躍進、大饑荒後，中央政府在1961至1962年對經濟進行了兩年調整，緩和了困局。1962年開展制定第三個五年計劃時，為了解決人口的吃穿用問題，國家計委曾確定要把農業放在發展國民經濟的首位。但到了1964

年毛澤東覺得在原子彈時代沒有後方不行，決定開展三線建設，把軍事工業建設到內地省份的山溝裏去。這一決定擠壓了農業的資金，導致了對三五計劃的修改，使得國家在三五計劃期間的農業投資比例由佔原來總比例中的20%降到了14%，總數從170億元降到了120億元，國家原定4.5億畝穩產高產農田目標被留置到第四個五年計劃去考慮，實際上則沒被考慮。在整個文革期間，或者說在修改後的1966至1970年第三個五年計劃期間和1971至1975年第四個五年計劃期間，農業在國家的經濟戰略指導思想中始終沒有被列為重點，更沒有成為首位。

文革中農業經濟的發展模式是毛澤東欣賞的「大寨」。毛澤東在1964年指示說，「農業要自力更生，要像大寨那樣。他們不借國家的錢，也不向國家要東西」。在1966年8月12日，中共中央八屆十一中全會公報正式提出：「農業學大寨」。大寨是山西昔陽縣大寨公社的一個大隊，從1958年開始，整個大隊在黨支部書記陳永貴的帶領下劈山造田，用了幾年時間改造了「七溝八樑一面坡」的惡劣農業環境，建立了一批旱澇保收的梯田。除了「自力更生」的精神外，大寨的另一個特點是所謂的「窮過渡」，即以規模較大的集體經濟向社會主義經濟過渡。大躍進之後，中共中央放棄了「一大二公」的烏托邦經濟方式，從1962年起實行了生產資料分別歸公社、大隊和生產隊三級組織所有，以生產隊的集體所有制經濟為基礎的制度，簡稱「三級所有，隊為基礎」，其核心是以生產隊為經濟核算單位。但大寨實行的卻是「大隊為基礎」，其原因實際上在於大寨是一個偏僻的山村，只有78戶人家，是一個規模很小的大隊，只相當於人口稠密地區一個大的生產隊。1967和1968年農業部兩次召開了「全國學大寨勞動管理經驗現場會議」，系統地介紹了「大寨經驗」，在全國農村提倡建立「大寨式大隊」；1970年夏天，國務院的北方地區農業會議更把「大寨縣」作為全國縣級經濟和政治發展的方向。

但學大寨的根本問題是嚴重阻礙了農民對個體利益的追求，讓農民在集體經濟中沒有了勞動的熱忱。學大寨首先導致了減少和取消農民的自留地。1962年，中共中央決定自留地一般佔生產隊耕地面積的5%至7%，歸社員家庭使用，長期不變。這一規定是對大躍進中「一大二公」過激政策的調整，自留地成為了農戶對自己個體經濟生活掌控的底線。文革一經發動，中共中央就要求全國人民「鬥私批修」，加上大寨集體經濟經驗的傳播，從1967年農業部的學大寨現場會議以後，很多農村地區減少、甚至取消了自留地，認為自留地會與集體爭季節、肥料和勞力。這些做法給農戶的家庭生活如生活用菜等帶來了極大的不便，削弱或剝奪了農民對自己生活的把握。

學大寨其次導致了許多農民的共同貧窮。1967年後許多地區開始了「窮過渡」，把小的生產隊合併為大的生產隊，或實行大隊所有制。至1970年底，實行大隊核算的單位佔全國生產大隊總數的比例由1962年的5%上升到了14%。1975年全國第一次農業學大寨會議召開後，許多地區又一次推動了「窮過渡」。「窮過渡」的要害是將窮隊和富隊綁在一起，在分配上搞平均，讓窮隊共富隊的產。曾任財政部長的劉仲藜在其主編的《新中國經濟60年》中指出：兩次「窮過渡」的合併風潮「給農村集體經濟造成嚴重破壞」。一些富裕的生產隊為了避免公社或大隊平調其財產，紛紛殺豬砍樹，吃光分盡儲備糧和公積金，以免被共產。按共和國經濟史學者陳東林的說法，「窮過渡」挫傷了富隊社員幹部的積極性，同時也沒有調動窮隊農民的積極性。

學大寨還有一個方面限制了農村的家庭副業和集市貿易活動。自文革開始後，農民始終可以到集市去出售自己家庭生產的蔬菜瓜果和雞蛋等物品，但一有政治運動時這些家庭副業生產和集市貿易活動就會被批評為「資本主義發家致富」的行為，有這些行為的農民有時會被批判，其產品有時會被沒收，政府部門有時會取消集市貿易。至1974年批林批孔運動開始後，限制農民個體經濟活動的措施逐漸加劇。到了1975年，限制措施被極大地政治化、極大地加劇。這一年，毛澤東關於限制資產階級法權的思想被公佈，全國第一次農業學大寨會議在昔陽縣召開，反擊右傾翻案風的運動興起，黨的基本路線教育工作隊被大量派往農村。在「寧要社會主義的草，不要資本主義的苗」的口號下，文革的極左思潮和做法被推向了極端：農民的個體經濟活動被視為搞資產階級法權而遭到批判，被作為「資本主義」尾巴而必須割掉。

在很多農村地區，「割尾巴」導致了取消家庭副業，限制農戶飼養的家禽、家畜的隻數。例如在廣西南寧地區，很多地方規定私人不能養牛、馬、羊，規定每戶只能養多少隻雞、鴨。多少人才能養一頭豬，並把原來按政策屬社員個人所有的果樹、芭蕉、竹子、林木也收歸集體所有。在安徽定遠縣連江公社的東風大隊，農戶的餵養被限制在每戶兩隻雞、兩隻鴨和一頭豬，因為家禽家畜會吃集體田裏的莊稼。由於有路線教育工作隊在場，「割尾巴」的行動常被強制執行。在浙江新昌縣彩淳公社的一個生產大隊，小學生楊國輝跟着老師和同學去「割資本主義尾巴」，一個下午就把全大隊各村農戶在房前屋後種的絲瓜、南瓜、葫蘆、扁豆和刀豆統統拔完，因為房前屋後的種植是「私有化」；在江西，上海插隊知青楊劍龍作為路線教育工作隊隊員被派駐一個山村，其主要任務是「割資本主義尾巴」，所要做的是丈量農民在田埂和地頭上種植葫蘆、番瓜等作物的面積，將其計入農戶的自留地面積，一旦自留地面積超過了規定的標準就要扣口糧。

在政治的衝擊下和極端的集體主義經濟狀況下，文革十年裏農村經濟處於停滯。從農業生產發展來看：1967至1969年，全國糧食產量低於1966年的水平，其中1968年是負增長，三年裏經濟作物產量比糧食產量下降得更厲害，文革前三年動亂的影響顯而易見。1970至1971年糧食產量有所增長，但1972年又是負增長。1967至1977年全國農業總產值的平均遞增速度是2.0%，而1952至1995年的平均遞增速度是4.3%，即文革十年中的遞增速度不及43年間平均遞增速度的一半。

從農業與人口增長的比較來看：1966至1972年，中國人口的年出生率在3%以上，人口的平均自然增長率是2.63%，高於農業產值的增長率2%，即農業生產的增長在文革大部分年份裏落後於人口的增長。只是到了1973年國家開始執行計劃生育政策、在農村中推行一對夫妻、兩個孩子，並強行讓有兩個孩子的婦女結紮或上環後，農村的人口增長才緩慢了下來，對糧食生產的壓力才略有減少。

從農民收入來看：文革結束時，全國22個省市的農業產值人均只有100多元，有四分之一生產隊人均分配在40元以下。國家實行的高積累是農民低收入的一個原因。文革期間農業的積累率一直在30%以上，即農業收入的一大部分被國家以税收和徵收的方式拿走。農業生產水平的低下是收入低的另一個原因。在這兩個原因之下，在許多地方，一個社員的一天勞動值只有3至4毛錢，或1毛多錢，甚至幾分錢，尤其是在邊遠的山區和北方較貧窮的地區。例如，在回鄉知青于思德的老家安徽太和縣大廟公社東于村，文革中農民的一天工分值只有1毛5分錢；在北京知青王明毅插隊的陝西黃陵縣隆坊公社南河寨大隊，每天10個工分才值7分錢。研究農村財政的學者彭劍君指出：1957至1978年間，中國農民的收入平均每年增加2.9元，扣除物價提高因素後，實際純收入每年只增加1元。

從農民的用糧水平來看：文革結束時全國農民的人均口糧在300斤以下，如果以老幼人口來平衡，這個口糧對一個農戶來説只是勉強達到生存水平。但在實際生活中，很多農民吃不飽。1976年中國農村人口為7.87億，其中有2.5億，或近三分之一的人口吃不飽飯。除了農業生產水平低，國家對糧食的高徵收是農民低口糧水平的另一個重要原因。在税收的公糧外，農民在文革的不同時期中還要貢獻「忠字糧」、「戰備糧」、「愛國糧」等等，結果農民自己很少有餘糧在手。1950年代中國是糧食淨出口國，在文革期間中國平均每年要淨進口糧食300萬噸以上。

對於以上國家級的農村經濟數據，可以從安徽鳳陽縣的小崗村和安徽嘉山縣各代表的村莊水平和縣級水平來具體呈現。從1966至1978年，小崗這個110口人的村莊在總計156個月裏有87個月靠國家救濟度過，總計吃去救濟糧11.4萬公斤，比他們自己生產的糧食多出三分之一；花去救濟錢1.5萬元，比他們自己掙的錢多出十分之一。文革中的小崗可謂窮得叮噹響，農村經濟沒有絲毫長進。從1953年糧食統購統銷開始到1978年，嘉山縣在農村回銷和城鎮供應兩項共用去糧食15.4億斤，而在同期向國家交、售糧食為14.2億斤，文革的年代農村照樣要吃回銷糧。新華社記者陳大斌和嘉山縣領導在為這個縣的糧食生產和集體經濟算了一筆賬後評論說：「堂堂一個農業縣，幾十萬農民幹了25年，沒貢獻反而調進了糧食1.2億斤，這樣的集體經濟是鞏固壯大了嗎？」類似小崗村和嘉山縣這樣的例子在全國不勝枚舉，充斥在1980年代關於農村經濟改革的文獻中。

最後，停滯的經濟對於農民和外來的觀察者是種甚麼體驗？1977年，萬里從北京去了合肥擔任了安徽省委書記。11月，萬里去大別山區金寨縣燕子河公社調查，在第一個農戶看到柴草堆裏坐着一個老人和兩個十七八歲的大姑娘，然後驚訝地發現老人和兩個姑娘是窮得沒有褲子穿而躲在柴草裏取暖。緊接着在另一戶，萬里看到了三個赤身裸體的孩子因沒有衣服穿而縮在爐膛裏，靠燒過飯的鍋灶餘熱取暖，並且頭頂上還蓋着鍋蓋保暖。在定遠縣爐橋，也就是朱長文武鬥大勝的地方，萬里看到了一個只穿了件空心棉襖、紮了根舊布帶的青年農民，當萬里問起青年人有甚麼要求，回答是「能填飽肚子就行」。文革中的貧窮讓農民只想有衣服穿、有飯吃，讓文革後重新上台的大官萬里良久無語。

七　結語

對於農村來說，文革是場沒有理性的政治運動。它在1967至1969年給農村帶來了動亂，導致了糧食產量下降，還在許多農民之間留下了長久的仇怨。在最初的動亂年頭之後，中共重啟工作隊的路線，依靠國家強勢在農村推進政治運動，但農民顯然已對運動失去了興趣。文革也沒能讓農業得到發展。相反，通過「農業學大寨」和對集體經濟的過分強調，農村經濟在文革中深陷於停滯，許多地方的農民不僅吃不飽，而且經歷着難以想像的貧窮。雖然文革中的農村有過中小學教育改革和「赤腳醫生」醫療制度的改革，但這些改革都未能持久。農民在文革中依然是政治理念的試驗品，依然是被束縛於土地的勞動機器，在國家的擺弄下消極地生活。對於農民，文革只是一段沒有意義，卻製造出許多傷害的歷史。

文革期間的國民經濟

楊繼繩

一　經濟建設目標：「備戰，備荒，為人民」

改革以前的中國實行計劃經濟。由於計劃經濟缺乏技術上的可行性，實行得並不順利。

文革十年是第三和第四個五年計劃。大饑荒餓怕了的中國人，很自然地把肚皮放在第一位。在討論「三五」計劃時，原來的重點是解決吃穿用的問題。根據這個指導思想，1964年4月下旬，國家計委提出了〈第三個五年計劃(1966–1970)的初步設想(匯報提綱)〉，這個「初步設想」提出的基本任務是：第一，大力發展農業，基本上解決人民的吃穿用問題；第二，適當加強國防建設，努力突破尖端技術；第三，加強基礎工業，使我國經濟建設進一步建立在自力更生的基礎上。

毛澤東對這個「初步設想」很不滿意。1964年6月6日，他在中央工作會議上說，只要帝國主義存在，就有戰爭的危險。我們不是帝國主義的參謀長，不曉得它甚麼時候要打仗。決定戰爭最後勝利的不是原子彈，而是常規武器。要搞三線工業基地建設，一、二線也要搞點軍事工業。

從此，三線建設、加強戰備，就成了「三五」期間的重要任務。1965年6月16日，周恩來到杭州，和毛澤東一起聽人匯報「三五」計劃的設想。毛說：「必須立足戰爭，從準備打仗出發，把加強國防放在第一位；加快三線建設，改變工業佈局，發展農業，大體解決吃、穿、用，加強基礎工業和交通運輸，把屁股坐穩，發揮一、二線的生產潛力，有目標有重點地積極發展新技術。」周恩來把毛的這個意見概括為「備戰，備荒，為人民」。三線不完全是防外敵，也是防內部出修正主義。毛澤東說：「中央出了修正主義，應該造反。⋯⋯如果出了赫魯曉夫，那有小三線就好造反。」

從1965到1980年，國家對三線地區的基本建設投資總計2,052.68億元，佔全國基本建設投資總額的39.01%。在1966到1970年的「三五」時期，這個比重為49.43%，幾乎佔了全國總投資的一半。1965到1980年國家投資形成的固定資產，全國為3,409.78億元，三線形成的固定資產為1,145億元。這就是說，國家投入佔全國投資總額近40%的資金，形成的固定資產只佔全國的33.6%。

這些已形成的固定資產的效果如何？1984年1月22日到26日，國務院三線辦公室在北京召開會議，研究部署調查工作。會後，經過半年的調查，基本摸清了三線企業的基本情況：三線地區共有大中型企業1,945個。屬第一類，即佈局符合戰備要求，產品方向正確，有發展前途，經濟效益好的，佔48%；屬第二類，即建設基本是成功的，但由於受交通、能源、設備、管理水平的限制，生產能力沒有充分發揮，經濟效益不好的，佔45%；屬第三類，即有的選址有問題，生產科研無法進行下去，產品方向不明，沒有發展前途的，佔7%。這是1980年代初的結論，到1990年代，這些生產武器的工廠大都處於停產、半停產狀態，只好轉為搞民用產品。在市場經濟條件下，這些山溝裏的工廠缺乏競爭能力，上述第一類、第二類的企業的比重大大減少。

三線建設存在嚴重問題：第一，片面強調戰備要求，建設規模過大，戰線拉得過長，「邊設計，邊施工，邊投產」，造成了巨大的浪費和不必要有損失。第二，三線工廠按「靠山、分散、隱蔽」的原則佈置，許多工廠建設在偏僻的山溝和洞穴裏，給交通運輸、配套協作、生產管理造成很大的困難。如陝西新建的四百多個三線項目，將近90%遠離城市，分散在關中和陝南四十八個縣、四百五十多個點上，多數是一廠一點，有的一廠數點。第三，由於涉及軍事機密，三線工廠是封閉的，對周邊經濟沒有甚麼帶動作用，反而和周邊農村矛盾重重。

三線建設的投資效果是歷史上最低的。以固定資產交付使用率為例，三線地區「三五」時期為46.7%，不到一半，比混亂的大躍進時期的62.2%低；「四五」時期為55.8%，也低於大躍進時期。到1980、1990年代，由於三線工廠在產品結構和市場競爭力方面，都不能適應新時期的需要，有的被關閉、停產，有的被合併、轉產，有的遷往城市。在關、停、併、轉、遷的過程中，不僅耗費了大量的資金，職工的利益也受到損害，留下了無窮的後患。

「備戰，備荒，為人民」，把「為人民」放在第三位。由於資金大多用於備戰，「為人民」這個目標沒有落實。

國防工業建設需要大量的資金。這些資金靠壓縮居民消費來積累。這可從積累（即非消費資金）在國民收入中所佔的比例（簡稱積累率）中表現出來。文革的頭三年，由於社會比較混亂，積累率有所下降。從1970到1976年這七年，除了1976年因唐山大地震使基建工程受影響以外，其餘年份都在31.4%到34.1%之間。按當時中國經濟發展水平，31%以上的積累率就過高。不僅積累率過高，而且在基本建設投資的使用方向上，生產性建設的比例大大高於非生產性建設（住宅、醫院、學校），十年文革期間，生產性建設投資佔82.8%。老百姓糧、肉、油、布的消費提高很少，食用油還有所降低。當時，農民一年也吃不上一兩次肉。雖然國家發了肉票，但很難買到肉。一旦肉店殺豬，頭天晚上到肉店排長隊。農民破衣爛衫，國家幹部也穿打補丁的衣服。直到1980年代幾個大化纖廠投產以後，才基本解決了穿衣的問題。從國家統計局公佈的數據來看，文革期間的居民消費水平十分低下，而且增長緩慢（見表1）。

表1：文革期間居民年平均消費水平(元/人)

年份	居民消費水平		
	全國居民	農民	非農業居民
1965	125	100	237
1966	132	106	244
1967	137	111	251
1968	132	106	250
1969	135	108	255
1970	140	114	261
1971	142	116	267
1972	147	116	294
1973	155	123	306
1974	156	123	314
1975	158	124	324
1976	161	125	340
1977	165	124	361

來源：國家統計局編：《中國統計年鑒(1984)》(北京：中國統計出版社，1984)，頁454。

為了把更多的資金用於重工業和備戰，政府不得不壓低職工的工資水平。全民所有制職工的工資水平比文革前的1964、1965年還要低(見表2)。大躍進時期(「二五」)和文革時期(「三五」、「四五」)，職工工資不僅沒有提高，反而下降(表3)。

表2：全民所有制職工平均工資(元)

年份	各部門平均	工業
1964	661	741
1965	652	729
1966	636	689
1967	630	701
1968	621	689

年份	各部門平均	工業
1969	618	683
1970	609	661
1971	597	635
1972	622	650
1973	614	640
1974	622	648
1975	613	644
1976	605	634
1977	602	632
1978	644	683

來源：國家統計局編：《中國統計年鑒(1984)》，頁459。
*國家統計局公佈的工資水平比實際情況要高。1975年我到天津拖拉機製造廠調查，80%以上的工人是二級工，月薪41.5元。

表3：不同時期全民所有制單位職工工資增長速度(%)

	「一五」時期	「二五」時期	1963–1965年	「三五」時期	「四五」時期	「五五」時期
貨幣工資	7.4	-1.5	3.3	-1.4	0.1	5.5
實際工資	5.4	-5.4	7.2	-1.2	-0.1	2.9

來源：國家統計局編：《中國統計年鑒(1984)》，頁460。
*「實際工資」是扣除生活費用價格上漲後的工資。

二　經濟建設的手段：「抓革命、促生產」

毛澤東認為，蘇聯變成修正主義與搞「物質刺激」有關。高舉「三面紅旗」也好，發動文化大革命也好，一個重要目的就是要從根本上改造人性，要把中國人改造成「毫不利己、專門利人」的「共產主義新人」。在經濟工作中也按這個指導方針辦事。毛澤東主張限制按勞分配，實行差別不大的分配政策，以精神鼓勵為主。「抓革命、促生產」，就是通過革命調動人們的生產積極性，從而提高生產效率。

「典型引路」，是共產黨領導全域的一個重要方法。「抓革命、促生產」的方針，也是通過樹立、宣傳兩個典型來推動的，這就是「工業學大慶，農業學大寨」。這個口號從1964年就提出來了，一直到文革結束以後幾年才放棄。

1959年9月6日，石油勘探工作者在東北松遼盆地陸相沉積岩中發現工業油流。時值國慶十週年，因此將這塊油田命名為「大慶」。1960年2月20日，中共中央下發文件，批轉了石油部提交的報告，同意進行大慶石油會戰。這時正是大饑荒最嚴重的時刻。

1960年5月，在余秋里、康世恩等的領導下，石油工業部集中全國30多個石油廠礦、院校的4萬名職工，調集7萬多噸器材設備，來到了茫茫的松遼大草原。經歷三年多的艱苦會戰，1963年底拿下了一個大油田，探明儲量為26.7億噸，建成了年產原油幾百萬噸的生產規模和大型煉油廠的第一期工程，三年多累計生產原油1,000多萬噸。這是三年大饑荒以後石油工人送給中國人最好的禮物。1964年2月13日，在人民大會堂的春節座談會上，毛澤東發出號召：「要學習解放軍、學習石油部大慶油田的經驗。」

大慶的主要經驗是甚麼呢？石油工業部關於大慶石油會戰情況的報告，概括為以下幾條：第一，把毛澤東思想與具體實踐相結合。大慶人通過學習毛澤東的〈實踐論〉和〈矛盾論〉，靠「兩論起家」。第二，自始至終地堅持集中領導同群眾運動相結合的原則，堅持高度革命精神和嚴格科學態度相結合的原則，堅持技術革命和勤儉建國的原則。第三，認真學習解放軍的政治工作經驗，「三老」，「四嚴」，「四個一樣」：當老實人、說老實話、做老實事；嚴格的要求、嚴密的組織、嚴肅的態度、嚴明的紀律；黑夜和白天幹工作一個樣、壞天氣和好天氣幹工作一個樣、領導不在場和領導在場幹工作一個樣、沒有人檢查和有人檢查幹工作一個樣。第四，大搞技術練兵；大搞增產節約；充分發揚政治、生產技術和經濟民主；領導幹部親臨生產前線；積極培養和大膽提拔年輕幹部，等等。

1965年1月4日，在第三屆全國人民代表大會第一次會議上，周恩來在〈政府工作報告〉中介紹了大慶油田的經驗，向全國發出了「工業學大慶、農業學大寨、全國學解放軍」的號召。

「一不怕苦，二不怕死」，「有條件上，沒有條件也要上」（新聞報導中改為「有條件上，沒有條件創造條件也要上」），「下定決心，不怕犧牲，排除萬難，去爭取勝利」，這種大無畏的精神，在經濟建設中的確起了一些鼓勵作用。但這種「革命加拼命」的態度，造成了許多不應有的傷亡。在成昆鐵路通車的時候，同時建立了一座成昆鐵路烈士紀念碑，在鐵路上面有227個墳頭，這是中國人民解放軍第八師犧牲的烈士。在全長1,100多公里的鐵路沿線上，這樣的墳頭有一千多處。1968年，一個4,000多米的隧道塌方，一下子就埋進了半個排的戰士。大慶油田的開發是採用軍事化組織，建立各級指揮部，用行政命令指揮生產。這為「瞎指揮」留下了空間。瞎指揮、「大會戰」、節日前搞「獻禮」、硬壓不切實際的高指標，這些非科學、非經濟的做法，在一些地方、一些部門造成了很嚴重的後果。大慶油田提倡「先生產，後生活」，職工都住在乾打壘的土房子裏，生活十分艱苦。

1966年4月，中共中央批發了一個文件，説獎金制度是不符合政治掛帥精神的，認為調動群眾的積極性不是靠工資、工分以外的物質獎勵，而是靠毛澤東思想，靠政治掛帥。此後，工廠的獎金改為平均發放的「附加工資」。工廠裏不斷組織工人批判「獎金掛帥」、「物質刺激」。過分強調精神作用，一時鼓動起來的熱情不能持久。長期漠視職工的經濟利益，挫傷了人們的積極性。

1972年，我在天津一些工業局和企業進行了勞動生產率調查，發現在企業裏普遍存在「出工不出力」的現象。工人八小時工作一般只能幹四個小時。調查中，我在天津汽油機廠和工人一起上夜班，發現八十多台設備，白天開動的只有十一到十四台，夜班兩點以後開動的只有兩台。開這兩台機器的一個是班長，另一個是被監督勞動的「歷史反革命」。這個廠老工人説：「現在我廠一年生產汽油機3,500台。要是把大家的勁鼓起來，工藝設備進行一些改進，不用增加人，一年就可生產兩萬台。」不少企業工人加班不給加班費。有的工廠欠工人五十多個休假日，也不能兑現；相反，工人遲到幾分鐘也要記下來，累計起來扣工資。天津染料化工行業取消了夜班補助費，工人不願上夜班了，化工生產是連續的，夜班開不起來，變成間歇生產，產品質量因而受到影響。

發展農業的主要途徑是「農業學大寨」。

大寨是山西省昔陽縣一個山村，是一個生產大隊。1963年夏，大寨遭遇大洪水，房屋被沖毀，苦幹了十幾年修好的梯田，全部被洪水沖垮。據宣傳，山西省委決定給大寨一些救濟，陳永貴和大寨黨支部作出了「三不要，三不少」的決定，即：不要國家救濟糧，不要國家救濟款，不要國家救濟物資；當年社員口糧不少，社員收入不少，上交國家的統購糧不少。下半年，大寨大隊的社員搶修梯田，重建房屋，搶種莊稼，經過幾個月的苦幹，大寨在大災之年奪得了大豐收。

1964年2月10日，《人民日報》刊登新華社記者莎蔭、范銀懷寫的通訊〈大寨之路〉，並發表社論〈用革命精神建設山區的好榜樣〉。1964年3月27日，毛澤東南下視察。3月28日、29日在邯鄲聽取山西、河北兩省領導人的匯報。山西省委第一書記陶魯笳講了大寨和陳永貴的情況，毛要陶提供資料，陶當場把〈大寨之路〉呈上。毛澤東後來在一次會上說，那兩位記者的文章我看了，看來農業要靠大寨。在1964年底召開的三屆人大上，周恩來作的〈政府工作報告〉中說：大寨「是一個依靠人民公社集體力量，自力更生進行農村建設、發展農業生產的先進典型」，還把大寨的經驗概括為：「政治掛帥、思想領先的原則，自力更生、艱苦奮鬥的精神，愛國家愛集體的共產主義風格。」

隨着階級鬥爭的調子提高，大寨從農業生產的典型，演變為抓階級鬥爭的典型。山西省委說大寨「從來沒有放鬆過對資本主義勢力的鬥爭」；學大寨，「不僅是一次生產革命運動，實際上也是一次社會主義教育運動」。文革中，又把大寨説成「無產階級專政下繼續革命的光輝典範」和「全面專政」的典型。

為了開展「農業學大寨」的群從運動，不少地方殘酷打擊對運動有不同看法、持消極態度的人。十年來因學大寨，大寨所在的昔陽縣被批判處理的幹部群眾1,372人，全縣每1,000個人中就有6個被批判處理過。另一資料顯示，被批並且被帶上各種「帽子」的，就有2,000多人。立案處理過的人超過3,000，每70多人中就有一個。虛報學大寨成績的情況更是普遍。在陳永貴的治下，從1973到1977年，昔陽縣虛報糧食產量37,262萬斤，比此期間的實際產量誇大了24%。為保證「大災之年大豐收」，陳永貴審批昔陽的氣象報告，有意擴大災情。陳永貴少報土地數量，從而擴大單位面積的產量。新華社記者李玉秀曾懷疑大寨少報了土地，被陳永貴弄到大寨勞改，讓他開山造地，「把多說的地造出來」。

1975年1月召開四屆人大時，經毛澤東和周恩來共同提名，陳永貴被任命為國務院副總理。2月2日，周恩來提議：陳永貴在國務院協助華國鋒主抓農業工作。

在「農業學大寨」運動中，農民成年累月地被推向「改天換地」的苦役之中，開墾荒山，圍湖造田，植被被毀，生態環境受到嚴重破壞。

除了激發革命熱情，將這種熱情用於生產建設以外，「抓革命、促生產」另一個重要作用就是通過「抓革命」施加政治壓力。在強大政治壓力下，人們不敢懈怠，生產就「促」上去了。對生產領導部門的務實派來說，「抓革命、促生產」還有另一種意義：他們在搞生產建設的時候，總是在前面冠「抓革命」三字。實際是「抓革命」是虛，「抓生產」是實。1967年初，全面奪權開始，大批幹部被打倒，許多幹部只「抓革命」，不敢「抓生產」，生產就馬上下降了。

三　國民經濟的增長與波動

據國家統計局數據，文革十年間，全國社會總產值平均年增長率為6.8%，國民收入年增長率為4.9%。現將文革期間主要經濟指標數據列表如下（見表4）。1980年代初期的國家統計局局長李成瑞認為，國家統計局公佈的文革期間的經濟數據，儘管有若干估算成份，但數字來之有據，又經過反覆核算，可以說是基本可靠的。

數據表明，文革十年國民經濟有所增長，但是，與其他時期相比，除了大躍進年代(「二五」)以外，「三五」和「四五」(即文革十年)的經濟增長率是最低的(見表5)。這說明，如果沒有文革，按照1963至1965年的趨勢發展，經濟增長會更快一些。

文革十年間，國民經濟時起時落，呈波浪狀態。經濟學界說是「三起三落」:

大饑荒以後的經濟調整，到1965、1966年出現了明顯的效果。全國工農業總產值，1965年增長20.4%，1966年上半年工業總產值比上年同期增長20.3%，雖然下半年文革的影響，1966年全年工業總產值還是比上一年增長20.9%，社會總產值比上一年增長16.9%。1967、1968年兩年「天下大亂」，生產秩序被破壞，有些地方停工停產，經濟急劇下降。以社會總產值為例，1967年比上一年下降了9.9%，1968年又比上一年下降了4.7%。

表4：文革期間幾個主要經濟指標的增長率(%)

年份	社會總產值	其中		國民收入
		工業總產值	農業總產值	
1965	119.0	126.4	108.3	117.0
1966	116.9	120.9	108.6	117.0
1967	90.1	86.2	101.6	92.8
1968	95.3	95.0	97.5	93.5
1969	125.3	134.3	101.1	119.3
1970	124.1	130.7	111.5	123.3
1971	110.4	114.9	103.1	107.0
1972	104.4	106.6	99.8	102.9
1973	103.6	109.5	108.4	108.3
1974	101.9	100.3	104.2	101.1
1975	111.3	115.1	104.6	103.3
1976	101.4	101.3	102.5	97.3
1977	110.3	86.2	101.6	107.8

來源：中國經濟年鑒編輯委員會編：《中國經濟年鑒(1988)》(北京：經濟管理出版社，1988)，「國民經濟統計資料和專題分析」，頁XI–13、XI–17、XI–22。
*以上一年為100。

表5：各個時期的主要經濟指標的年平均增長率(%)

	社會總產值	工業總產值	農業總產值	國民收入	國內生產總值
「一五」時期	11.3	18.0	4.5	8.9	9.1
「二五」時期	-0.4	3.8	-4.3	-3.1	-2.2
1963–1965年	15.5	17.9	11.1	14.7	14.9
「三五」時期	9.3	11.7	3.9	8.3	6.9
「四五」時期	7.3	9.1	4.0	5.5	5.5
「五五」時期	8.3	9.2	5.1	6.0	6.3
1953–1983年	8.0	10.1	4.0	6.2	
1979–1983年	8.2	7.9	7.9	7.1	

來源：《中國經濟年鑒(1988)》，頁XI–7。

隨着各省革委會的建立和中共九大的召開，社會趨於穩定，1969到1973年經濟發展較快。然而，社會秩序稍一穩定，主政的官員們就企圖搞「躍進」。1970年2月15日至21日，國務院召開全國計劃會議。這次會議成了發動經濟躍進的動員會議。會議確定1970年工業總產值比上年增長17%，基建投資比上年增長46%，大中型建設項目1,113個，主要產品產量也定出了很高的指標。如鋼產量指標增長幅度高達20%至27.5%。在中央計劃指標的鼓勵下，一些地方要求產量「翻番」，或一廠變多廠。在重點鋼鐵企業座談會上，鞍鋼、本鋼、武鋼都提出鋼產量要「翻番」，在電力工業會議上，提出到1972年實現「老廠一廠變一廠半，新廠快馬加鞭，發電能力翻一番，縣縣都有電」的口號。1970年工業總產值比上年增長30.7%，社會總產值比上年增長24.1%。「小躍進」帶來嚴重後果：在高指標的壓力下，工廠拼設備、採掘業強化開採、建設規模過大、基礎建設戰線過長、職工人數增長過多。1970到1971年，原計劃全民所有制單位增加職工306萬人，實際增加了983萬人。新增職工中有600多萬人是從農村招來的。經濟建設中出現了難以承受的「三個突破」：職工人數、工資總額、糧食銷售量這三項都突破了國家能夠承受的極限。從1970年下半年開始，就不得不進行調整，但調整力度壓不住擴張的願望。1971

年繼續擴張，1972年速度雖然降下來了，但擴張趨勢未除，1973年1月的計劃會議上，還把解決「三個突破」當作一個重要問題。

1974年，工業總產值才增長0.3%，社會總產值才增長1.9%。學界一些人認為，這是批林批孔造成的結果。實際上，主要原因是與當時解決「三個突破」問題採取的緊縮措施有關。1974年的經濟指標使人們不滿意。11月6日，在長沙聽取李先念匯報國民經濟情況時，毛澤東說：「把國民經濟搞上去。」

1975年鄧小平搞整頓，對恢復交通運輸秩序和企業管理秩序當起了作用；但是，「把國民經濟搞上去」的最高指示，對提高經濟指標起的作用或許更大一些。1975年，工業總產值比上年同期增長11.3%，社會總產值比上年增長了15.1%。這個較高的指標是在上一年較低指標上實現的，實際不是很高。1976年唐山大地震，周恩來、朱德、毛澤東幾位領導人逝世，對經濟有負面影響，這一年經濟增長比1974年還要低。

「四五」計劃執行的結果是，計劃表上的51種主要經濟指標25種沒有完成，計劃力保的30種重工業產品18種沒有完成計劃，11種輕工業產品4種沒有完成計劃。

文革十年農業平均發展速度為3.9%，糧食生產穩步增長，1976年達5,726億斤，比1965年增加了1,836億斤。在人口迅速增長的情況下，人均糧食由1965年的544斤增長到610斤。另一個發人深思的數字是，全國人均糧食產量1956年為620斤，1976年615斤，徘徊了20年才回到原點（見表6）。

表6：按人口平均糧食產量（斤/人）

年份	1956	1960	1962	1965	1967	1968	1969	1970	1972	1975	1976
糧食	620	430	481	544	579	540	530	586	558	621	615

來源：《中國統計年鑒（1984）》，頁167。

文革期間還建成了一些技術比較先進的大型企業，如勝利油田、大港油田，攀枝花鋼廠、成都無縫鋼管廠、貴州鋁廠、第二汽車製造廠、德陽第二重型機器廠等。除了上述的三線建設的成就以外，還建成了長江葛洲壩水利樞紐工程、南京長江大橋、大慶到秦皇島的輸油管道等一些基礎設施。核工業、人造衛星、運載火箭等國防科技在這個時期也有較快的發展。在重大項目的建設方面，集權制國家顯示了它的優越性。國家可以集中各種社會資源，排除各種阻撓，全力以赴進行，這就是通常所說的「集中力量幹大事」。但是，在「幹大事」的同時，也造成巨大的浪費和無窮的後患。

在文革期間，1958年開始興起的地方「五小」工業(小鋼鐵、小機械、小化肥、小煤窰、小水泥等)也發展較快。這些地方工業為1980年代鄉鎮工業的發展打下了一定的基礎，但對環境污染嚴重、經濟效益低，到新世紀時大多被清理。

四　效益差、管理亂、技術水平低

文革十年各項經濟指標雖然有所增長，但這種增長是靠多投資，多投入能源、原材料和勞動力而形成的，經濟效益十分低下。每百元積累基金增加的國民收入，「一五」時期為32元，三年調整時期(1963–1965)為57元，十年文革時期只有19.6元。如果按「一五」時期的水平計算，十年共損失國民收入5,000億元。財政收入按佔國民收入的30%計算，共損失1,500億元。1976年全國國營企業虧損總額達117億元，比1965年增加了兩倍。這一年財政收入776.6億元，比上一年減少39億元。

產品質量差。1971年末到1972年初，據對8,373種產品檢查，產品合格率平均為45%，工傷事故大量增加。1971年7月，對11個部門的不完全統計，上半年共發生人身傷亡事故和設備嚴重損壞事故2,000多起，死亡2,400多人。

企業管理混亂。文革中把必要的企業管理當成「修正主義的管、卡、壓」來批判，一些企業雖然訂了規章制度，但沒有貫徹執行。天津染化四廠酞青車間工藝規定溫度在170至175度（攝氏）的範圍內保溫15小時，工人為了早下班，只保溫14小時，對產品質量影響很大。

崗位無定員。天津染化四廠烘乾機過去3人看2台，現在8人看2台。天津第一煉鋼廠過去每組8個人，現在每組10個人。天津第二毛紡廠細紗機過去1人看2台，現在15台機器，每班35人。天津冶金局同樣的3噸電爐，有的用27人，有的用35人，D5G拉絲機有的單位2人看3台，有的單位1人看5台。

文革期間是對知識份子歧視最嚴重的時期。毛批示的〈全國教育工作會議紀要〉中，提出了「兩個估計」，即：解放後十七年「毛主席的無產階級教育路線基本上沒有得到貫徹執行」，「資產階級專了無產階級的政」，「大多數教師和解放後培養的大批學生的世界觀基本上是資產階級的」。雖然這個文件是1971年出籠的，但這種思想從文革一開始就有了。在這種思想指導下，從上到下，普遍輕視知識份子，進而輕視科學技術。

科技人員工資低。1957年中專畢業生當技術員的1972年拿48.5元，1957年進廠的學徒工（小學文化或更低）1972是四級工，拿57.6元。許多1958年畢業的大學生，1972年只拿50多元。他們說：「當時要是不上大學，參軍或當工人就比現在強多了，讀書吃虧了！」比工人更加困難的是，科技人員很多是夫妻分居相隔千里的兩地，這些人沒有家庭生活；每年探親一次，火車費耗盡了一年的積累。天津市技術人員中有20%夫妻分在兩地的，有的單位30%或更多一些。

科技人員受到壓制，當然不會有創新；不重視科技，技術水平必然落後。1972年，天津市冶金工人37,000多人，其中肩抬、背扛、手工操作的有15,000多人。天津市紡織行業中，使用1930年代機械設備的佔55%。天津機械行業的設備大多處於30、40年代的水平。天津化工行業生產群青顏料還是用小土窰煉燒，和《天工開物》上所介紹的差不多。天津碱廠是中國化學家侯德榜在1930年代提出聯合製碱法（侯氏製碱法）的基地，這種先進的製碱工藝戰後被日本廣泛採用，而天津碱廠1972年還用比較落後的蘇維爾法（Solvay Process）生產。

五　工人、農民家徒四壁

經濟建設的目標是「備戰，備荒，為人民」，人民受益了嗎？

1978年，老記者馮森齡到1940年代工作過的延安調查，看到昔日的「革命聖地」滿街都是討飯的人。他們衣衫破爛、蓬頭垢面。馮森齡在延安東關食堂停留半小時，討飯的就有十七人。這些討飯的都是來自農村。馮森齡又調查到九個縣市，縣縣都有討飯的。延安時期邊區勞動英雄申長林所在生產隊二十八戶人家，家家都缺糧食，八十多人出去討飯。

1980年，新華社記者傅上倫、胡國華、戴國強三人到延安採訪，他們親眼看到，社員薛登恩家全部家當不值30元，他們吃的飯是像豬食一樣。最早唱《東方紅》的歌手李有源的兒媳對他們說，在1970年代，生活實在沒法子了，不得不外出討飯。老鄉的生活水平不如當年李有源唱《東方紅》的時候。

1978年，全國每個農民從生產隊裏得到年平均收入僅有76元，其中兩億農民低於50元。有1.12億人每天能掙到一角一分錢，1.9億人每天能掙一角三分錢，有2.7億人每天能掙一角四分錢。另有一些農民辛辛苦苦幹一年不僅掙不到錢，還倒欠生產隊的錢。1980年，新華社國內部農村組派出幾位記者對西北地區的農民收入作了調查，調查結果是，1979年全年人均收入，最高的是山西呂梁地區，為70元；隴東慶陽地區第二，為64.86元；延安地區第三，為57.2元；榆林地區第四，為52元；甘肅平涼地區第五，為47.6元；固原和定西最低，同為36.8元。

上世紀70年代末期，中國的農村一貧如洗。不僅農民家中一無所有，連樹木都砍光燒盡。1950年代初期，大多數村莊掩映在密密的樹林和竹林之中，其中很多兩人合抱的參天大樹。到1970年代末期，村子裏幾乎看不見樹木，成了「和尚村」。農村不僅人窮，生態環境也遭到嚴重的破壞。

在城鄉差距中處於優勢地位的工人的生活狀況怎麼樣呢？全民所有制各部門職工的工資，除了1971年對部分人員有所提高以外，再沒有動過。從1966到1976年，平均工資不但沒有增加，反而降低了4.9%。

1975年，我在天津調查時發現，工廠的生產第一線的工人70%以上是二級工，月薪為41.5元，再沒有其他收入。城市居民只能維持最低生活水平。職工家裏沒有任何財產，成了名副其實的「無產階級」。手錶、自行車、縫紉機這些基本生活用品是城市居民夢寐以求的「三大件」。現將我在天津第一棉紡織廠調查得到的職工生活情況抄錄如下：

> 時間：1975年
>
> 天津棉紡一廠電動車間在編人數345人，家庭月收入情況如下：
>
> 人均收入10元以下的8人　佔總人數的2.32%
> 人均收入10至11元的6人　佔總人數的1.74%
> 人均收入11至12元的7人　佔總人數的2.02%
> 人均收入12至15元的28人　佔總人數的8.11%
> 人均收入15至20元的65人　佔總人數的18.8%
> 人均收入20至25元的231人　佔總人數的66.95%
>
> 其中，人均收入達25元的只有幾户。
>
> 人均收入10至13元的生活狀況：不能保證每頓都有熟菜，要吃一些鹹菜和大批低價處理的白菜。國家標準供應的生活品不能買全（如雞蛋、糖），很少吃肉，多吃粗糧。布票等證券不能買全。
>
> 人均收入15元的生活狀況：在沒有病人或上山下鄉的子女不需要定期補助的情況下，一般都能買全國家標準定量供應的物品。有時還能吃點肉。

> 人均收入20元的生活狀況：一般生活沒有甚麼問題。日子過得比較寬裕。

天津棉紡一廠在當時是令人羨慕的國營大廠，電動車間技術人員的比重高於其他車間。其他不少單位職工的收入比棉紡一廠低很多。

經濟停滯，就業機會少。政府只好強制一千六百多萬城鎮青年上山下鄉，將城鎮就業矛盾向農村轉移。下鄉知識青年不能維持生活，城鎮的工人父母不得不給予接濟。

城市居民的居住條件極端惡劣。上海《解放日報》(1988年10月14日)公佈了一個數據：1985年，上海市區180萬戶。按國家所公佈的標準，有89.98萬戶為困難戶，其中人均住房面積低於4平方米的有21.6萬戶。住房不方便(大兒大女同室)的有24.3萬戶。這還是改革以後七八年的情況，比改革前已經有所改善。

在天津，祖宗三代人擠在一間十多平方米的房間裏的情況十分普遍。一到晚上，中年夫婦睡在牀上，已經成年的孫子上了小吊樓，年老的爺爺奶奶和已經成年的孫女兒打地鋪。這種情況到1980年代中期還沒有大的改變。1972年，我到天津鋼絲繩廠調查得知，這個廠6至9口人住13平方米以下的有82戶，老少三代住一間房的有29戶，婚後無房的有47戶，無房結婚的8戶，危房待修的7戶。這些工人都要上夜班，白天需要睡覺。這樣的居住條件白天他們是無法睡覺的。1950年，天津人均住房面積3.8平方米；1972年，天津人均住房面積下降到3平方米。1950年代初為工人修建的工棚式臨時住宅，一直住到1980年代。夏天，在這擁擠、破舊、骯髒的工棚裏，做飯的煤球爐都排在一米寬的公共過道裏，過道的溫度高達39度。中年婦女脱光了上身，隨着炒菜的鍋鏟掀翻，碩大的乳房在晃動。這是我和我的同事杜潤三在天津佟樓附近一片工人住宅區目睹的情景。

工人的工作環境也很惡劣。1972年9月14日，天津勞動衛生防治院向我提供了他們新完成的一個調查：

在對天津市981個工廠的37,720人的不完全統計，對四種作業(矽、鉛、苯、汞)的工人中查出：

鉛吸收	343人
苯中毒	39人
白血球降低	86人
汞中毒和汞吸收	134人

天津棉紡二廠三紡筒子車間184名職工患病的達126人，佔69.5%，有的患病在二三種以上。天津乾電池廠乾汞電池車間的125名工人幾乎每人汞中毒，一度造成停產。天津紅衛皮鞋廠、十月皮鞋廠苯中毒十分嚴重。天津化工廠周圍1,500米的範圍內空氣中汞的含量超過國家標準，電解車間85人中有76人汞吸收，佔總人數的89%。

六　根本問題是經濟體制

毛澤東等老一代領導人一直提倡「為人民服務」，這一代領導人也有卓越的能力，中國的工人、農民、知識份子也都勤勞節儉，為甚麼搞了幾十年中國還這麼窮呢？

這個問題最早的答案是，中國領導經濟的權力太集中。毛澤東在1956年就覺察到了權力過分集中的問題。他在這年春天作的〈論十大關係〉的報告中說：「把甚麼東西統統都集中在中央或省市，不給工廠一點權力，一點機動的餘地，一點利益，恐怕不妥。」「我們不能像蘇聯那樣，把甚麼都集中到中央，把地方卡得死死的，一點機動權也沒有。」毛澤東力圖擺脱蘇聯的影響，探索中國自己的路。其中最重要探索之一就是下放權力，調整中央和地方的關係。在20世紀末的改革開放以前，有過幾次比較集中的舉動。但每次下放權力都要出現經濟混亂，為治理混亂不得不集中權力；而每次集中權力地方政府就要叫喊；叫喊聲強烈，不得不再下放權力。「一統就死，一死就叫，一叫就放，一放就亂，一亂就統」，國民經濟總是跳不出這個循環。

事實證明，「權力過分集中」的問題是存在的，而且相當嚴重，但不是中國經濟問題的根本所在。那麼，甚麼是中國經濟的根本問題呢？這個問題在毛澤東時代不可能找到正確答案的。上世紀90年代初期，經濟界的共識是：根本的問題是在資源配置上用人們的主觀判斷來代替經濟運行的客觀規律。這裏所説的主觀判斷就是人們制定的計劃，這裏説的經濟運行規律就是市場規律。

毛澤東等一代人從馬克思、列寧那裏接受了改造社會和管理經濟的理論：國家以社會的名義佔有生產資料，商品生產將被消除，社會生產的無政府狀態將為有計劃的、自覺的組織所代替。毛要求下放企業時還強調中央是「計劃製造工廠」，地方政府和企業要執行這個「工廠」製造的計劃。毛澤東的分權是行政性分權，即管理企業的權力只是由一級政府下放到另一級政府，企業生產甚麼，生產多少，用甚麼方式生產，還得聽命於政府的安排。

文革中，毛澤東一再批評商品經濟，主張按價值規律辦事的孫冶方也被打成「修正主義份子」投入了監獄。沒有市場競爭，價值規律不起作用，一切聽命於各級行政官員的指令。價格是市場經濟的靈魂。西方經濟學有一句名言：要摧毀一個國家的經濟，最有效的辦法是麻痹這個國家的價格機制。文化大革命期間，由於過度行政控制，價格機制被完全麻痹。1966至1976年間，中國零售物價指數不僅沒有上漲，還下降了2%（見表7）。這是用行政手段凍結物價的結果，它對工資一直很低的職工當然是必要的，但對經濟活力有很大的殺傷力。

表7：文革期間全國零售物價總指數

年份	1965	1966	1967	1968	1970	1972	1973	1974	1975	1976
物價指數	134.6	134.2	133.2	133.3	131.5	130.2	131.0	131.7	131.9	132.3

來源：國家統計局編：《中國統計年鑒（1984）》，頁425。
* 以1950年為100。

1971年林彪事件以後，隨着國際關係的改善，在毛、周生命的最後幾年裏進行的大規模技術引進。1972至1977年，中國先後從日本、聯邦德國、英國、法國、荷蘭、美國等十幾個國家的廠商，簽訂了250多項新技術和成套設備的引進合同，成交額達396億美元。引進了13套大型化肥成套設備、43套綜合採煤機組、3座大型電站設備、一米七軋機整套生產設備、3套大型石油化工設備和4套大型化纖設備等。

文化大革命中，不斷批判「洋奴哲學」、「崇洋媚外」，人們「談洋色變」。中國彩色顯相管生產線考察團到美國康寧公司，這家公司送給考察團一個工藝蝸牛作為禮品。1974年2月10日，江青在四機部(後來的電子工業部)説：美國人這是「罵我們，侮辱我們，説我們爬行」。這件事被稱為「蝸牛事件」，這個事件使得引進彩管生產線推遲了幾年。

「談洋色變」的心理直到改革之初還沒有消除。在1980年代初，正是這些引進項目落實的時候，一些單位把對外經貿談判當作「一場特殊的國際階級鬥爭」，在談判桌上設「前線政委」。一些引進國外技術的工廠，把來廠履行合同的外國專家當成「外國資本家的代理人」。職工不敢單獨接近這些外國專家，怕被人説成「裏通外國」。所以，這些單位和外國專家的關係十分緊張，常常影響工程進展。

1976年，中國進出口貿易總額只有134.4億美元(其中出口68.6億美元，進口65.8億美元)，不到世界貿易總額的7%。佔世界人口五分之一的中國，進出口貿易總額佔比如此之小，可見當時中國對外經貿往來的水平何等低下！

毛、周批准的這些成套設備的引進，對十分匱乏的國民經濟如飲甘泉。但是，這只是設備引進，除此以外，國家不僅排斥對先進的管理制度和企業經營制度，更加排斥國際經濟遊戲規則。文革中的技術引進和1980年代的改革開放不可同日而語。

文革結束了，留下的不僅是極端貧困，而且留下了造成極端貧困的體制：排斥市場機制的計劃經濟體制。這為鄧小平時代改革開放留下了空間。

文革中的年輕人

1966年的北京學生造反

印紅標

所謂造反，通常指被統治者反叛統治者或權力秩序的行為，不論在古代還是現代，都是要遭到嚴厲懲處的。造反一詞也常常被泛指，指違抗上下尊卑秩序，「以下犯上」的行為，例如：晚輩忤逆長輩、學生違抗先生等。文化大革命中的群眾造反運動並非一般意義的造反，而是最高領袖號召群眾衝擊不符合其意願的黨政領導及其他人，後來被形象地稱為「奉旨造反」。

從1966年5月開始到年底，北京學生最早採取了造反的行動，最早引用毛澤東的「造反有理」的語錄，在毛澤東為首的中央直接掌控下，被置於政治舞台的前台，作為引導北京市及全國運動的樣板，其主流和鬥爭方向在波瀾起伏的運動中也發生了微妙的變異。

一　造反第一波：校園風潮

1966年5月下旬，分別發生在北京市大學和中學的兩起反對校領導的事件成為開啟群眾運動的序幕。一是5月25日北京大學七人大字報，成為毛澤東點燃學生運動的導火索。二是5月29日清華大學附中紅衛兵成立，當時沒有引起社會太多的關注。

(一) 北京大學「第一張馬列主義的大字報」

北京大學的大字報由哲學系黨總支書記聶元梓領銜署名，其餘均為中共黨員或預備黨員教師。事情源於文革前北京大學哲學系部分教師與校領導的矛盾，並已經在1964至1965年的社會主義教育運動中尖銳化。1964年底，社教運動在黨內高層鬥爭的背景下發生翻轉，運動前期批判校黨委的「積極份子」，後期被指犯了錯誤。北大校領導的依靠是北京市委。1966年5月中共中央政治局擴大會議，批判了北京市委第一書記彭真，發出了進行文化大革命的綱領性文件〈五一六通知〉。對處境耿耿於懷的幾位哲學系教師敏感意識到政治風向的變化，醞釀寫大字報批判北大黨委及北京市委。他們通過不同渠道打探上層意向，得到派駐北京大學的中共中央理論小組調查組曹軼歐(康生夫人)及下屬幹部的支持和鼓勵。25日，聶元梓等七人大字報〈宋碩、陸平、彭佩雲在文化革命中究竟幹些甚麼？〉赫然張貼在大飯廳牆上。

大字報引起激烈爭論，多數學生擁護校黨委，認為大字報是向黨進攻。然而，6月1日，毛澤東指示中央電台廣播北京大學大字報，次日《人民日報》頭版發表評論員文章〈歡呼北大的一張大字報〉，並以〈北京大學七同志一張大字報揭穿一個大陰謀〉為題，全文刊發聶元梓等人大字報。中央的表態令北大校園政治態勢乾坤逆轉，北大校黨委癱瘓，學生們競相表態緊跟中央。隨後，前去北京大學聲援聶元梓的外校學生和群眾絡繹不絕。

毛澤東批示廣播這張大字報為全國樹立了榜樣，學生們紛紛效仿，質疑校領導的風潮洶湧。以北京大學聶元梓等七人大字報為先導的校園行動，打破了大學、中學的正常領導和教學秩序，構成北京學生造反的第一次衝擊波。

(二) 清華大學高幹子女率先發難

北京大學形勢的突變在相鄰的清華大學引發對校黨委書記兼校長、高教部部長蔣南翔的懷疑和爭議，支持校黨委的學生最初佔優勢。6月5日一早，劉少奇的女兒劉濤、賀龍的兒子賀鵬飛等幾位高級幹部子女貼出批評清華大學黨委的大字報〈清華黨委應採取積極態度領導文化大革命〉。他們顯赫的家庭背景使人們感到，這是中央對清華大學領導的態度，清華校園氣氛隨之扭轉。9日，工作組進駐清華大學；10日，中共中央決定蔣南翔停職，原來保蔣南翔的幹部和師生紛紛倒戈。北京大學的造反由一位系黨總支書記和幾位黨員教師發起，背後有康生夫人曹軼歐的支持；清華大學則是由幾位出身於中央高級幹部家庭的學生造反，背後是中共中央的意向。

(三)清華附中紅衛兵問世

北京大學聶元梓等教師貼出大字報的前後，在臨近的清華附中，一些激進學生也對校領導發起了政治批判。5月29日，他們感到校方壓力，聚首在與校園一路之隔的圓明園廢墟，自發成立了進行文化大革命的組織——紅衛兵。紅衛兵以激進幹部子女為主，也有個別其他出身的學生。他們自以為趕上了一次偉大的革命，殊不知正投入一場浩劫。

6月最初的一星期，北京市的中學領導紛紛癱瘓。原北京市委主要領導被打倒，北京市教育局陷入危難，中學領導失去了上級組織的保護，如同沒了娘的孩子，任憑政治風浪無情打擊。清華大學附中校領導依靠清華大學黨委的權威，在風浪中比其他中學多掙扎了幾日，但終究難逃滅頂之災。紅衛兵出擊第一個回合，乘上文革的順風，贏得了革命左派的名聲。

此時，毛澤東在南方遙控，劉少奇和鄧小平在北京主持中共中央日常工作。學校的正常秩序被打破之後，劉少奇、鄧小平主持的中央決定派出工作組取代原校黨委、黨支部，對運動實行領導。在北京，高教部和北京市屬大專院校的工作組通常由新成立的、以李雪峰為第一書記的北京市委派出，其他部委所屬院校由相應部委派出。中學的工作組則通常由團中央派出。

學生在學校造反，得到劉少奇、鄧小平主持的中共中央的肯定和支持，率先批判校領導和教師的學生被視為左派。工作組領導學生批判原校領導的修正主義教育路線，批判教師的資產階級思想，一批學校領導和教師因此遭難。

工作組進校之後，運動的重點是對教育界的批判。6月6日，北京市女一中高三學生致信中共中央和毛澤東，強烈要求廢除和改革舊的升學和高考制度；10日，北京四中師生在高三幾位高幹子女帶動下，致信毛澤東響應女一中學生倡議。中共中央和國務院於13日發出通知，決定改革高等學校招生考試辦法，首先推遲1966年高考。高考就此中斷十一年。

工作組領導期間，組織學生批判教育路線，揭發、批判、鬥爭學校領導和教師，同時要求學生遵守黨的政策。6月18日，北京大學部分學生自發進行批鬥活動，出現給臉上抹黑、戴高帽子、罰跪、少數人被扭打等現象。工作組得知後，馬上予以制止。中共中央肯定了北京大學工作組處理「亂鬥現象」的做法，要求全國參照此辦法處理類似現象。此事後來被稱為北大「六一八事件」，工作組的做法受到毛澤東指責。

工作組比文革前的校領導更加強調「階級路線」，更加看重學生的家庭出身，着意培養政治活躍的幹部子女成為「左派」學生領袖，推選他們進入師生代表會、文化革命委員會等權威性群眾組織。在重點大專院校和中學，幹部子女常常在這類組織成員中佔絕大多數，例如在清華大學、北京四中、北京師大女附中。這些受到工作組青睞的幹部子女，在文革之前大多已經被校領導作為重點栽培的對象，不少被吸收為共產黨員，但這沒有妨礙他們在文革開始之後，轉身批判校領導，成為工作組扶植的「左派」。

二　造反的第二波：反工作組

工作組接手領導運動之後十多天，一些學生對工作組提出質疑和批評，形成第二波造反活動。清華大學學生蒯大富和清華附中紅衞兵是與工作組衝突的典型。

工作組領導運動的方式，沿用了1957年反右運動和1963年以後社會主義教育運動的辦法，強調黨的組織領導，矛頭對着知識份子和文化教育界的領導。工作組要求師生服從工作組的指揮；要求師生批判「黑幫」、「反動權威」，但必須遵循黨的政策，有領導、有秩序地展開，例如規定：大字報不要上街，不要上街遊行，不要串聯等。而當時由陳伯達主持的《人民日報》不斷發表高調的社論和文章，鼓動轟轟烈烈的群眾運動，號召「橫掃一切牛鬼蛇神」，推高學生的政治熱情。一些敏感的學生察覺到《人民日報》社論的宣傳與工作組按部就班開展運動的做法存在差距。

原校領導被群眾運動衝垮，那麼取而代之的工作組是否不可質疑？多數學生滿足於接受工作組的新權威，但是在某些學生心中，懷疑不再是大逆不道。6月20日前後，即工作組進校大約兩星期，北京一些學校先後發生學生質疑、批評、反對，甚至驅趕工作組的事件。各校具體情況不同，矛盾焦點不盡一致，造反的學生往往思想激進，其言論或有部分道理，或小題大做、強詞奪理，而關鍵問題是挑戰工作組的領導權威。中央和北京新市委認為，這是干擾運動的健康發展，開展了「反干擾」運動，以政治高壓應對不同意見，對提批評或反對意見的學生進行勸誡、反擊、圍攻，將其中激烈者定為「假左派、真右派」、「反黨份子」。北京市有一百幾十名學生被打成反革命，受打擊的學生恐怕不下數十倍。這是沿用以往政治運動的路數，維護了工作組的領導地位，卻在學生中留下了疑慮與不滿。一個月之後，毛澤東據此嚴厲指責工作組鎮壓群眾，作為扳倒劉少奇、鄧小平的切入點。

(一)清華蒯大富對抗工作組

清華大學學生蒯大富是清華大學二年級學生，父親是抗戰末期在蘇北新四軍根據地加入共產黨的貧下中農。蒯大富在6月16日與另一位同學寫大字報質疑〈工作組往哪裏去？〉；21日，蒯大富在他人質疑工作組的大字報上寫了一句話：「革命的首要問題是奪權鬥爭，從前權在校黨委手裏，我們和他們鬥，把它奪過來了，現在權在工作組手裏，那我們每個革命左派就應當考慮，這個權是否代表我們？代表我們則擁護，不代表我們，則再奪權。」幾番交往後，工作組認定蒯大富要向工作組奪權，是反革命行為，組織學生反擊，召開了辯論會。辯論會上初次交鋒，工作組手下的學生不及蒯大富能言善辯，佔不到上風。工作組遂加大力度，組織各系舉行反蒯遊行，聲討蒯大富，高呼「無限信賴工作組」、「反工作組就是反黨」。蒯大富陷入孤立，但繼續寫大字報抗爭。工作組要求「反蔣（南翔）必反蒯（大富）」，指導各系批判蒯式人物，打擊面擴大，數百人受到波及。蒯大富被開除共青團籍，被限制自由18天。7月5日，他宣佈：為「抗議非法政治迫害」開始絕食。次日，北京市委書記馬力到清華大學與蒯大富單獨面談，告訴他寫給北京市委的信，收到了，寫給中央和毛主席的信也都轉了。當天，蒯大富寫出〈向黨、向全校革命師生承認和檢討錯誤〉，停止絕食。清華大學工作組是通天的，劉少奇夫人王光美自稱是「一個普通工作組員」，實際上起核心領導作用，背後是劉少奇。

（二）清華附中紅衛兵與工作組的摩擦

位於清華園一隅的清華附中，發生了另一場學生與工作組的摩擦與衝突。工作組進校之後，支持紅衛兵，視其為革命左派，但是不久就發生摩擦。6月23日，《中國青年報》發表社論〈左派學生的光榮責任〉，要求在運動中團結絕大多數學生和教師。紅衛兵認為，工作組和《中國青年報》社論的調子低了，火藥味不濃，是折衷主義。為此，紅衛兵貼出〈革命的造反精神萬歲〉和〈左派學生的責任是徹底鬧革命〉等幾張大字報，倡言「造反」，字面上講要大造修正主義的反，實際上針對工作組的政策。紅衛兵與工作組辯論，一些紅衛兵不顧工作組的再三規勸，背着工作組召開整「右派」學生的會。工作組認為這是轉移鬥爭方向。

紅衛兵與工作組的另一個矛盾焦點是紅衛兵的組織。紅衛兵是自發成立的、獨立性很強的學生組織，與工作組沒有隸屬關係，不願事事聽從工作組的指揮。工作組的上級領導共青團中央按照鄧小平的指示，要求清華附中工作組用共青團去「消化紅衛兵，溶化紅衛兵」，即逐步恢復共青團組織，扶植紅衛兵領頭人進入工作組領導的文化革命委員會、共青團分團委會，同時解散紅衛兵組織。然而紅衛兵自視為進行文化大革命的階級隊伍，他們接受了工作組提供的職位，卻執意保持獨立的組織。在北京大學附屬中學，工作組與「紅旗戰鬥小組」之間也發生了類似的矛盾。

清華附中紅衛兵和北大附中紅旗戰鬥小組，以工人、貧下中農、革命幹部、革命軍人和革命烈士「紅五類」子女的階級隊伍自居，以幹部子女為骨幹。北大附中一些幹部子女率先提出「老子英雄兒好漢，老子反動兒混蛋」的對聯，謀求幹部子女政治特權的色彩尤甚。

工作組視紅衛兵和紅旗戰鬥小組的學生為不聽話、不服從領導的左派，儘管摩擦衝突不斷，但最終沒有將他們定為「假左派、真右派」或「反革命」，這與對待蒯大富等大學生不同。

7月18日，毛澤東從南方回到北京，指責劉少奇、鄧小平領導下的工作組鎮壓學生運動。28日，北京市委根據中央的指示，決定撤出工作組。31日，周恩來先後在清華大學和人民大會堂與蒯大富單獨談話六小時，了解運動情況。8月4日，周恩來帶一百多名中央委員到清華大學召開萬人大會，周恩來在會上宣佈為蒯大富平反。5日，毛澤東寫了〈炮打司令部——我的一張大字報〉，其中「顛倒是非，混淆黑白，圍剿革命派，壓制不同意見，實行白色恐怖」等詞句，令人想到清華大學。

7月28日，江青在北京市海淀區師生大會上接收了清華附中紅衛兵寫的關於造反精神萬歲的三張大字報稿，轉交毛澤東。8月1日，毛澤東給清華附中紅衛兵寫信，表示熱烈的支持，同時對北大附中紅旗戰鬥小組表示熱烈支持。

毛澤東為學生與工作組的矛盾衝突下了定論：工作組犯了方向和路線的錯誤。

三　造反的第三波：衝向社會，橫掃舊文化與「牛鬼蛇神」

工作組撤出之後，學生陷入迷茫和放任狀況，名曰「自己解放自己，自己教育自己」。8月和9月是紅衛兵出盡風頭的「紅八月」，也是「紅色恐怖」暴力橫行的瘋狂歲月。此間，學生走出校園，出現了兩個方向：一個是矛頭向下，以「破四舊」運動為中心，打擊「牛鬼蛇神」、階級敵人，受官方讚譽，震驚社會。另一個是矛頭向上，追責工作組及其上級領導，纏鬥不已卻障礙重重。

(一)「老子英雄兒好漢，老子反動兒混蛋」

7月底至8月初，紅衛兵從工作組的壓力下翻身，旋即掀起了宣揚極端「階級路線」——「老子英雄兒好漢，老子反動兒混蛋」的浪潮。這個對聯明顯不符合共產黨在家庭出身問題上的一貫政策——有(家庭)成份論，不唯成份論，重在(政治)表現。紅衛兵及紅旗戰鬥小組曾經為此受到工作組的批評。工作組倒台，紅衛兵自以為「紅五類們站起來了」，到處挑起對聯辯論。名為辯論，實為強推。8月6日，江青在紅衛兵追問之下，提出了批評性的勸告：「我不完全同意(對聯)」，並稱其為「封建術語」，要求紅衛兵不要在這個問題上爭論下去，妨礙實現文化大革命的主要目標。紅衛兵失望之餘，不改初心，堅持將極端的階級路線奉為組織原則。

8月1日，毛澤東給紅衛兵的信起初沒有公開發表，僅作為八屆十一中全會文件印發，得風氣之先的幹部子女首先獲悉，於是陸續成立紅衛兵。「老子英雄兒好漢」的組織原則，給曾經受到工作組器重的高幹子女成立紅衛兵的便利。清華大學、師大女附中、四中等一批學校紅衛兵領袖，均為工作組扶植的高幹子女。紅衛兵作為「紅五類」子女階級隊伍的色彩很快壓倒了原有的反工作組特徵。反對工作組和維護工作組的幹部子女，在「老子英雄兒好漢」的旗幟下成了階級兄弟，挑戰工作組的清華附中紅衛兵與保工作組的清華大學紅衛兵成了戰友。

北京工業大學學生譚力夫8月12日的大字報和20日的講話，一方面維護工作組，斥責反對工作組的學生：「看着共產黨的幹部犯錯誤，你高興甚麼？！他媽的！」另一方面讚賞對聯「大長好漢們的志氣，大滅混蛋們的威風」，受到北京及外地當權派和保守派學生的追捧，廣為翻印。極端的階級路線成為工作組、當權派抵禦群眾進攻，構築防火牆的工具。正是這個原因，這幅對聯被江青批評，後來被中央文革小組陳伯達稱為「反動的血統論」。

(二) 紅衛兵「破四舊」狂潮

8月8日，中共中央八屆十一中全會通過了〈關於無產階級文化大革命的決定〉(簡稱〈十六條〉)，這是指導文化大革命的又一個綱領性的文件。18日，毛澤東在天安門廣場檢閱百萬群眾，安排紅衛兵和群眾代表登上天安門城樓，接受紅衛兵獻上的袖章，與紅衛兵代表見面。這是紅衛兵第一次在官方傳媒正式亮相，一時成為無人敢於指摘的偉大統帥的親兵。

毛澤東第一次檢閱紅衛兵之後不久，北京出現了「破四舊」運動的狂潮。「四舊」指所謂帝國主義、封建主義、修正主義和一切剝削階級的舊思想、舊文化、舊風俗、舊習慣，而「破四舊」專指1966年8至9月北京紅衛兵發起的一場極具破壞性的暴烈運動。

8月17日晚，北京二中紅衛兵起草了倡議書〈最後通牒——向舊世界宣戰〉，內容主要是禁止某些服裝、頭髮、照片式樣以及書籍等強制性的要求，18日0時50分完稿。小睡幾小時後，他們就趕赴天安門參加群眾大會。毛澤東接見以後，他們到共青團中央機關，要求印刷破除四舊的傳單。團中央書記處書記王道義依從紅衛兵，批准由《中國青年報》社連夜印刷成幾千份傳單，交紅衛兵散發。

8月20日，北京二中為首的許多紅衛兵走上街頭，藉毛澤東接見之威，開始強行實施他們破舊立新的要求。22日，新華社發出消息，報導紅衛兵「猛烈衝擊資產階級的風俗習慣」。23日，《人民日報》發表社論〈好得很！〉:「為北京市『紅衛兵』小將們的無產階級革命造反精神歡呼！」「破四舊」的活動由此推向全國。

紅衛兵在「破四舊」運動中散發了數不勝數的傳單、倡議、通令、通牒，提出了五花八門的、甚至互相矛盾的要求。運動最初重點在於破除某些舊的文化傳統和習俗，例如：禁止「港式衣裙」、「牛仔褲」、「牛仔衫」、「無縫青年式」、「螺旋寶塔式」等「港式」髮型；更改商店、街道的名稱，例如把有美國淵源的協和醫院改為「反帝醫院」，把蘇聯援建的友誼醫院改名為「反修醫院」，把通向蘇聯大使館的揚威路改名為「反修路」，把東安市場改名為「東風市場」等。「破四舊」運動之初就有逼迫剪髮等行為，而短短兩三天之內發展到大規模破壞文物古蹟、打人、抄家，驅逐地主、富農等「階級敵人」回原籍之類的暴力行動。

在「破四舊」運動中，紅衛兵砸毀文物、焚燒圖書、搗毀寺院教堂，例如：8月23日，北京體育學院「八一八」紅衛兵、教職工和家屬273人，到頤和園佛香閣砸碎了佛像。為應對紅衛兵等學生造反，故宮、頤和園等國家文物保護單位以及北京圖書館（即國家圖書館）緊急宣佈關門清理，避免了更大破壞。然而，北京市毀壞文物古蹟的現象仍然比比皆是。不少學生在校內焚燒圖書館圖書、砸毀廣播室唱片。

8月24日，清華大學紅衛兵聯合其他學校紅衛兵，砸毀了標誌性的老校門（俗稱「二校門」），半年後在此處建立了一座毛澤東塑像。文革後，清華大學清除塑像，原址重建二校門。北京大學面對紅衛兵「破四舊」風潮，另有應對，校文革籌委會主任聶元梓緊急廣播，動員學生到西校門，保護門口的石獅子和校內華表，勸阻外校學生，使校園內多處文物得以完好保留至今。

在紅衛兵抄家的過程中，私人收藏的文物和財物遭到毀壞尤甚。很多居民在紅衛兵的暴力查抄活動中，因懼怕遭遇不測而丟棄或者自毀私家珍貴收藏。據官方不完全統計，北京從各個煉銅廠搶救出各類金屬文物117噸；從造紙廠搶救出圖書資料320多噸；從各個查抄物資的集中點挑揀出字畫18.5萬件，古舊圖書235.7萬冊；其他各類雜項文物53.8萬件。

至於抄家，據官方統計，8至9月期間，北京市有33,695戶被抄家。另據統計，北京市查抄沒收了大量的金銀、金銀製品，以及現金、存款、公債、外幣價值4,478萬元；由各區、縣收存的文物、字畫、硬木家具等實物330.51萬多件；各區、縣收存的財物變價達1,867萬元。

紅衛兵還通令驅逐大批地主、富農、反革命、壞份子、右派、資本家所謂「六類份子」人員離開城市，遣返回鄉。被驅逐的居民，包括很多隨子女在北京料理家務，照看孫輩的老者。被紅衛兵押送回原籍的人當中，有不少人不論男女被剃了光頭、「陰陽頭」，沿路屢遭凌辱、毆打，一些人慘死於遣返途中的毒打和虐待。據統計，8月下旬至9月約40天，北京市有8.5萬人被驅趕回原籍。

「破四舊」運動中，紅衛兵打人、關押、人身折磨等瘋狂的暴力行為屢見不鮮。8月23日，北京的紅衛兵在孔廟大院燒毀市文化局收存的戲曲道具和戲裝，並把北京文化界多位知名作家、藝術家掛上「牛鬼蛇神」、「反動權威」等牌子進行批鬥。著名作家老舍被毒打，次日投湖自盡。在抄家的高潮中，25日北京市發生兩起被抄家、被批鬥者反抗的事件。崇文區欖杆市的市民李文波用菜刀砍傷了前來抄家、對他和家人實行批鬥的紅衛兵。同日，北師大二附中學生曹濱海用菜刀砍了前去抄家的紅衛兵。紅衛兵認為這是嚴重的階級報復事件，由此變本加厲地瘋狂打人，無辜市民被毒打致死的數字急劇上升。紅衛兵和學生的暴力引來其他人參與。從8月27日至9月1日，大興縣發生殺害地主富農及家屬325人的慘劇。據官方統計，1966年8、9月期間，北京市被打死的人達1,772名之多。

紅衛兵的「紅八月」是北京市民難以忘卻的血腥恐怖的紅色劫難。紅旗如海，「紅寶書」如潮，海嘯般山呼萬歲的場景背後，古老京城一條條胡同，一所所學校乃至一個個鄉村，淪為慘絕人寰的人間地獄。

毛澤東和中共中央支持和讚賞紅衛兵「破四舊」運動，但對於紅衛兵的具體行為，採取了有區別的政策。對於改商店、街道名稱、禁止某些服裝髮式等文化方面的激進行動，在官媒上予以讚揚。對於抄家、驅逐等行為給予支持、指導和配合，但不在媒體做正面報導。對於打人以致打死人的行為，原則上要求「要用文鬥、不用武鬥」，但不予追責，實際上是放縱。後來暴力問題引起社會的恐慌，中央才發表社論，或由領導人講話勸説，或鼓勵、支持一部分紅衛兵，例如西城區糾察隊、清華附中紅衛兵，發佈文告宣傳政策，制止打人等極端行為。林彪和周恩來在8月31日群眾大會上都強調「要用文鬥，不用武鬥。不要動手打人」。9月5日，《人民日報》發表社論〈用文鬥，不用武鬥〉。「破四舊」運動中迅速升級的嚴重暴力行為在9月初開始退潮，到9月下旬，「破四舊」運動逐漸平息。然而短短一個多月的運動對人民生命財產、文物古蹟等造成的浩劫是永遠難以挽回的。

「破四舊」的參與者主要是老紅衛兵和保守派學生，這時的大學造反派忙於平反，中學生造反派還沒有形成。

(三)「少數派」揪工作組

在紅衛兵「破四舊」運動席捲北京市和全國的時候，另一些大學生做着不同的事情：要求徹底平反，揪工作組領導回校檢查，為此衝擊上級領導機關。8月23日，北京地質學院東方紅公社(簡稱「地院東方紅」)一千多人步行到地質部，要求原地質學院工作組組長、副部長鄒家尤回校檢查，接受批判。地質部黨委為保護鄒家尤的人身安全，沒有答應學生的要求，學生遂靜坐絕食。中央文革小組表態支持學生。次日鄒家尤返校聽取批評。9月5日，「地院東方紅」二進地質部，鄒家尤去地院後，學生仍然滯留，與前去驅趕的首都紅衛兵糾察隊西城分隊(簡稱「西糾」)中學生發生衝突。10月，「地院東方紅」又有三進、四進地質部。

8月25日開始，北京航空學院紅旗戰鬥隊(簡稱「北航紅旗」)到國防科委門口靜坐28天，揪工作組長、國防科委的局長趙如璋回校檢查，接受批判。國防科委副主任羅舜初擔心趙如璋的身體情況和人身安全，多次請示林彪得不到答覆。中央文革小組報告毛澤東。毛澤東支持「北航紅旗」的要求。9月21日，陳伯達接見學生，22日寫了「軍令狀」：要求趙如璋「以普通勞動者的態度，同北航學生聚談或者同住幾天，科委的幹部（包括羅舜初、趙如璋），如果被學生殺死或殺傷，陳伯達情願抵償。」23日，國防科委放趙如璋去北航，學生撤走。有陳伯達的軍令狀，學生對趙如璋也不至施加人身傷害。「北航紅旗」靜坐期間，「西糾」曾出動前去阻攔，但途中得到通知，返回。

在上述「破四舊」運動和揪工作組兩個學生造反潮流中，前者雖然轟轟烈烈，卻把鬥爭的矛頭指向了社會上早已被打倒的階級敵人和文化教育界人士，沒有「炮打司令部」，偏離了文化大革命的重點目標——整黨內走資本主義道路的當權派。毛澤東需要的主要是後者，即群眾參與黨內鬥爭，然而恰是衝擊當權派的活動阻力重重。為此，8月21日解放軍頒佈〈總參謀部、總政治部關於絕對不許動用部隊武裝鎮壓革命學生運動的規定〉；22日，中共中央同意公安部〈嚴禁出動警察鎮壓革命學生運動〉的規定；23日，《人民日報》刊出社論〈工農兵要堅決支持革命學生〉。這些文獻都意在反對壓制向當權派造反的學生，而不是向「黑六類」、「牛鬼蛇神」造反的紅衛兵。

8月和9月間，在北京的高等院校裏，受工作組影響的學生仍然佔有多數派的地位，而反對工作組的學生是少數。北京高等院校出現了三個聯合組織：8月27日成立的「首都大專院校紅衛兵司令部」（俗稱「一司」），模仿中學紅衛兵，高級幹部子女佔有核心地位；9月5日成立的「首都大專院校紅衛兵總部」（俗稱「二司」），主要由保工作組的多數派學生組成；9月6日成立的「首都大專院校紅衛兵革命造反總司令部」（俗稱「三司」），主要是反工作組的少數派學生。中央文革小組日益明顯地支持「三司」。大學生圍繞擁護或反對工作組分成的少數派和多數派，構成了後來保守派和造反派的雛形。

（四）中學紅衛兵「西糾」

在中等學校，以幹部子女為核心，由「紅五類」子女組成的紅衛兵，即「老紅衛兵」佔絕對優勢。中學的造反派組織剛剛冒頭，沒有形成規模。老紅衛兵之中，小部分曾經與工作組有過矛盾和摩擦，以海淀區的清華附中紅衛兵和北大附中紅旗為首，其核心成員多為中高級（地師局級或省部級）幹部子女。而成立較晚，為數較多的是西城、東城等市區中學的紅衛兵，「西糾」以這類紅衛兵為基礎。

「西糾」的頭領，大多在文革前夕就受到校領導鍾愛，運動開始後，背棄校領導。工作組時期再受器重，在得知毛澤東批評工作組之後又突然變臉批評工作組。他們並無多少反工作組的「業績」，卻能以紅衛兵領袖的身份發佈通令，儼然以紅衛兵行動的指導者自居。究其原因，一是高層領導家庭背景，二是高層領導的支持，至於政治能力，很難說佔多大份量。這些紅衛兵負責人的家庭背景是國家級或省部級高幹，遠非一般紅衛兵可比。他們沒有賣力地宣揚「老子英雄兒好漢」，或許還表示過些許保留，但無疑是階級路線的實際受益者。「西糾」得到國務院和北京新市委領導的特殊青睞，政治上得以在毛澤東接見群眾等重大活動中協助維持秩序，物資上得到車輛、電話、經費等便利。他們對紅衛兵行動的態度，首先是維護，其次是要求執行政策。他們的通令不僅在原則上，而且在很多細節上都與國務院和北京新市委的態度絲絲相扣，人們有理由相信其背後有高層領導的指點或小道消息，儘管當事人至今對此三緘其口。例如：通令保護國家機關，保護老幹部，「絕不允許何人擅自查抄國家機關、查抄國家負責幹部的家！」通令「嚴禁打人」，對遏制打人行為的惡性蔓延起到一定作用，卻不准追究打人者的責任，聲言「抄了就抄了，打了就打了」。通令堅決支持查抄地、富、反、壞、右、資六類人的家，又要求進行調查，通過組織，「不准錯查一家，也不准漏查一家」。通令驅趕「黑六類份子」限期離開北京，後來又提出某些政策細節的調整。這種對文革群眾運動的姿態與周恩來以下國務院領導的態度一致，卻恰恰不符合毛澤東對群眾運動的期待，關鍵是沒有把矛頭指向黨內，阻礙群眾衝擊當權派。

四　造反的第四波：矛頭向上，衝擊黨內當權派

1966年10月，毛澤東發動了批判資產階級反動路線運動，把群眾運動的矛頭引向黨內鬥爭，炮轟黨內當權派。在中央文革小組的支持下，反對工作組的「少數派」成長為多數，改稱「造反派」，而保工作組的「多數派」變為少數、被稱為「保守派」。中學生造反派在批判「血統論」的活動中興起。群眾運動的鬥爭方向終於指向了黨內當權派和劉少奇「司令部」。

(一) 批判「資產階級反動路線」

9月18至20日，中央文革小組和軍委文革小組召開大專院校部分師生座談會，有學生反映：受打擊學生的問題沒有很好地解決，他們依然是少數。座談會紀要轉給毛澤東，毛澤東認為阻力仍然很大，必須再次推進。10月3日出版的《紅旗》雜誌第十三期社論提出「必須徹底」「批判資產階級反動路線」。5日，中共中央批轉〈關於軍隊院校無產階級文化大革命的緊急指示〉，其中重要的一項內容是：要求為運動初期被院黨委和工作組打成「反革命」、「反黨份子」、「右派份子」和「假左派、真右派」的同志平反。6日，「三司」和「北航紅旗」召開了十萬人的「向資產階級反動路線猛烈開火誓師大會」，周恩來、江青、陳伯達、康生等領導人出席。批判資產階級反動路線的群眾運動拉開序幕。

所謂「資產階級反動路線」，指劉少奇主持中央時期領導運動的政策，被說成是與「毛主席的無產階級革命路線」相對立的路線。劉少奇對文革的領導，是通過黨的組織體系自上而下貫徹的，因此黨的各級領導都執行過，都要檢討。於是，黨政領導的權威和正確性大打折扣，而受過打壓的學生則會窮追不捨。群眾的矛頭指向了黨內，指向了當權派。

12月18日，張春橋遵循毛澤東旨意，約蒯大富到中南海西門一間值班室見面，說：「中央那一兩個提出資產階級反動路線的人至今

仍不投降，你們革命小將要聯合起來」，「痛打落水狗」。25日，清華大學井岡山兵團到天安門遊行，喊出：「打倒劉少奇」、「打倒鄧小平」的口號，群眾運動的目標清晰了。

(二)造反派爭平反，批工作組，批「血統論」

10月，中央工作會議是貫徹批判資產階級反動路線的重要會議。陳伯達在會上講話，要求黨委或工作組公開承認執行了一條反動的錯誤路線，認真為打成反革命的人平反，並支持革命學生的革命行動。反工作組的學生打出要求徹底「平反」的旗幟，要求工作組公開認錯，追索整人的「黑材料」。他們從批判工作組，追責到資產階級反動路線的制定者劉少奇、鄧小平。在毛澤東和中央文革小組的支持下，少數派的平反要求贏得了校園內外的同情，逐步壯大為多數，稱謂變為「造反派」。

陳伯達在10月中央工作會議上還批判了「老子英雄兒好漢」的對聯，說那是「剝削階級反動的血統論」，不點名地批判了北工大譚力夫保工作組和讚賞對聯的講話，要求高級幹部子女不要把持領導地位。由此，老紅衛兵竭力鼓吹的「老子英雄兒好漢」在學校和社會受到廣泛批判，家庭出身不再是參加群眾組織的障礙，不同出身的學生都可以參加或自行成立群眾組織。由於工作組沿襲1957年反右運動的做法，基本不在中學生裏劃「右派」、「反革命」，因而與中學生的矛盾不很尖銳，而非「紅五類」出身中學生感受的最大屈辱和壓迫來自老紅衛兵的「血統論」。「血統論」成了造反派與老紅衛兵分歧的焦點，批判「血統論」吸引了大批遭冷落、歧視、打擊的中學生參加運動，加入造反派的陣營。

在批判「血統論」的高潮中，北京青年工人遇羅克撰寫的〈出身論〉得到一些中學生的強烈共鳴，於1967年1月在《中學文革報》上發表，流傳全國。遇羅克的觀點在激進造反派中有相當的擁護者，但是比造反派的思想深刻很多。

造反派宣稱是「為毛主席的革命路線而戰」，他們強調的是(黨內)路線鬥爭，不同於老紅衛兵和保守派強調階級鬥爭。平反和批「血統論」動員了大批因工作組或家庭出身原因處於邊緣狀態的學生，他們感到了解脱、解放和信任，由此心甘情願緊跟毛澤東和中央文革小組充當批當權派和劉鄧的馬前卒，正如中學造反派的一首歌所唱：「山連水，水連天，我們和中央文革心相連。」

批判資產階級反動路線以後，當權派成了主要的被審查、被批判的對象。此後，在大字報上被炮轟、指責，站在群眾大會台上做檢查、低頭、彎腰的，逐漸換成了大大小小的當權派。隨着造反派鬥爭的進一步發展，不少當權派淪為被侮辱、被毆打、被關押的對象。以往的運動和文革初期是領導審查群眾，在群眾中打擊「反革命」；現在換成了造反派群眾審查領導，在當權派中批判堅持錯誤路線、「走資本主義道路」的人，而在當權派和造反派的上面是黨的領袖毛澤東。當權派的依靠是黨的組織，還比較講究政策和規矩；而造反派依靠的是毛澤東和中央文革小組的支持，不那麼在乎政策和章法，常常使用暴力。

從8月開始，一批又一批北京學生赴外地串聯，先後將不同派別北京學生的觀念和行為方式傳播到各地，對外地學生和群眾運動的發動起了重要的推動作用。

(三)「十二月黑風」與聯動

學生裏淪為少數的保守派憤憤然於文革的新動向，貼出一批大字報，對抗造反派並質問其後台中央文革小組。例如：11月25日北京航空學院「八一」縱隊貼出「一問」、「二問」、「三問」中央文革小組的大字報。30日，北京林業學院紅衛戰鬥兵團貼出標語：「踢開中央文革，自己起來鬧革命」。12月4日，清華大學紅衛兵紅雷戰鬥隊貼出大字報〈中央文革小組的路線錯誤必須批判〉。

清華附中紅衛兵、北大附中紅旗等海淀區中學老紅衛兵在12月5日成立首都紅衛兵聯合行動委員會(簡稱「聯動」)，「聯動」成立宣言提出：批判「資產階級反動路線的新形式」，實際是要批判「批判資產階級反動路線」。「聯動」的政治要求，一是反對普遍衝擊領導幹部，即「反對亂揪革命老前輩」；二是反對打擊以幹部子弟為核心的老紅衛兵，即「誰敢亂捕革幹、革軍子女小心狗頭」；三是反對中央文革小組的路線，即「中央文革某些人不要太狂了！」「聯動」認為文化大革命出現了方向和路線的錯誤。「聯動」與造反派發生大大小小的衝突，從互相罵戰到動拳頭，還衝擊公安部，要求釋放被抓的同伴。

1966年12月前後，保守派和老紅衛兵的抗爭被造反派稱為「十二月黑風」。他們無力挽回昔日的威風，批判「血統論」已使他們落入孤家寡人的境地，抗爭招致中央文革小組的鎮壓。中央文革小組在鼓動學生反對工作組的時候，聲稱不准把群眾打成反革命，但是當面對「聯動」和保守派的激烈反抗時，它卻毫不含糊地打擊質疑的學生，把「聯動」打成「反動組織」，把「聯動」的骨幹和頭頭抓進監獄。毛澤東1967年2月談道：紅衛兵也是不斷分化的，夏季是革命的，冬季變成反革命的。這可以說是毛澤東對老紅衛兵的評語。

而在另一方面，「聯動」在被逐出舞台時，給批判「血統論」的造反派放話：「幹部子弟要掌權！天下是我們的！」「二十年後的世界是我們幹部子弟的！」幾十年過去，當年的少年狂言與遭人詬病的現實之間，不難看到制度的弊端。

1966年北京學生的造反，經歷了主要衝擊學校、工作組、社會上的「四舊」與「階級敵人」，直到黨內當權派的過程。首倡「造反」的老紅衛兵並非「造反派」，而是造反派的對頭。老紅衛兵鬥爭校領導、教師和「牛鬼蛇神」出盡風頭，但不願衝擊當權派，最終被拋棄。起初在政治和社會關係上處於邊緣狀態的學生，後來居上，成為跟隨毛澤東參與黨內鬥爭的造反派和運動的主流。學生運動興衰更替的最終操控者是毛澤東。

知識青年上山下鄉運動

潘鳴嘯（Michel Bonnin）

「知識青年上山下鄉」在中外歷史上均無先例，該政策影響了整整一代中國人，成為集體記憶。本文試圖介紹這一場特殊和複雜的運動之來龍去脈，並簡要分析運動的成因及後果。

一　文革前的知識青年

中國在1955年開始便把一些城市中學畢業生下放到農村勞動，像1949年成立的中華人民共和國很多新政策一樣，此舉模仿蘇聯的做法。1954年，赫魯曉夫（Nikita S. Khrushchev）要求蘇聯共青團組織大批城市共青團員和幹部到偏僻的地方墾荒，以提高農業產量。中國共青團派代表團去蘇聯學習經驗之後，曾經組織了幾百名共青團員到北大荒墾荒。1956到1958年，幾萬城市青年被送往農村參加工作，目的之一在於解決城市青年就業困難，以及升學名額不足。

1955年，毛澤東在《中國農村的社會主義高潮》的一篇按語（此書共104篇按語）中的話，成為後來知青運動的號令：

> 一切可以到農村去工作的這樣的知識份子，應該高高興興的到那裏去。農村是一個廣闊的天地，在那裏可以大有作為。

實際上，當時他提到的「知識份子」主要是在附近城鎮上過小學(小部分上過初中)的農村青年。合作社需要識字和懂算數的社員，所以鼓勵他們回農村。1958至1959年，工業大躍進成為當務之急，政府不僅沒有繼續下放城市青年，反而鼓勵了2,000萬農民進城當工人。1960至1961年，因農村大饑荒及城市工業的衰退，政府被逼改變政策。為了解決食品供應和就業機會的短缺，政府不但把2,000萬農民遣送回農村去，並組織城市青年下鄉。1962年，開始「遣送」城市居民(包括知識青年)到農村的政策。1962到1966年春天，共有129萬知識青年(即「知青」)下鄉。他們多數初中畢業，少數高中畢業。這個數目遠遠超過1950年代的人數(1955至1966年總數估計少於150萬)，但比起當時城市青年總數還算少數。

城鄉二元化是毛時代的一大特徵，嚴格的戶口制度限制農民離開土地，他們沒有城市居民享有的固定工資收入，食品、房屋配額，以及各種文化體育設施。這些下鄉青年為甚麼離開父母，放棄城市戶口，淪為農民？答案在於當時的高壓政治下，他們沒有選擇的餘地。1962年9月24日，毛澤東在十中全會提出「千萬不要忘記階級鬥爭」的口號。大躍進引起大饑荒，黨內外怨聲載道，毛澤東的威望受損，重提「階級鬥爭」是他奪回絕對領導地位的戰略。

1949年各個政治運動中被定為「黑四類」(1957年反右運動後變成了「黑五類」)的人和他們的直系親屬，成為階級鬥爭的對象。這些人「只許規規矩矩，不能亂說亂動」，是社會上的另類。百姓害怕淪為賤民，人人自危，於是形成社會上的政治高壓。「出身不好」的年輕人在上學和就業中被歧視，因政治因素「不宜」上大學或高中，也不能進入行政部門或國營企業工作。也有青年深受愛黨愛國的教育，響應接受「光榮下鄉」，「到祖國最需要的地方去」的動員。一方面想表現他們的「革命」態度，站到革命隊伍中。為了宣傳，政府將農村描繪成美麗的田園，尤其新疆這樣的地方，簡直就是夢幻般的異邦，令不少人信以為真。大部分人一到目的地立刻感到受騙了，卻為時已晚。經年累月，回城的希望一天比一天渺茫。文革一開始，這批知青説下鄉是劉少奇的政策，以回城鬧革命為理由，要求政府允許他們回家，未能如願。部分回城的老知青，在1967年底再被送回農村。

另一方面，文革開始(1966年5至6月)後政府運作停止，慣常的安排新的知青下鄉工作也就停頓了。但革命青年應該和工農兵相結合這個毛澤東的概念，一直影響這一代人。1967年，一些對紅衛兵運動開始感到失望，並受過1960年代初對知青模範宣傳影響的年輕人，決定以到「最艱苦的地方去」這樣的革命行動來表示對毛澤東的絕對崇拜，希望在那兒可以繼續鬧革命。10月10日，有十名北京青年獲批准去內蒙古。離開北京前，他們在天安門毛澤東像前宣誓：

> 我們心中最紅最紅的紅太陽，最偉大的領袖毛主席，我們——無限忠於您的紅衛兵向您宣誓：
>
> 您偉大的思想，是指導世界革命人民前進的最最光輝的燈塔，我們永遠永遠無限地忠實於您，無限忠於您的思想，忠實於您的革命路線。……前面有曲折，也有反覆，但是您的光輝思想永遠照着我們，我們永遠高舉您的偉大思想的紅旗，前進！最最敬愛的毛主席，我們遵照您的「知識份子與工農相結合」的偉大指示。邁出了第一步，我們將循着這條革命大道一直走下去，走到底，永不回頭！

一個月後，1,200個知青去到內蒙古和黑龍江，1968年2月，55個北京青年到雲南西雙版納。這些知青受官方宣傳大肆讚揚，但官方組織大規模下鄉卻是後來的事。

二　從紅衛兵到知識青年

1968年，中央試圖恢復社會秩序，在各省市成立革命委員會，卻沒能熄滅各地造反派鬥爭的風潮。為了結束紅衛兵運動，毛澤東派軍宣隊、工宣隊進駐學校，試圖維持秩序。1968年7月27日第一個工宣隊進入清華大學，紅衛兵以武力抵抗。之後毛澤東在人民大會堂訓斥北京主要大學五個造反派頭頭。從此，一朝稱雄的年輕人失寵，但是派鬥仍然在很多地方繼續。工宣隊開始組織部分學生到內蒙古和黑龍江的農場。9月，毛澤東發出兩條要將年輕人送往農村的指示，效果不彰。於是毛發表了著名的12月22日指示，由此開始一次轟轟烈烈的運動，甚至可以說是大人口遷徙，稱之為「知青下鄉」。1966年，毛改變了這一代人的命運，將他們從普普通通的學生，變成了「革命小將們」，可以打老師，甚至打父母，後來也可以「奪權」，「打倒」幹部和領導人。1968年底，毛澤東再次改變他們的命運：

> 知識青年到農村去，接受貧下中農的再教育，很有必要。要說服城裏的幹部和其他人，把自己初中、高中、大學畢業的子女送到鄉下去，來一個動員，各地農村的同志應當歡迎他們去。

當時，因為很多青年衷心崇拜毛澤東，在「主席揮手我前進」的精神和周圍熱烈氣氛的影響下，不少知青積極報名到鄉下去，當然也有許許多多不想離開父母和城市。無論如何，他們得「自願」報名。政府用各種方式對家長及子女施加壓力，包括勒令父母單位停發工資，甚至派人住到不願意走的人家中，直到此人答應為止。自願或不自願，都無法抵制或反抗。到農村去，還是到邊疆的農場去，是唯一的選擇(「出身不好」的知青，政府不信任，一般不允許到邊疆去)。在農村的生產隊裏，只能每天掙工分，沒有固定工資，甚至吃不飽。農場受軍隊管理，叫「生產建設兵團」。軍隊威望高，而且農場有固定工資，雖然那邊離家很遠，氣候差，不少知青仍然選擇到邊疆去。

1968年底開始，每天有大批知青坐火車、公共汽車，或者乘船離別家人，告別城市。至1970年春天，大約有500萬知青到農村去。他們當初懷抱的革命熱情，對新鮮生活的憧憬，通常在到達目的幾個月後(甚至第一天)，很快成為泡影。

將年輕人「發配」到農村去，除了徹底解散紅衛兵組織的意圖，就業問題也是一個考慮因素。1966屆到1968屆的學生沒怎麼唸書，大學停課，中學生斷了升學的路；文革動亂以來，經濟停滯，工廠企業無法正常運作，也就沒有人員需求，上山下鄉運動於是一舉三得地解決了所有問題。兩年半沒有唸書的「老三屆」「被畢業」了，極少數留在城市當工人，後台最硬者參軍，大部分人下鄉。

三　運動的低谷與回潮

1970到1972年，下鄉人數明顯降低(見圖1)。文革在城市大動亂以後，經濟開始有所恢復，需要補充勞動力。另一方面，適齡下鄉的青少年從哥哥或姐姐那裏已經知道下鄉可不是那麼浪漫的事情，於是設法逃避。林彪1971年9月13日逃亡未果死去，黨政高層發生重大變故，上山下鄉不再是當局關注的重點了。

林彪去世後，不少文革時罷了官的幹部得到平反，恢復原來的職位。這些人中不少靠重新獲得的權力幫助自己的孩子回城。當時大學剛剛開始接受「工農兵學員」，學生不用考試，只需要靠「群眾推薦」，實際上是幹部推薦進入大學。有權者很容易就幫助自己孩子走後門進入大學。此外，有後門的知青通過進工廠或單位回到城市。

1973年，政治危機過去，也難說是一種偶然的機緣，文革領導人，特別是毛澤東，再次關注上山下鄉運動。一位叫李慶霖的福建小學老師給毛發了一封「告御狀」的信，神奇地送到毛手中。李說他有兩個兒子，大的下了鄉，在農村沒法養活自己，需要父親資助。第二個孩子快畢業，也要下鄉，他的工資不夠養兩個知青。他責怪當官的不關心知青的具體問題，抱怨說有後門的知青陸陸續續回城。毛澤東親自給他回信了。信封裏有三張紙鈔，附上一紙短柬：「寄上300元，聊補無米之炊。全國此類事甚多，容當統籌解決。」周恩來聞風而動，立即組織全國知青工作會議，並派幹部下鄉調查知青的問題。

會議於1973年8月結束，要求各層的領導幹部好好管理知青問題，並提高了知青的安置費(第一年政府資助知青的生活費用)，提供更多給知青蓋房子的建築材料。頒佈新政策，允許每一個家庭留一個孩子跟父母同住，無需下鄉。1974年，開始推廣「株洲模式」，即知青父母的單位資助知青插隊的農村，成立有房子的知青點，甚至單獨的知青農場。

毛澤東給李慶霖的信和全國工作會議給了上山下鄉運動新的活力，下鄉知青的人數便從1973到1977年達到了新的高峰(見圖1)。

四 知青長期面對的問題

新政策實施以後，很多地方知青的日常生活有了一定的改善，但不能改變農村的生活條件遠遠不如城市的事實，也不能改變知青想家，想離開農村的迫切願望。另一方面，愈來愈多知青住在知青點，在知青隊勞動，上山下鄉運動的初衷和公開理由：「與工農兵相結合」，「接受貧下中農再教育」，已經失去意義。時至今日，知青清楚地看到他們對改變農村起不了甚麼作用，甚至成為農民的負擔，使整個運動失去原來美麗的光環。年輕人在「大有作為」口號的鼓舞下，短時間吃苦可以接受，當他們意識到知青對改變農村的貧困無能為力時，農村的艱苦變得難以忍受。知青不但經常吃不飽，沒有像樣的房子，日復一日從事又苦又無味的勞動，尤其受不了貧乏的文化和精神生活。為借一本書，他們不惜長途跋涉。作家王小波形容他帶來的一本書被太多人翻看後，成了「一卷海帶的樣子」。

此時，他們變成了不屬城市也不屬農村，被人可憐的群體。農民不認為他們會永遠留在農村，不把他們當本地人；回城探親的時候，則會被認為是「鄉下佬」，不受歡迎。最難擔待的是當初的理想被砸個粉碎，前途一片迷茫。

在農村、農場待了幾年後，知青到了適婚的年齡。此時結婚，他們就得一輩子留在那兒。和當地農民結婚，或者兩個知青之間結婚，都歸入在當地「安家了」之列，斷了進城的路。有知青變成不結婚的男女朋友，但不能公開戀愛關係，更不可以同居，否則將會因為「資產階級」行為受批判。未婚的人避孕當時是一件羞恥的事，知青也缺乏這方面的常識。墮胎需要批准，一旦給人知道，後果嚴重。年紀小，性知識幾乎等於零的女知青受到更大困擾。不少資料顯示，有相當一部分女知青被強姦或受了嚴重騷擾。官方也承認這一問題，1973年公佈農場幹部因強姦女知青被判死刑的消息。一些女知青，因失去了所有回城的希望，被迫承諾幫她們回城的幹部以身體做交易，即便受騙，也沒法去告狀。

五　回城的各種手段

上山下鄉運動是文化大革命的「新生事物」，是毛澤東「千年的偉大戰略」，知青要求農村「扎根」。有些人寄望通過政治表現被提拔上大學或當工人，宣稱要當一輩子農民，但絕大部分知青不想扎根。為了回家，或上大學，他們想方設法，包括假裝要扎根，要求「病退」或「困退」(因有病或家庭困難回城)。每一種途徑都引起知青之間的明爭暗鬥，或者賄賂當地掌權人。有人為了得到病退的藉口，賄賂醫生。給幹部送禮，用家長的權力走後門都很普遍。無可奈何的知青和他們的父母為了解脱悲哀的命運，將道德的考慮放到一旁。有知青甚至自殘，傷害自己的手或腳，然後以喪失勞動能力為理由要求回城。大批廣東知青不顧離開父母和國家的痛苦，冒着生命危險偷渡香港。不少知青非法回到自己的城市，沒法找到工作，也經常被警察抓了，遣送回農村。許多悲慘甚至悲壯的情節，超過小説家的想像。

六　一代人的反省和抵制

知青運動改變了一代人的意識形態。特別是林彪事件以後，面對真實、貧困無助的農村，看到農奴一般被困在土地上的農民，這些曾經對毛澤東無限崇拜的年輕人開始懷疑，他們偷看文革前內部發行的西方政治和歷史著作，創作自己的地下文學、自己的歌曲，甚至冒險寫信討論政治問題。有人為此付出代價，流行全國的《南京知青之歌》的作者被判重刑。

這一代人醞釀了新的思想和文化，並尋求表達的機會。毛澤東還在世的時候，發生過兩件集體反抗活動。一是1974年10月23日的廣州白雲山重陽事件。這天，大批廣州以及來自廣東各地的知青藉掃墓登高聚集，有人發表演説表示不滿，有些人公開説要偷渡到香港，招致警察來干涉。另一個事件為著名的「四五運動」。1976年4月4日清明節，大批北京人帶着花圈和標語來到天安門廣場，對去世不久的周恩來表示懷念。次日清晨，眾人發現所有悼念物件被連夜搬走，於是爆發抗議。廣場的「工人民兵指揮部」被搗毀。有人貼出小字報，其中有反對政府的內容，還有對毛不滿的詩歌，人群最後被民兵驅趕或帶走。最積極的參與者大部分是知青或當過知青的年輕人。毛澤東去世後，1978至1979年的「民主牆運動」主要參與者也屬這代人。這個運動的主要目標（民主、法制、人權）與毛的意識形態背道而馳。在鄧小平的「改革派」和堅持毛路線的保守領導的鬥爭中，這一代人明顯支持前者。

1976年毛去世，「四人幫」旋即被捕，政治氣氛慢慢有變化，毛聖旨一般不可動搖的一些重大政策被拋棄了。就在此時，知青自發地開始進行大規模反對上山下鄉的運動，要求集體回城。如此民眾運動，在毛澤東死前不能想像。1977年底鄧小平放棄毛澤東的「教育革命」恢復高考。政府提高了參加考試者的年齡限制，不少知青參加了因文革停頓了十年後恢復的高考。當然，能成功上大學的人只是極小的一部分，但這是一個重要的政治信號。在毛澤東去世後，不少知青以為上山下鄉政策會被放棄，他們很快感到失望，華國鋒表示要堅持毛澤東的「既定政策」。1978年的政治變化明顯，官方報紙很少談及上山下鄉。當知青聽聞將在10月30日開一次全國知青工作會議，有些人覺得應該趁機會要求回城。第一個請願運動在雲南西雙版納展開，其他的地方知青隨之而動。請願方式高調堅決：寫請願書、遊行示威、罷工、派代表團到北京。許多知青表示出抗爭到底的決心，不允許坐火車，他們步行，有人寫血書，有人絕食絕水。

工作會議終於在12月15日發表決定，稱將會漸次減少下鄉知青的數額，允許在鄉知青逐漸回城。會議決定並規定農場知青從此算農場職工，不屬知青，不能要求回城，激起農場知青的憤怒。雲南農場知青要求回家，組織集體下跪等激烈的行動。官方沒有公開答應，但實際上允許了所有的知青回城，從此浩大的回城風席捲全國。從1978到1980年發生了與1968到1970年初同樣的知青大遷徙，只不過方向相反。第一波下鄉大概有500萬知青，而大概600萬知青被捲入回城大潮。這是1949年後第一次大規模的請願運動迫使政府改變政策。當然，這個相對順利和平的結果，有賴於當時政治形勢的轉折。

絕大部分知青在1970年底和1980年初回城了，那些與農民結婚的知青則回不去了，不少知青為了回去而離婚。插隊時被安排在附近城市固定工作的一批，則無可奈何地要留下，但其中大部分後來找到了回自己城市的途徑。文革前有10萬左右出身不好或家庭極為貧困的上海青年被送往新疆，1970年代末還剩下3萬左右。他們沒有獲得與其他知青同等的回鄉機會。從1979年春天到1980年底，這些老知青舉行了一場持久而悲壯的請願運動，最終未被允許回城，引發許多問題和種種悲劇。

政府在1978年底的會議決定繼續讓部分知青下鄉「若干年」，1979年和1980年初有關部門繼續做宣傳和安排知青下鄉。條件比以前好多了，但同意下鄉的知青只有25萬，等於政府計劃下放的三分之一。1980年還有大概15萬知青下鄉，後來政府不聲不響地放棄了這個政策。

整個時期下鄉和在鄉知青的變化，可以查看以下二圖：

圖1：知青逐年上山下鄉人數

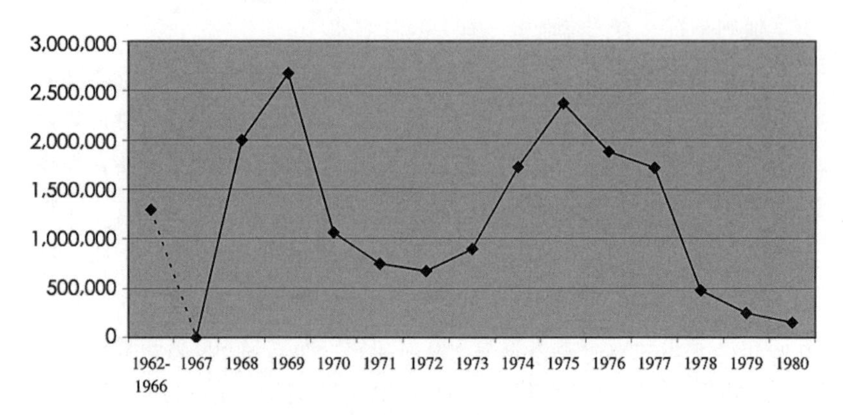

來源：國家統計局社會統計司編：《中國勞動工資統計資料(1949–1985)》(北京：中國統計出版社，1986)，頁110。

*1962至1980年總數為17,919,800人，其中1967至1980年總數為16,627,000人。

圖2：被下放及還在鄉知青人數

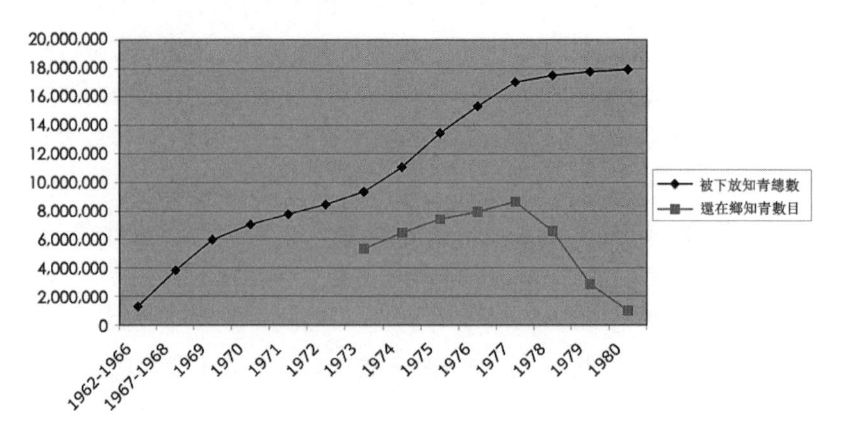

來源：國家統計局社會統計司編：《中國勞動工資統計資料(1949–1985)》，頁110；顧洪章等：《中國知識青年上山下鄉始末》(北京：人民日報出版社，2009)，頁193、301。

*兩個曲線之間的差距表示知青回城的數額。1973年前知青在鄉數額沒有公佈。

七　大浪費，大失敗

了解知青運動的全過程，便可以看到它是一場後果嚴重的錯誤。毛制定的這一政策不但造成民間疾苦，也為政府帶來重大負擔。文革後，有位領導說，「國家花了70億，買了四個不滿意」：農民、知青、知青父母和政府都不滿意。70億只是中央政府為了安置知青的直接支付，如果再加上地方政府和1974年後知青父母單位的支付，估計有150億，還不包括那些憂心忡忡的父母給孩子的錢和食物。和毛澤東的很多其他政策一樣，在經濟方面，上山下鄉運動不但沒有成功，而且適得其反。

和人力及人才的浪費相比，這個運動在經濟上的浪費不算甚麼。從1966到1976年，全中國的教育水平鋭降。在差不多一半城市青年下鄉的時候，中國大學生比以前少了大約100萬人，專業中學也少培養技術人員大約200萬。上山下鄉運動把個人命運與教育分割，「讀書無用論」不僅造成個人的悲劇，也是國家的損失。

這一代城市青年中，絕大部分失去了唸書學習的機會，成為「失落的一代」，他們失去正常的受教育機會，也失去他們原來的信仰和價值觀。毛澤東試圖改造一代人的思想，提倡政治掛帥，他說：「書不能讀得太多，馬克思主義的書要讀，也不能讀得太多⋯⋯讀多了就會走向反面，成為書呆子，成為教條主義、修正主義。」毛澤東從年輕時候，就認為革命的知識份子應該和工農兵相結合。要學生在基層，特別是農村，參加勞動和階級鬥爭，取得基層生活的經歷。他最擔心革命接班人變成他一向討厭的知識份子和沒有階級鬥爭觀念的「白專」。他提倡不斷革命，繼續革命，包括教育革命。上山下鄉運動是這個大目標的重要部分，可以使一部分城市青年變成「一輩子的社會主義新農民」。

就培養為共產主義理想而犧牲一切的革命接班人而言，毛澤東和他的支持者徹底失敗了。沒有一個知青自願留在農村，當「社會主義的新農民」，在農村的經歷也沒有讓他們變成盲目相信社會主義理想的人。相反，他們中不少人變成懷疑理想、講求實際的人。使這代人比較了解農民和農村社會，也許是這場運動最為重要的結果。這些都市中生長的年輕人，看到了真實的農村和農民，了解政府宣傳的虛假。這一代人雖然曾經崇拜過毛澤東，也從小受過共產黨和毛澤東思想的教育，激烈的紅衛兵經歷和冷酷的農村經驗，讓他們形成一種與毛澤東思想背道而馳的意識形態。屬於這一代人的一位社會學家曾經說：

> 從此以後，我們偏愛從自己皮肉上得來的真理，我們不再輕信任何人。當初讓我們到「廣闊天地」裏去接受「再教育」的人大概做夢也不會想到，他的這個殘酷決定帶來了甚麼樣的後果，造就了一群甚麼樣的人。他的理想主義造就了我們的現實主義；他的教條主義造就了我們的自由思想；他的愚民政策造就了我們的獨立思考。

當然，看透了毛澤東思想的人只是一部分，但連那些不想批評毛澤東，甚至到現在還公開崇拜毛的原知青，也不想回到過去的社會——為了共產主義烏托邦而要人人自我犧牲。不以改善生活為目標的話，提倡犧牲與艱苦很可能是欺騙大眾的口號。今天大概沒有一個原來的知青希望把自己的孩子送到農村「當一輩子的社會主義新農民」。

強迫性的從城市到農村的遷徙只能算是一種流放政策，在25年間直接影響了差不多2,000萬人。在城鄉生活與工作條件差別巨大的情況下，把大部分城市青年變成農民，堪比反轉歷史車輪，既沒有積極意義又反人性，運動以徹底失敗告終。對個人而言，大部分知青為此付出沉重的代價，除了在農村挨餓、受苦、與家人隔離以外，在大好年華失去受教育的機會，大多數知青回城後困難重重。1990年代，大批國營企業關門，缺乏教育背景的知青自然淪為「下崗」大潮的受害者。

八　保留記憶，搶救歷史

部分知青後來開始記錄、反思他們的經歷。1980年代，知青記憶基本上只在文學作品裏出現。「知青文學」有很多讀者，知青作家影響很大，他們較成功地表達了整整一代人的感受。到了1990年代，未來變得比較模糊，而社會急劇變遷讓他們感到邊緣化，不甘被遺忘的知青舉辦展覽，寫回憶錄，組織協會和各種活動，回原來下鄉地的旅行盛行起來。2000年起，很多知青互聯網網站也成立了。至今，大部分知青已退休，他們仍然充滿活力，熱衷組織活動，大多以回憶往事為主題。

知青記憶大體上可分為兩種：懷舊的記憶及批評性的記憶。前者可理解為普遍性的青春懷念。有趣的是，當時他們在農村時，想家及千方百計回城幾乎是眾知青一致的心態；時過境遷，而今的懷念轉為對農村的思念。固然，人的懷念與回憶都是選擇性的。因為對目前處境不滿，找不到生活的目標和意義，得不到社會的重視，自然傾向於認為以前更好，去歌頌曾經有過的經歷和心懷的理想。這個懷舊群體中，也有很多回城後比較成功的知青，現在的職位和身份是他們克服萬難，經得起農村生活艱難的考驗，來之不易，令他們感觸良多。不同的人對自己過往的經歷感受不一樣無可厚非，只是有人選擇最容易的方式：重複當時的宣傳，利用當時的神話來掩蓋客觀的歷史事實。尋求歷史的真相需要認清這些「回憶」也許在不自覺地為當年昏暗的現實塗上一層粉紅的色彩。

為了搶救自己的特殊經歷，不少知青下很多功夫。他們出書，哪怕是「自印書」，做調查，組織展覽和博物館，出版非常優秀的歷史和口述史著作。他們之中不乏訓練有素的歷史學家，通常基於自己對歷史的責任，下功夫搶救知青的歷史，留下最有意義、有價值的遺產。

註：本文的主要資料來源是作者的著作《失落的一代：中國的上山下鄉運動，1968–1980》，繁體版(香港：中文大學出版社，2009)；簡體版(北京：中國大百科全書出版社，2010)。

到陝北當知青

王克明

1966年文革開始時我不足十四歲，在北京三中唸初一，學校停課鬧革命，中斷了學業。後來又復課鬧革命，但與學業基本無關了。1969年1月，響應毛澤東「知識青年到農村去」的號召，我和同學們從北京坐一天一夜火車到西安，又一天悶罐貨車運到銅川，再一天布篷卡車北上延安。那天陝北黃土高原大雪紛飛，卡車輪胎捆上防滑鐵鍊，沿着蜿蜒山路緩慢行駛。我想欣賞「千里冰封，萬里雪飄」，坐在卡車後槽幫，飛雪中冷得蜷縮一團。晚上到延安時，棉大衣後背結成了冰坨。

第二天上午到了插隊的公社，農民從各村到山外來接知識青年，背着我們的箱子，沿蜿蜒小路步行幾十里地，帶我們走進深山大溝。從北京出發時，有離開家庭自由單飛的嚮往，也有投身階級鬥爭大風大浪的懵懂憧憬。但進村那天，面對的是滿目蒼涼，皚皚白雪，和一孔黑乎乎的舊土窰洞。

余家溝村十幾戶人家，百十號人，居住一面山坡，多是古時窰洞。溝底溪邊有個聚水石坑，是全村水源，人、牛、驢、狗同飲。每發山洪都被泥土淤滿，需挖開澄清。村民耕種全是山地，種些糜穀麥豆，燒荒墾草，毛驢送糞，牛犋耕種，羊群踩地，連枷或牛踩脱粒，木鍁和山風揚場，跟漢朝農業沒甚麼區別。而人民公社集體化制度，使農民喪失了勞動積極性，鄉村進入了有史以來非戰爭非災荒條件下最貧窮飢餓的時代，知青趕上的正是那時候。我們落戶余家溝時，鄉民勞動一天的價值，約值當時一斤毛糧，秋收分配所得不夠吃，戶戶靠糠麩充飢。

在城市，我們月口糧在25斤上下，勉強夠吃。下鄉頭一年，知青的口糧由政府供給，按重體力勞動者的低標準，不分男女，每人每月45斤。繁重的勞動加上沒有油、肉，45斤遠遠不夠，我們餓得發慌腿軟頭暈哆嗦，勞動無力。

開春前我們得砍夠一年用的柴火，在已經光禿禿的黃土高原上，破壞殘留的植被。春種夏鋤秋收，一直累到初冬糧食入倉。一年四季，知青和鄉民一起，受盡萬般勞累。麥收背麥上山，步步艱難，汗水從頭往下全身流淌，睜不開眼。種蕎麥時擔茅糞上山，人糞尿蛆蟲與種子和土拌在一起，手抓點籽。午飯送上山來，用土搓擦兩手，抓起窩窩便吃。烈日下翻麥地，渾身赤裸依然酷熱難當。深秋月夜上山，把莊稼背到打穀場上。冬寒中水沖土漿打壩，棉襖棉褲全凍成了冰。一年到頭沒條件洗澡，身上長滿蝨子。

一　風風火火的階級鬥爭

文革前，中國已進入「以階級鬥爭為綱」的年代，上山下鄉運動中，這更是生活主題。插隊第二年，農村開展「一打三反」運動。余家溝成立「一打三反專案組」，由村革委會主任和幾位知青組成，知青起核心作用，發動階級鬥爭。北京知青執筆記「大隊運動日誌」，1970年8月7日：「許多人不敢揭發。這需要我們做深入細緻的思想工作，團結一切可以團結的力量。今天會議知識青年都能衝鋒陷陣⋯⋯分頭做了工作。」如果沒有知青，余家溝不會發動起那次風風火火的階級鬥爭。

1964年，中共中央已認為，全國農村三分之一的社隊領導權在「走資派」手裏了，因此發起「四清」運動。那時任余家溝大隊黨支部書記的谷志有被定為「走資派」，開除黨籍下了台。「一打三反」運動開始，余家溝選不出可用於批鬥的地主富農，便把谷志有定為批鬥對象。知青從「四清」運動檔案裏找到他「反對集體化」的言論，如他說過「要不是合作化，光我那群羊也夠維持生活了」。檔案裏記載他損壞集體經濟的事實，是弄丟了一塊驢背上墊鞍架的布墊，一尺多大小，破布拼綴縫成。1970年鋤地時，天上出現日環，谷志有隨口說民諺：「天上三環套，地下人腦泡。」這成為他的現行反革命言論。運動日誌記道：「問題很清楚，谷志有又在談形勢，盼着美帝、蘇修、蔣介石趕快侵略中國，好讓中國人民『地下人腦（頭）泡』。」參加批鬥他的大會之後，我實踐「革命是暴力」，拳打了他，三十二年後才向他道歉。

運動中知青得到舉報，一位貧苦農民說：「毛主席萬歲，農業社倒灶八百輩子。」他本人否定，知青就教他的女兒說兩句「反動言論」，讓她回家教父親照着說，第二天來承認。女兒一路走一路背誦，一進家門又忘了，急得大哭。

以知青為核心的「一打三反專案組」，負責給批鬥對象整理罪名並定案。農民流露的看不慣毛澤東整人、不喜歡搞階級鬥爭、不滿意人民公社集體化、不願意家家戶戶土地耕牛等被收歸集體之類言論，都能歸類為「反黨」。專案組整理「反動言論」書面材料，報請上級要求把谷志有等兩個貧苦農民的成份改定富農，並定性為反革命份子，以便在余家溝製造出正式的敵人，取得階級鬥爭成果。

群眾出於恐懼，按知青要求做大會發言，使批判會有了合作表演性質。運動日誌8月18日記載：「晚上開了鬥爭……大會，大家配合得都不錯，會場氣氛很好。」余家溝又在全公社前進行了階級鬥爭演出。8月20日記載：「今天全公社黨員幹部、學生代表在我隊開了階級鬥爭現場會……會場上發言人很多，氣氛好。」

第二年，我被公社抽調去籌辦階級鬥爭教育展覽，給階級鬥爭故事畫畫兒。一些知青在一起寫詩填詞，傳閱書籍，聊些對極左的不滿。雖然沒懷疑黨和領袖，但遭人舉報為「反革命小集團」，幸而沒被追查。那個時期，《新階級》、《苦果——鐵幕後知識份子的起義》等「內部書籍」開始在知青中傳閱，也讀《羅馬史》、《伯羅奔尼撒戰史》之類，還有王小波《綠毛水怪》等手抄本。插隊時，我回北京在六部口內部書店買過一本《北美地理》帶回陝北，在窰洞裏看書中高速公路圖片，非常好奇，反覆琢磨汽車是怎麼在立交橋上轉彎的。

林彪事件後，我曾想辦法離開余家溝，沒走成。那時公社無償抽調各村勞動力，去修建僅讓兩個村莊受益的河堤工程。我被派往工地，猛幹活兒，端大飯盆吃飯，曾經一頓吃過2斤4兩，當了突擊排長。工地上的知青在荒山峁上刮掉草皮，弄出四個從高空能看得出的大字「人定勝天」。轟轟烈烈幹了幾年築成的十里河堤，後來被洪水推得沒影兒了。從工地回到村裏，我當過一年民小教師，在沒有窗戶紙的破窰洞裏，一個人教幾個年級的娃娃。冬天娃娃們凍得不行，我讓他們到我住的窰洞裏上課。

這樣又過了兩年，在和村民多年感情的基礎上，我決定扎根農村，改變村莊落後面貌，使自己的生命在農村也有價值。儘管已不覺得毛澤東是全能神，但認為改造農村是為了民眾利益，非常有意義。我和村裏老書記私下無話不談，包括我對江青的厭惡。他希望知青能給余家溝做些事，便推薦我當隊幹。我積極地投入當時的「農業學大寨」運動。學大寨不是農民自願，而是從上往下的強制行為。在「以階級鬥爭為綱」的高壓下，政治動員能力空前強大，才可能全面推行學大寨運動。那時這叫「抓革命、促生產」。

我當了大隊書記後，選擇改變余家溝落後面貌的捷徑是打一座大壩，造出百畝壩田。但這得淹掉我生活那個自然村的二十多畝穩產地和所有人家的自留菜地，以及溝底的那個石坑水井，有損眾人利益，多數村民反對。因此我回北京動員來了余家溝的第二批北京知青。知青力量的增強，壓制了反對的聲音，成為余家溝積極學大寨的重要條件。仍是以知青力量為主，為打壩工程成立了學習宣傳、經濟管理、技術等各種領導小組，還把「黨小組」建立在基建隊上，用「嚴格的紀律制度」建立規矩。

村民不滿利益受損，說「大隊要奪小隊的權」、「黨支部對人民群眾專政」。我卻堅持愈大愈重要的原則：打壩是生產大隊一級的利益，比各小隊重要，小隊又比每戶農民的利益重要。憑甚麼這樣？因為愈大愈代表人民群眾根本利益，公社、縣、省到中央都這樣代表。所以，最不重要的，就是農民最關注的個人利益。打壩總結材料裏寫道：「愈堅持鬥爭哲學，愈把工作搞得『硬』，才愈符合最廣大人民群眾的最根本利益。」「歸根結底，傷害的不是社會主義大家業的利益，而只是個人的或小集體的利益。」

傷害有理了，就敢於亮劍了。我在隊幹會、社員會上反覆強調打壩「最符合廣大人民群眾根本利益」，說小集體利益和個人利益是「右傾保守、路線鬥爭、資本主義傾向、邪氣、奇談怪論」等，甚至把開荒生產的原始農業傾向也批判為資本主義傾向。知青們還組織文藝演出，自編自演打壩內容的眉戶劇，在劇情中把打壩寫成階級鬥爭、路線鬥爭。我畫上鬍子在戲裏演「走資派」。製造政治壓力，目的是讓農民「提高覺悟」、「鬥私批修」，放棄對個人權利的關注，改為對根本利益的熱愛。

二　堅持保護農民基本利益的底線

打壩那年秋季徵糧時，上級規定村民人均口糧不得超過280斤，超過必須上繳，把農民都愁死了。我一算，平均每月23斤原糧，連糠帶麩。年人均只有200來斤成品糧，平均每月才十幾斤。而且土豆紅薯也算在裏面，5斤抵1斤糧食，這明擺着讓大家餓肚子。我和知青們堅決反對，要求少繳公購糧，多留口糧。愈大愈重要的原則不能用於讓農民餓肚子，這是我們的底線。我為村裏預算的口糧是人均500斤原糧，勉強能夠吃。那年上面最終沒有強迫多交公購糧。

打壩最緊張的階段，我在窰洞裏也關注北京的「四五運動」。那時國家已提出實現四個現代化的目標，讓我非常嚮往。我覺得堅持打壩就是為國家建設添磚加瓦，有一種使命感。我沒有貧苦農民那種「毛主席萬歲，農業社倒灶八百輩子」的洞見，主要是擔憂江青、張春橋幾個人掌握政權，阻礙國家實現四個現代化。當時扎根農村被視為極左，不過我來往的一些扎根知青朋友，在學大寨等方面有激進行為的同時，都堅持保護農民基本利益的底線，政治態度上也多是反江青、反極左禍國的。在毛澤東死後，這些朋友不約而同地產生了在山裏打游擊以對抗江青統治的幼稚想法。我們沒意識到，毛的離世，其實已結束了「倒灶八百輩子」的時代，為國家消除了實現四個現代化的障礙。

打壩完後，我用很多時間跑有關部門，聯繫解決村莊通電問題，在插隊第十年，終於在佘家溝看到了電燈。那以後，社會環境逐漸寬鬆，我緊繃的使命感也放鬆了，意識到將進入新的生活。1978年底我告別佘家溝時，雖然村裏有了不穩定的照明電，新築的水壩裏聚了一片水，但村莊面貌依舊。在「以階級鬥爭為綱」的年代，農民個人權利徹底喪失，面貌不可能改變。這方面，知識青年曾經起到過推波助瀾的不好作用。直到停止階級鬥爭和政治運動，解散人民公社，農民有了平等一些的個人自由權利，農村的面貌才逐漸發生變化，這是當年的知識青年不曾料想到的。

我們曾經相信的理論，崇拜的領袖，都已被歷史證明其謬誤。我希望下一代不再被洗腦改造，不再認為個人權利毫無價值，更不再被剝奪上學唸書的權利。

從狂熱到反思：文革一代的思想轉向

徐友漁

文化大革命號稱「轟轟烈烈」、「史無前例」，其實是以失敗告終，而且不是一般的失敗，是慘敗。

文革的發動者和指揮者毛澤東一死，屍骨未寒，他的妻子，號稱「文革旗手」的江青以及其他大小幹將就被悉數抓捕，宣佈為「反黨份子」，這是文革失敗的明顯標誌。此外，還有更深刻意義上的失敗。

如果只有「四人幫」的覆滅，文革的擁護者還可以説，文革的失敗是悲壯的失敗，光榮的失敗(他們可以比喻為巴黎公社式的雖敗猶榮)，文革作為一面光輝的革命旗幟將永存於民心，將鼓舞和激勵年輕的一代繼續革命。問題在於，早在毛澤東逝世之前，文革就漸漸地不得人心，狂熱支持文革的年輕人就質疑文革、反省文革，批判和反抗文革的暗潮就在全國各地湧動。可以説，即使毛澤東不死，文革也難以為繼。

文革結束之後，重新執掌政權的中共領導實施新政，徹底否定和清算文革，追求現代化的目標，就民心而言，這一時期新政的實施相當順利，説明反文革思潮有深厚的時代原因，並非僅僅因抓捕「四人幫」的宮廷政變而起。

積極投身於文革的一代人思想發生巨大轉折，經歷了一個漫長、複雜的過程，其間有個人的主觀努力，艱苦的學習、思考和探索，也有外部戲劇性事變，自身地位巨大變化等誘因。下面，讓我們走進文革一代人的精神世界，結合他們的不平凡經歷，探索他們的思想轉向。

一　革命，意味着欺騙與玩弄

年輕的一代曾經帶着強烈的理想主義和浪漫的革命情懷迎接文化大革命的到來，但是，他們收獲的不是鮮花和勝利果實，而是「狡兔死，走狗烹」的下場，是殘酷無情的玩弄和嘲弄。

為了敍述的全面和完整，我們首先要描述一個特殊群體的遭遇和思想轉向，他們自稱為「老兵」，即首批成立的、以「血統論」為宗旨的紅衛兵，最典型的是北京清華附中那些家庭出身為「革命軍人」、「革命幹部」的高幹子弟。據説，「紅衛兵」這個名稱就是其中的張承志（後來是中國著名作家）取的。

文革前，中國的政治制度和社會政策已經存在社會地位的區隔，尤其在青年向上流動的空間方面，按照家庭背景把人劃分為三六九等。最優者為父母是老資格革命家和高級幹部的年輕人，他們被視為革命事業的當然接班人，在入黨、入團、升學各個方面佔盡優勢；其他幹部子女以及出身於工農家庭的青年也屬上等；低一級但仍有爭取希望的是出身於中等家庭背景——比如教師、小職員、商販等——的青年。基本上，最沒有前途的是出身於「壞」家庭——地主、富農、反革命、右派份子等——的人。這種以家庭出身決定個人前途的政策被稱為「階級路線」。為了使國家政策拿得上枱面，這種歧視政策有時披上了合理化的外衣，叫做「重在表現」政策，即個人的實際表現和學業成績也是考核因素。當某個單位或學校的領導有理性或「注重政策」時，「重在表現」為中等家庭出身甚至個別「黑色」家庭出身的優秀青年提供了向上流動的路徑。

北京清華附中等中學裏，革命家庭背景的學生對於校方執行「重在表現」政策極其不滿，認為對幹部子女的照顧遠遠不夠。他們從家長那裏得到有關黨內鬥爭激烈、一場大的政治運動即將來臨的信息，於是率先打出「革命造反」的旗號，企圖發揮自身的天然優勢，在革命大潮中標新立異、嶄露頭角，取得接班人位置。他們的行動馬上得到毛澤東的青睞和讚賞。但是，在耀武揚威、不可一世地充當御林軍三個來月之後，這批老紅衛兵即遭到毛澤東和文革派當權者的拋棄與壓制。原因很簡單：毛澤東這次運動與歷次運動不同，要整治的不是知識份子和傳統的「階級敵人」，而是「黨內走資本主義道路的當權派」，即「老兵」們的父母，老兵在文革初期無情打擊傳統階級敵人的做法，對於毛澤東不僅不是投其所好，反而起了混淆打擊目標、干擾鬥爭方向的作用。

老兵們不但被毛澤東斷然拋棄，而且受到一定程度的打壓。這種打壓與對於其他人的鎮壓相比固然顯得輕微，但使老兵們驕傲心靈受到巨大的傷害。他們萬萬沒有想到，在革命政權之下，作為紅色後代居然會被壓制，而一想到幾個月之前與文革派當權者之間的蜜月，更是氣不打一處來，那時江青稱他們為「小太陽」，他們對江青一口一個「江阿姨」喚着。老兵的一副對聯最能反映這種失落與哀怨的心境：「想當初小將可愛造反有理，看如今血統高貴甚麼東西」，橫批「一落千丈」，署名「想不通」。

對於積極投入文革的大多數青年而言，「前捧後打」的遭遇是一樣的，但具體表現則有所不同。

對於家庭出身不顯赫、一般甚至不好的大多數人，文革是一次可遇而不可求的展現自己革命覺悟和革命熱情的機會。文革前，黨的政治教育和意識形態灌輸無所不在、威力強大，黨教導說，人生的最高理想、人類的最大價值即是革命，革命是生命的起點和歸宿。有人慨歎自己生不逢時，未能趕上大革命的潮流，錯過了表現革命意志和品質的機會。突然間，文化大革命爆發了，而這是決定許多人未來和命運的，史無前例的革命！於是，青年們意氣風發、義無反顧地投身於文革運動，他們的口號是：「刀山敢上，火海敢闖，誓死保衛毛主席！」實際上，確實有不少人實踐了自己的誓言，為捍衛他們認為的「毛主席的革命路線」歷經艱險，甚至獻出寶貴生命。

紅衛兵和造反派衝鋒陷陣，打垮了毛澤東的政敵，摧毀了所謂的「資產階級司令部」，有人不免有論功行賞、「打天下坐天下」的心思，即使是那些沒有政治野心的人，起碼也有「為捍衛毛主席的革命路線立下了汗馬功勞」的自豪心理。但完全出人意料的是，他們不但沒有從毛澤東那裏得到表揚和感謝，而且被加上了莫名其妙的罪名，被無情地趕下了政治舞台。

在1968年的夏天，毛澤東發佈了「最新最高指示」：「現在是輪到小將們犯錯誤的時候了」(後來正式見報時改為「現在是小將們有可能犯錯誤的時候了」)。緊接着，毛澤東調遣軍隊和工人的「毛澤東思想宣傳隊」進駐全國的所有大學和中學，強令學生退出文化大革命運動。這對於文革的積極參加者，不啻當頭一棒。為毛澤東衝鋒陷陣的革命小將當然記得，在文革發動階段，毛澤東和文革派當權者是如何支持他們，歌頌他們，表示要永遠與革命小將戰鬥在一起，永遠做他們的堅強後盾，這種剎那間的變臉，是他們完全沒有料到、完全沒有心理準備來接受的。

如果毛澤東或黨中央批評某些個人或群眾組織犯了錯誤，那麼被批評者無話可說。但硬要說整個革命小將群體都犯了錯誤而又不具體指出犯了甚麼錯誤，甚至說到了某個時間他們一定會犯錯誤，那只能說是「欲加之罪，何患無辭」。如果社會群體會輪流犯錯誤，那這些錯誤是真正的錯誤，還是被強加的錯誤？可以舉一反三地問，是不是也有「輪到走資派犯錯誤」或者「輪到工作組犯錯誤」的時候？

其實對於很多年輕學生來說，感覺到文革不是如黨和毛主席所說的那麼回事，早已發生了。紅衛兵這一代學生只是在文革才生平第一次真正接觸政治鬥爭。在之前，由於正面政治教育，他們從不懷疑黨的領導人是崇高偉大的，他們認為政治鬥爭毫無疑問是是非分明、高度原則性的。但實際上，文革給他們展示了政治鬥爭的骯髒和陰暗，這種事實使他們震驚和難以接受。

表現得最突出的是文革中的政治沒有原則。一個幹部，這一陣說他是「革命派」，過一陣又說他是「走資派」；一個組織，開始是「革命造反」組織，後又被說成是「保守反動」組織；一個事件，剛發生時叫「革命造反行動，好得很」，過了不久又成了「反革命復辟行動，糟得很」。總之，此亦一是非，彼亦一是非，好壞都憑中央首長或最高領袖的一句話，憑他們的個人好惡甚至一時的心血來潮，沒有定準。文革中紅得發紫，不可一世的人物陶鑄、王力、關鋒、戚本禹莫名其妙地倒台，使人感到政治的波詭雲譎和可怕。

文革中，重慶「八一五派」一度被當地駐軍首長捧上了天，封為「革命左派」，但在1968年3月，突然被中央文革當權派宣佈為犯了掀起「資本主義復辟反動逆流」的錯誤，該組織的成員被這當頭一棒打蒙了，百思不得其解。該派文膽周孜仁在他的回憶錄中記錄了他當時的心情和感想：

> 毛澤東的文革已經搞得中國天下大亂，到處都勢同水火，到處都你死我活，到處都按下葫蘆起來瓢……北京的操盤手們對此絕對是傷透腦筋的。那時判定誰對誰錯有甚麼真理標準？沒有。有甚麼道德評價？沒有。有甚麼行為規範？沒有。北京不需要誰再來造反再來懷疑一切打倒一切了，它就要你聽話。誰聽話誰規規矩矩誰就是左派，不聽話就是壞人，就是「黑手」，就有「幕後指揮」。
>
> 紅衛兵作為毛澤東時代一個畸形的政治群落，從被利用到被遺棄，它短若蜉蝣的生命，已經開始消亡。

江西一個紅衛兵學生領袖李九蓮在寫給朋友的信中說：

> 我不明白無產階級文化大革命到底是甚麼性質的鬥爭，是宗派鬥爭還是階級鬥爭？我有時感到中央的鬥爭是宗派分裂。因此對無產階級文化大革命發生反感。我認為劉少奇好像有很多觀點是符合客觀實際，是符合馬列主義的，又覺得對劉少奇是「欲加之罪，何患無辭？」感到對劉少奇的批判是牽強附會。文化大革命已收尾了，很多現象，很多「正確的觀點」，和運動初期的資產階級反動路線差不多，本質一樣，提法不同而已。

李九蓮因為這封信被打成反革命，最後付出了生命的代價，她是造反學生中從狂熱盲信到反思和質疑的突出代表。

二　現實是最好的教育

就在毛澤東宣佈輪到小將犯錯誤之後不到半年的1968年12月，他一聲令下，把全國中學生統統趕到鄉下或山區，美其名曰「接受貧下中農的再教育」。

過去的「革命小將」，現在的「知識青年」的不滿和抗拒心理是可以想見的。不少人看出，「接受貧下中農的再教育」不過是一個冠冕堂皇的藉口。他們從小受到的政治教育說，產業工人是革命覺悟最高的階級，如果青年學生需要改造思想，接受無產階級教育，那麼為甚麼不是進工廠接受工人階級的教育？他們把這看成是一種懲罰，「資產階級司令部」已經被摧毀，他們不再具有利用價值，於是被革命領袖當成垃圾掃地出門，而農村是有無限容納量的垃圾場。

懷着對前途的絕望，對農村艱苦生活的畏懼，年輕的中學生——最小的才16歲——無可奈何地奔向農村和山區。在火車長鳴啟動的那一刻，內心的苦楚再也無法抑制，告別親人故鄉的知青哭了出來，他們的哭聲與送別親友的哭聲匯成一片，成為告別「輝煌戰鬥歲月」的奏鳴曲。他們告別的不僅是故土與親人，而且是以前忠誠的政治信念。這時他們還沒有想到，那些動搖和開始破裂的信念，在鄉下接受再教育的過程中還會進一步動搖和破裂。

與大張旗鼓宣傳的「接受貧下中農的再教育」的目的相反，青年學生在鄉下得到了完全意料不到的教育，那是現實的教育。他們下鄉之前在學校受到嚴格的革命化教育，這種教育的中心思想是：解放前中國人民生活在水深火熱之中，是共產黨和毛主席解放了人民大眾，使他們成為國家的主人，從此過着幸福的生活；中國的社會制度是世界上最優越的制度，中國青年的歷史使命是進行世界革命，解放世界上三分之二的被壓迫被剝削人民。但是，中國農村的落後與貧窮達到了驚人的程度，農民缺吃少穿，在很多地方，一個人辛苦勞動一天的所得不夠買一個雞蛋，在極端貧苦的地方，甚至有全家人只能輪流穿褲子外出的情況。對於不少知識青年來説，下鄉不久，他們長期相信的「社會主義制度的優越性」的神話已經徹底破產。

更想不到的是，知青們從貧下中農的親口講述中聽到的，不是對共產黨的感恩戴德的歌頌，而是一個接一個家破人亡的悲慘故事。上海知青文貫中在回憶文章中記敍説：

> 農村生活也使我第一次了解到毛澤東的極左的路線、政策造成的人間煉獄式的災難。例如，有一次在田間休息時，我和一位上了年紀，經歷過舊社會，出身貧下中農的農民老大爺聊天。我突然產生一個念頭，要他告訴我他一生中最最悲慘的經歷。我原意是要聽他憶苦思甜，講講他在1949年以前處於俄國人和日本人統治之下的滿洲的所見所聞。此時其他農民都在地頭的另一邊抽煙，説笑，玩遊戲。他見四周無人，便悄悄説起有一年村裏如何糧食短缺，餓死許多人，活着的人也人人皮包骨頭，氣息奄奄。因為只有野菜充飢，大家整天肚子淌清水。他的老娘就是經不起飢餓的折磨去世的。他自己則每天餓得兩眼發黑，可是不得不下地幹活。我問他這場饑荒發生在哪一年，他並沒有正面回答我的問題，只是含着淚説，比起他的老弟，他的命還算好，總算活下來了。他的老弟那年已經餓病在炕上，無力起身。但是支部書記認為他在裝病，一定要他立即從炕上起來，下地幹活。他的老弟掙扎不起來，書記命令來人將他押到地裏。他的老弟東倒西歪地來到地裏，幹了沒多久，便倒在地上，再沒起來。我聽了十分同情，也十分困惑。難道俄國人或日本人統治時期也有支部書記的設置？我這一問，他才吞吞吐吐地説，我説的事發生在1959年和1960年，但是這段時期確實是他一生中最最悲慘的時候，再沒有比這段時期更苦的了。

與黨的宣傳和知青的預料相反，老農民對知青説，他們「解放」前的生活好於「解放」之後。知青唐燕在〈當年貧下中農是這樣「再教育」我們的〉一文中寫道：

憶苦思甜是我們初下鄉時再教育的必修課。當貧下中農聲淚俱下地給我們憶苦時，竟控訴的是大躍進時餓肚子之苦。

我們問：「難道大躍進時比解放前還苦嗎？」

他們説：「解放前飯總是能吃飽的。」

「給我們講講解放前吧！」

「解放前不餓肚子，地主對長工、短工也都仁義。」

對於思想上處於困惑、懷疑狀態的前紅衛兵和造反派而言，1971年9月13日發生的林彪事件是對他們已不堅定的信念的致命一擊。對於文革發動者毛澤東，對於整個文革的意識形態，林彪事件是大醜聞，也是大笑話：那個「偉大領袖的親密戰友」，那個被寫入黨章，確立為接班人的副統帥，怎麼一夜之間就變成了「妄圖謀殺偉大領袖、投敵叛國」的罪人？文化大革命的偉大成就，不就是用林彪取代劉少奇，以確保革命事業不致半途而廢嗎？安徽知青葉文憲這樣回憶他當時的思想狀況：

幾年下來我深深地感到現實的農村、農民、農業和我在報紙上看到的、在課堂上聽到的、在書本上見到的並不一樣，於是我陷入了從未有過的困惑。為了擺脱文革的迷茫和現實的困惑，我開始認真地去讀馬列主義經典作家的原著，希望從中能夠找到答案，在農村的幾年我的思想已經從堅信漸漸地轉變為懷疑了。

1971年在沒有任何前兆的情況下突然發生了「九一三」事件，已經被中共九大確立為副統帥和接班人的林彪居然叛逃了。聽到這個消息，如同五雷轟頂，以前建立起來的神聖光環全部化為了泡影，曾經以為是堅定不移的理想信仰頃刻之間煙消雲散、灰飛煙滅。我終於明白了，我們以前一直癡迷的紅太陽上面原來是有許許多多黑子的，平時之所以看不見黑子是因為它們被太陽的光輝掩蓋了。當黑子集中爆發的時候會引起強磁暴，它會把我們的生活攪得一團糟，而當太陽被月亮擋住的時候天空又會漆黑一片，就像夜晚一樣甚麼都看不見。文化大革命就是一場政治上的日全食，而在此之前強磁暴是經常不斷的。想通了這個道理，我頓時有了一種豁然開朗的感覺。從此以後我學會了獨立思考，遇到如何事情我都一定要用自己的腦子思考，再也不輕信盲從任何自命不凡的偉人了。

林彪事件對於青年一代政治信念的摧毀作用，還因為公佈了一個〈五七一工程紀要〉，據説這是林彪的兒子林立果及林彪死黨炮製的政治綱領。這個〈紀要〉對文化大革命及其發動者毛澤東作了無情的揭露和抨擊，對中國的政治制度和政治生活作了驚人大膽的攻擊：「他們的社會主義實質是社會法西斯主義。他們把中國的國家機器變成一種互相殘殺，互相傾軋的絞肉機式的、把黨內和國家政治生活變成封建專制獨裁式家長制生活。」〈紀要〉還特別説到了知青與紅衛兵：「青年知識份子上山下鄉，等於變相勞改。」「紅衛兵初期受騙被利用，已經發現充當炮灰，後期被壓制變成了替罪羔羊。」這麼大膽深刻的批評，是青年學生們想説而不敢説，或者是説不出來的。那些尖鋭淩厲的言詞始而令人膽戰心驚——按照官方的標準是多麼大逆不道、反動透頂，繼而引起共鳴——事實難道不正是如此嗎？

安徽知青千山暮指出，林彪事件的意義在於使人們從迷誤中醒悟：

林彪事件卻使得全中國絕大多數的人，對毛澤東和他的文革覺醒了。全國人民通過林彪事件才發現，所謂文化大革命不過是一場騙局。不論是他要打倒的人，還是支持他打倒別人的人，都被他整了。而〈「571工程」紀要〉所揭露出來的毛澤東是絞肉機，是B-52轟炸機，它作為文件發到每一個鄉每一個村，所有讀這個文件的人，表面上都講，毛主席英明，回到家講，毛澤東不是東西。所以，對毛澤東和文化大革命的覺醒，是從林彪事件開始的，這是文革十年當中具有劃時代意義的事情。

社會生活是最好的課堂，上山下鄉接受再教育的結果，與毛澤東的初衷剛好相反，而林彪事件則使得每一個青年要想維持原有的政治信念成為不可能的事。

三　民間獨立思想者和地下讀書運動

文革一代年輕人思想立場的轉向，與這代人整體性的探索、學習、思考有關。在探索過程中，湧現出少數傑出的思想者，他們以較為完整的理論形態，大膽地、雄辯地表達了與文革宣傳和官方意識形態想對立的思想，由於切中時弊，他們的文章不脛而走、廣泛流傳，對於年輕一代的思想轉變和進一步思考產生了巨大作用。

文革中首位青年民間思想家當屬遇羅克，文革開始時24歲，為北京人民機器廠學徒工，他的驚世之作是〈出身論〉，另外還寫有多篇引起震動的、與家庭出身有關的文章。遇羅克的父母在1957年被打成「右派份子」，雖然他本人品學皆優、智商過人，但被極左年代的所謂「黨的階級路線」所拒斥，三次高考而不中，對於家庭出身歧視政策有深切體會。文化大革命剛發動起來的1966年夏季，北京一些中學的高級幹部子弟提出「老子英雄兒好漢，老子反動兒混蛋」，任意辱罵、毆打、虐待同學和社會上各種「出身不好」的人。在北京「紅色恐怖的八月」，被打死的「階級敵人」多達一千七百餘人，「紅色恐怖」的風暴從北京颳向全國。針對這種反動的「血統論」，遇羅克在1966年7月寫成〈出身論〉，以油印傳單形式散發，後來得到有正義感的學生的支持，以《中學文革報》的名義大量鉛印發行。

在那個不正常的極端年代，〈出身論〉顯得驚世駭俗，但它表述的卻是常識常理，它的核心訴求是平等和人權。它說：「在表現面前，所有的青年都是平等的。誰是中堅，娘胎裏決定不了。任何通過個人努力所達不到的權利，我們一概不承認。」遇羅克把侮辱、毆打出身不好的人稱為「嚴重侵犯人權行為」，他還指出，在中國，「一個新的特權階層形成了，一個新的受歧視的階層也隨之形成了」；「『出身壓死人』這句話一點不假！像這樣發展下去，與美國的黑人、印度的首陀羅、日本的賤民等種姓制度有甚麼區別呢？」

遇羅克為宣揚真理付出了生命的代價，他於1968年1月5日被北京市公安局逮捕，於1970年3月5日被處決。

湖南的中學生楊曦光出身於幹部家庭，他在文革中了解到，與他以前想像的相反，普通老百姓在內心並不尊重共產黨的領導幹部，並不熱愛「新社會」。他以新的眼光來看待中國社會，其弊病和前途，寫出了廣為傳頌、蜚聲海內外的〈中國向何處去？〉，他斷言：

> 現在90%的高幹已經形成了一個獨特的階級，這個「紅色」資本家階級已經完全成為阻礙歷史前進的一個腐朽的階級，他們與廣大人民的關係已經從領導和被領導變成統治和被統治、剝削和被剝削的關係，由平等的共同革命的關係變成壓迫和被壓迫的關係，「紅色」資本家階級的階級利用特權和高薪是建築在廣大人民群眾受壓抑和剝削的基礎上。要實現「中華人民公社」就必須推翻這個階級。

> 引起無產階級文化大革命的基本社會矛盾是新的官僚資產階級的統治和人民大眾的矛盾，這個矛盾的發展和尖銳化就決定了社會需要一個較徹底的變動，這就是推翻新的官僚資產階級的統治，徹底砸爛舊的國家機器，實現社會革命，實現財產和權力的再分配——建立新的社會。

楊曦光因言獲罪，1968年被判處十年徒刑，他在獄中以多個學識廣博的政治犯為師，學習各門知識。文革結束和獲釋後得到機會留學美國，獲經濟學博士學位，後成為著名的經濟學家，2004年因患癌症而英年早逝。

林彪事件發生之後，中國社會思想空前活躍，各種質疑聲不絕於耳，廣東的「李一哲大字報」〈關於社會主義民主與法制〉提出了批判文革現實，以現代化建設取代「繼續革命」的觀點。「李一哲」是大字報四個作者李正天、陳一陽、王希哲、郭鴻志的縮寫，他們是積極投身於文革的造反派大中學生。

大字報以批判林彪體系為名，尖鋭揭發和批判文化大革命的現實：獎懶罰勤的「突出政治」、唸經式的「天天讀」、愈搞愈虛偽的「講用」、愈鬧愈荒謬的「靈魂深處爆發革命」、鼓勵政治投機的「表忠」、不倫不類的「忠字舞」等等。大字報認為，林彪體系是一套現代的「禮治」，它把中國共產黨治成君臣父子黨，把國家治成封建性的社會法西斯專制國家，把軍隊治成袁世凱北洋軍那樣的軍隊。「在範圍廣大地區內，到處在抓人，到處在鎮壓，到處是冤獄。」作者明確提出「要法制，不要禮治」的口號，認為文化大革命的首要任務是鍛煉人民的民主精神，把寫上憲法的保障人民的言論自由、出版自由、集會自由、結社自由真正實行起來，主張「我們不應當怕光明正大的反對派」。

「李一哲大字報」引起巨大的反響，貼出大字報的街頭人群擁擠得水泄不通，印製的小冊子被人們爭搶傳閱。官方組織了長時間、大規模的批判，為此提供了大量供批判的「反面教材」，而在批判會上又允許大字報的作者答辯，這樣，〈關於社會主義民主與法制〉的內容廣為人知。此文在文革中出現較晚，思考相對深入和成熟，與文革中許多獨立思考的作品相比，此文最具有現代民主和法治意識。

事實上，整個一代人都充滿了懷疑、學習和探索的精神，全國各地秘密的學習小組何止成千上萬(被當成反革命組織破獲而判刑的就不計其數)，地下讀書運動到處都有，內部書籍、禁書高速度地流傳，以前不敢接觸的經典名著、愛情故事現在愛不釋手，以前只是聽聞就會色變的赫魯曉夫秘密報告、右派份子言論等材料現在讀了，居然引起強烈共鳴。西安中學生葛岩在〈七十年代：記憶中的西安地下讀書活動〉中寫道：

> 從1968年上山下鄉開始至1977年恢復高考，地下讀書活動延續十年之久。其間，「老三屆」中學畢業生，「老五屆」大學畢業生，加上六九到七七屆初中和高中畢業生約有1,623萬人之眾。可以猜想，精英之外，必有許多普通的青少年也曾閱讀過禁書；理想主義之外，青春期反叛的衝動，社會群體身份的認同，現實的利

益的吸引，都可能成為地下讀書的驅力。如果將參與地下讀書的許多個體和群體的經歷積累起來，或許能幫助我們理解人類社會中反覆出現的一種現象：即使在嚴峻的控制下，異端知識依然可能獲得傳播。

從1970年到1974年間，這夥學生已經偷竊過許多所大學和機構的圖書館……偷盜和閱讀的書籍多限於文學名著，以俄國、蘇聯和歐洲小說為主。我在那一時期讀過《安娜·卡列尼娜》、《復活》、《罪與罰》、《卡拉瑪佐夫兄弟》、《靜靜的頓河》、《一個人的遭遇》、《俊友》、《娜娜》、《九三年》、《悲慘世界》、《笑面人》、《紅與黑》、《嘉爾曼》、《唐璜》、《普希金抒情詩歌選》、《金薔薇》等等。

文化大革命後期，不少城市都有「內部書店」。十三級以上的高級幹部有在書店買書的特權。這些「內部書」中，一類是文革前出版的所謂「灰皮書」、「黃皮書」，如托洛茨基的《被背叛了的革命》、德熱拉斯的《新階級》、索爾仁尼琴的《伊凡·傑尼索維奇的一天》等。據説，最初是毛澤東為了給幹部們做「反面教材」而翻譯的。第二類書是文化革命中翻譯的外文書籍，如《光榮與夢想》、《第三帝國的興亡》，還有許多當代的文學作品，如蘇聯的《你到底要甚麼》、《多雪的冬天》、《人世間》、《絕對辨音力》、《艾特瑪托夫短篇小説選》，美國的《愛情的故事》、《樂觀者的女兒》。當代書籍中，有三本書印象深刻。一本是考茨基的，好像叫《我為甚麼是一個馬克思主義者》，它讓我知道那位在中國臭名昭著的社會民主黨人有許多見解；第二本是德熱拉斯的《新階級》；另一本是艾特瑪托夫的《白輪船》，它讓我領悟到某種超越階級和時代的善，一種無力但不屈服的善。

記得那時讀了《路易·波拿巴的霧月十八日》、《家庭、私有制和國家的起源》、費正清的《美國與中國》、基辛格的《選擇的必要》、斯特朗的《斯大林時代》、斯諾的《西行漫記》、普列漢諾夫的《論藝術：沒有地址的信》、車爾尼雪夫斯基的《怎麼辦》，以及《赫魯曉夫回憶錄》、《朱可夫回憶錄》等。《怎麼辦》是一個被反覆

> 討論的小說。大約是覺得「靈魂深處爆發革命」，「狠鬥『私』字一閃念」的宣傳過於虛偽，大家都對小說中宣揚的「合理的個人主義」很感興趣，也對俄國民粹派的犧牲精神心懷崇敬。

毛澤東在文革運動初期提出「讓群眾自己教育自己」，年輕的一代做到了這一點，只是結果與毛澤東期望的正好相反。

四　告別文革的一代

經歷文革的這一代人，由於現實生活的磨難，由於自身的思考與探索，從總體上說變成了與文革分道揚鑣的一代。如果說文革代表了左的思想和路線，那麼他們的轉向可以說是向右轉；如果說文革的思想基礎是對毛澤東的個人崇拜，那麼這一代人可以說是中國人中對毛澤東最反感、最持批判態度的群體；如果說人們在文革中認為中國由於有「戰無不勝的毛澤東思想」，因而在制度、生活各個方面都是世界第一，那麼這一代可以說是對中國的現實和傳統最有反省和批判意識的人。

1976年清明節期間，發生了震驚世界的「天安門事件」，人們聚集在廣場，公開表達對文化大革命的不滿，把毛澤東比喻為專制皇帝秦始皇。「天安門事件」的主力，就是曾經積極參與文革的前紅衛兵和造反派。「天安門事件」雖然被鎮壓下去，但是體制內高層中反文革派明顯認清人心向背，因此在毛澤東剛一逝世時就發動政變，清除文革派勢力，結束文革。政變輕而易舉取得成功，讓發動者都有些不敢相信。所有這些，都是人心逆轉的結果。新的當權者，是靠結束文革，對文革撥亂反正而取得執政合法性的。從上世紀1970年代末到1980年代初，執政者與中國人民有一段相對情投意合的蜜月期，雙方的共識建基於對文革的否定，以及執政者對「再也不讓文革重演」的承諾。

自文革後期起，人們的態度已經從支持文革轉變到反感文革，而年輕的一代態度尤為堅決，只有看到這一點，才能理解上世紀80年代初的改革開放新政為何得到社會輿論的擁護，進行得比較順利。

文革最明顯的後果是人們大大增強了獨立意識。一位曾經積極投入運動的中學生說：

> 在文革前和文革中，全國八億人就只有一顆腦袋，也就是說，只有毛澤東一個人能夠思維，其他的人只有服從。其結果是，毛澤東想對了，則全國的事都對，毛澤東想錯了，則全國的事都錯。文革後，每個人都發現原來自己肩上也長了一個腦袋，也可以自己動腦筋想問題，不能夠以別人的思維代替自己的思維。

文革也極大地改變了這一代人的道德風貌。原先的「革命理想」要麼支離破碎，要麼不復存在，一位外國研究者認為這是文革的消極後果，他以極為惋惜的口吻說：

> 對大多數中國青年學生而言，文革代表了一種傷害性的失去政治上的純真。這種純真——以及相伴的樂觀和獻身精神——對於奮力拼搏以告別過去並在現代各國中確立自己地位的國家而言，是很有價值的資源。這種純真只會失去一次……這種純真失落了，這是文革的真正悲劇。

這位學者只看到事情的一面。其實，應該看到，人們失去或拋棄的首先是一種偽理想和偽崇高，當人們不再對「偉大領袖無限熱愛、無限崇拜」，當人們不再為了政治口號你死我活地拼殺時，這無疑代表了一種進步。文革之後，這一代人對於告密（以前的正面用語是「向組織匯報情況」）多半表示不齒，在幾次「反自由化」運動中表現冷漠或進行抵制，都說明人們經過文革，識破政治謊言的能力大大提高了，意識形態煽動的效果大大降低了。

當然也要看到，不少人在否定偽理想主義和偽英雄主義的道路上走過了頭，他們對一切具有理想色彩的事物持懷疑或拒斥態度，他們固然不再相信以前的教條和謊言，但發展到幾乎甚麼都不相信，正如一位西方研究者説的那樣：

> 潛藏在對於文革後果各種反映後面的是一種深刻的失落感——文化和精神價值的失落；地位和榮譽的失落；前途和尊嚴的失落；希望和理想的失落；時間、真理和生命的失落；總之，幾乎一切使生命有價值的東西的失落。

失去對於意義的認定和追求，這是文革留給這一代人最深刻的精神傷害。

反思文革、批判文革的努力並沒有因為文革的結束而停止。告別文革的一代沒有讓自己的思想停留在認識到文革的危害，而是要問「文革為甚麼發生，文革為甚麼可能發生」。他們的追問甚至超越了文革，從文革前的制度、政策、思想、社會條件各方面分析文革產生的土壤和基礎，他們的思想轉變最為徹底，文革中他們是批判自由、民主、個人價值、法律面前人人平等之類「資產階級思想」的急先鋒，現在成了服膺和倡導這些觀念的活躍份子。這一代人當中不少人後來進入高校接受教育，生活在改革開放、放眼世界，追求新思想新文化的氛圍中，思想得到長足發展。他們當中一些人獲得了走出國門，到西方國家學習的機會，生活在完全不同的社會中，接觸到各種思想、學説，反觀自己的國家，對中國的歷史、問題、前途有更深的理解。

總之，這一代人——哪怕是其中思想探索走得最遠的人，身上都深深地打上了文革的印記，他們的政治立場和價值追求都與反思和反叛文革有關。文革中是對領袖的崇拜，現在是獨立思考；文革中是「造反有理」、「和尚打傘無法無天」，現在是民主與法治；文革中是「狠鬥私字一閃念」，現在是肯定並伸張個人權利；文革中是階級鬥爭和專政，現在是人權和人性。這種轉變對於個人意義重大，對於國家民族，意義同樣重大。

全國性的十年災難

「保衛毛主席」的內戰

何　蜀

重慶市沙坪公園一個角落的土坡上，林木掩映間，有一片墓群，安葬着1967至1968年文革武鬥中的死難者，有工人、農民、學生、機關幹部、軍校學員……2009年底，重慶市政府批准此墓園為文物保護單位，命名為「重慶紅衛兵墓園」。這是全國唯一保存完好、頗具規模的文革武鬥死難者墓群。儘管年久失修，殘存的近百座碑石多已風化剝蝕，但仍然可以看到那些墓碑上刻下的革命口號和領袖語錄：「死難烈士萬歲」、「革命無罪，造反有理」、「為毛主席革命路線英勇獻身」、「為有犧牲多壯志，敢教日月換新天」……因為有的墓上無碑文或碑文已經難以辨認，這裏到底埋葬了多少人無法準確統計，估計有數百至上千人，基本上都是當時重慶群眾組織敵對兩大派中的一派——「八一五派」的死者，當時沙坪壩區屬「八一五派」控制區。「反到底派」和「八一五派」建在另外一些地方或單位裏的墓或墓群，如建在重慶大學校園裏的「烈士陵園」，「反到底派」在重慶醫學院、建設機牀廠、重慶市體育館街心花壇裏的墓群，「八一五派」在北碚東陽鎮的墓群等，基本上都在文革之後被拆毀。重慶兩派在那兩年大規模武鬥中的死者加上無辜遇難的平民，大約在三千人以上。

沒有經歷過文革的人們，看到這些歷史遺蹟往往不解：「為甚麼他們會那樣你死我活地廝殺？」

一　毛澤東信徒的思想特點

文革中的群眾組織，是得到毛澤東的恩准後，從1966年夏秋間開始出現的，到1968年底(在重慶是10月份)陸續宣佈撤銷，退出歷史舞台。而在「毛澤東時代」的其他時間裏是不允許有群眾組織出現的，儘管憲法中有「結社自由」的文字，但實際上是沒有這個自由的。在那段時間很短的「奉旨結社」前後，即使成立的是「馬克思主義研究會」、「共產主義自修大學」之類的組織，也會被視為非法，甚至被打成「反革命」。因此，在1966年底紛紛建立起來的各地群眾組織，無不宣稱「毛主席是我們的紅司令」，無不宣稱自己要為保衛毛主席、保衛毛澤東思想而戰鬥、獻身。

那麼，這些信仰同一個「主義」、聽命於同一個領袖及其掌控的中央、手裏揮舞着同一內容的「紅寶書」《毛主席語錄》的信徒們，怎麼會分裂成為相互敵對的派別呢？

這就是當時人們長期接受的教育和宣傳灌輸所形成的思想認識和思維方式必然導致的結果。毛澤東時代的人們，思想認識和思維方式有這樣一些特點：

迷信領袖。文革前十七年的教育、宣傳，大力破除了對鬼神的迷信，卻培養起了另一種迷信：對領袖的個人迷信。到文革前夕的「學雷鋒」運動和《東方紅》大型歌舞演出，這種個人迷信已經達到了登峰造極的地步，「讀毛主席的書，聽毛主席的話，照毛主席的指示辦事，做毛主席的好戰士」成了一代青少年的人生信條，也成了那個時代中年甚至老年人不得不奉行(哪怕是表演式、炒作式地奉行)的人生準則。「毛主席是我們心中的紅太陽」則幾乎成了全民的「下意識」。因此在文革中，只要是毛澤東的號召，人人都必須爭相學習、領會並堅決執行，只要聽到誰說了與「毛主席教導」相違背(或自認為是相違背)的話，哪怕是至親好友，也會馬上斥責批駁甚至無情舉報，全國到處出現父母子女相互揭發批判的現象，就連國家主席劉少奇的女兒、接受了高等教育的大學生劉濤也寫出了讓她悔恨終生的大字報〈造劉少奇的反，跟毛主席幹一輩子革命！——我的初步檢查〉。

背棄常識。因為對毛澤東及其「教導」的狂熱迷信，文革一代人的一個最大思想特點就是背棄常識，比如，常識告訴人們：打人不對。但是按毛澤東的教導：「革命不是請客吃飯……革命是暴動」，「凡是反動的東西，你不打，它就不倒」，「人民大眾開心之日，就是反革命份子難受之時」，甚至說「對打人也要進行階級分析，好人打壞人，活該」。《雷鋒日記》中也有這樣的名言：「對敵人像嚴冬一樣殘酷無情。」因此，只要是以「革命」的名義，打人就成了正義而且「開心」的行為。又比如，常識告訴人們：不能毀壞公物。而按毛澤東的教導，要大破「四舊」，「不破不立」。於是人們就爭相砸古蹟，毀文物，燒舊書……哈爾濱「破四舊」時搗毀了有名的俄羅斯東正教聖尼古拉大教堂(俗稱喇嘛台)，至今還有人認為「也不是甚麼大逆不道」，因為它屬「殖民文化產物」。又比如，「尊老愛幼」是傳統美德，是每個人從小就懂得的常識。可是一旦以毛澤東的「階級鬥爭」學說來看待一個具體的人時，老人就可能因「歷史問題」或「現行問題」而被視為「老反革命」、「反共老手」、「老混蛋」，小孩也會因「家庭出身」而被看作是「黑五類的狗崽子」，不僅對他們批鬥、凌辱可以毫不留情，就是把他們打死殺死也會毫不手軟，因為這是為了革命，為了「紅色江山永不變色」。

敵情觀念。經過多次政治運動的反覆歷練和長期的教育、宣傳灌輸，這一代人已經習慣於「念念不忘階級鬥爭」，把一切都往敵情上去想，動輒就會想到是「階級敵人破壞搗亂」，任何一點異議都可能被懷疑為「反黨」、「反社會主義」、「反毛主席」，任何一點出格的表現都容易被認為是「資產階級思想」、「資產階級生活方式」、「資本主義自發傾向」……遇到不同意見，不是從常識出發去判斷是非正誤，而是按領袖教導去分析是否「符合毛澤東思想」，凡是被認為不符合的，就認定是「反動」，是「毒草」，必欲除之而後快。

鬥爭意識。毛澤東一向提倡「鬥爭哲學」，文化大革命一開始就宣揚「造反有理」，到最後苟延殘喘時還在強調：「不鬥爭就不能進步。」「八億人口，不鬥行嗎？!」鼓動人們以鬥爭解決問題，反對「折衷主義」，強調「不是東風壓倒西風，就是西風壓倒東風，在路線問題上沒有調和的餘地。」文革剛開始不久的1966年10月31日，中央在北京召開了紀念魯迅逝世三十週年的大會，周恩來、陶鑄、陳伯達等除毛澤東、林彪之外的最高領導人出席。姚文元在大會發言中講到要學習和發揚魯迅的幾種精神時説：「第一，我們要發揚魯迅『打落水狗』的戰鬥精神。……我們要發揚這種對敵人不妥協的戰鬥精神，識破那些已落水之狗和尚未落水之狗的種種陰謀詭計，撕掉那些新式的『正人君子』們折衷主義的假面具……」陳伯達在大會閉幕詞中特別強調了魯迅遺囑中的這樣兩句話：「損着別人的牙眼，卻反對報復，主張寬容的人，萬勿和他接近。」「……還記得在發熱時，又曾想到歐洲人臨死時，往往有一種儀式，是請別人寬恕，自己也寬恕了別人。我的怨敵可謂多矣，倘有新式的人問起我來，怎麼回答呢？我想了一想，決定的是：讓他們怨恨去，我也一個都不寬恕。」陳伯達説：「我認為，這是魯迅給我們很重要的遺囑，是我們要永遠不能忘記的遺囑。」整個大會的主題就是號召學習魯迅的鬥爭精神，反對折衷、公允、調和、寬容，對敵人要毫不妥協地「痛打落水狗」。這些都成了文革一代人所信奉的行事準則。

恐懼心理。因為文革前一次次政治運動已經把愈來愈多的人打成了各種「份子」，拋進政治賤民的行列，人們從親身經歷或耳聞目睹中都深深體會到「政治身份」的重要，「政治生命」決定着自然生命的榮辱貧富，只要政治上遭到否定，淪為「政治賤民」，那就不僅自己不再有做人的權利，而且會株連家人、親友，一起掉入苦難的深淵。因此，在政治運動中最要緊的是必須站對立場，爭當革命派，爭當依靠對象，決不能成為打擊對象，千萬不能被打成「反革命」。為此，就必須緊跟形勢，表現得積極、堅決，而且在「對敵鬥爭」中打擊對方決不能手軟。毛澤東時代最可怕的是被打成「反革命」，因為成了「反革命」，生不如死。所以文革中一些含冤自殺的人都會在遺書中寫下「毛主席萬歲」和要子女親人繼續聽毛主席的話、跟共產黨走的遺言，其實這只是保護親人的無奈之舉。

二　分裂的必然

當時的政治形勢注定了毛澤東的信徒分裂為敵對派別，這是歷史的必然。一方面，毛澤東喜用古代帝王的治人之術，忽而捧左、忽而捧右地拉一派打一派，以保證自己絕對正確的教主地位並坐收漁利。另一方面，毛澤東發動這樣大規模的一場「史無前例」的政治運動，卻自始至終都沒有明確清晰的理論（中央文革的幾個御用文人整理出來的所謂「無產階級專政下繼續革命理論」，只是一堆極左狂想的雜燴），而毛澤東及其中央發佈的有關指示、政策經常是出爾反爾、朝令夕改，或者模棱兩可，可作多種解釋，信徒們在理解和執行上各取所需，出現分歧與矛盾。

文革開始就提出運動的重點是「鬥垮黨內走資本主義道路的當權派」，但符合哪些條件，才能被認定為「走資本主義道路的當權派」，卻從來沒有具體的政策條文，對「走資派」這個概念也無從定義。文革初期，「走資派」是運動明確要打倒的頭號敵人，所以劉少奇被稱為「中國最大的走資本主義道路的當權派」。1967年1月16日發表的《紅旗》雜誌第二期評論員文章〈無產階級革命派聯合起來〉中說：「我們同黨內一小撮走資本主義道路當權派的鬥爭，最根本的，就是奪他們的權。只有奪了他們的權，對他們實行專政，才能把他們鬥倒，鬥臭，鬥垮。」「毛主席教導我們，從黨內一小撮走資本主義道路當權派手裏奪權，是在無產階級專政條件下，一個階級推翻一個階級的革命，即無產階級消滅資產階級的革命。」在這裏，「走資派」已經成了「專政對象」、「革命對象」。1968年8月19日，毛澤東在同中央文革碰頭會成員談話中，提及他在「最新指示」中提出文革是共產黨與國民黨長期鬥爭的繼續時，乾脆說：「所謂國民黨就是叛徒、特務、死不悔改的走資派。」可是到了劉少奇被八屆十二中全會正式決定打倒的時候，罪名卻悄悄變成了歷史問題的所謂「叛徒、內奸、工賊」。與此同時，毛澤東在12月26日下發的〈中共中央、中央文革關於對敵鬥爭中應注意掌握政策的通知〉中加寫了一段話：「在犯過走資派錯誤的人們中，死不改悔的是少數，可以接受教育改正錯誤的是多數，不要一提起『走資派』，就認為都是壞人。」在這裏，「走資派」這個一度是十惡不赦的罪名居然又變成了一種可以是「好人」犯的錯誤了。

1967年初毛澤東號召奪權，但對於哪些當權派應該被奪權不單沒有政策規定，而且對於符合哪些條件的群眾組織才有資格奪權和應該怎樣奪權，也沒有具體的政策規定。事實上，從毛澤東本人到他控制下的整個中央領導層(當時所謂的「無產階級司令部」)也都心中無數，因此中央文革小組組長陳伯達以及時稱「文化大革命總參謀長」的周恩來，最初還公開表示反對各級層層奪權。在1967年1月15日下午北京工人體育場歡呼中央給上海造反派賀電的群眾大會上，陳伯達和周恩來先後講話，都隻字未提「奪權」，反而一致強調了反對「接管風」(此時所謂「接管」，實際上就是奪權的另一種説法，後來才統稱為奪權)。陳伯達指責説，接管風是「走資派」的「新花樣」，讓造反派接管，他們跑到台後，讓我們社會秩序、經濟秩序搞得不好，他們看笑話。他提出，除個別地點、機關外，應該大量採取派群眾代表監督的方式。周恩來在講話中也強調了不要形成接管風。王力後來回憶説：「會一開完，主席就知道了，馬上召開小範圍的常委擴大會，批評陳伯達。主席講了一大篇道理，主要內容都在《紅旗》評論員文章〈無產階級革命派聯合起來〉一文中。」在這之後，中央的口徑才統一成支持奪權。1967年1月22日，《人民日報》發出社論〈無產階級革命派大聯合，奪走資本主義道路當權派的權〉，這篇堪稱號召和指導奪權的重要社論，通篇只是些煽情文字，卻沒有具體應該怎樣奪權的規定。社論狂熱地號召：「奪權！奪權！!奪權！！!一切被反革命修正主義份子、被堅持資產階級反動路線的頑固份子所竊取的黨、政、財等各種大權，統統要奪回來！」然而，造反派大多不是中共黨員，頭頭中的黨員也極少或者根本沒有，要他們怎麼奪「黨權」? 由不是黨員的造反派來當黨委書記嗎？當時確有一些地方的造反派組織宣佈開除某個「走資派」或頑固保守派的中共黨員黨籍，但那多半只是一種象徵性的過場、群眾情緒宣泄的表演，人們都知道那是不作數的。

就是在這樣從上到下都既瘋狂又昏亂的狀態下，全國掀起了全面奪權的所謂「一月革命」風暴。革命來臨，人人爭先，唯恐落後，各群眾組織按自己的認識理解來「響應號召」，各自揣摸上意，按照當時《人民日報》、《紅旗》雜誌和中央人民廣播電台所宣傳的幾個最早奪權的地方發表的報導及有關文告（如〈山西革命造反總指揮部第一號通告〉、〈青島市革命造反委員會告全市人民書〉）來「依樣畫葫蘆」，宣佈奪權並另建新的「臨時權力機構」。造反派對奪權行動的認識不一致，必然產生分歧甚至矛盾衝突，加上群眾組織（主要是一些頭頭）間的某些觀點之爭甚至權力之爭、個人意氣之爭，許多地方都因奪權而激化了造反派原有的內部矛盾，往往是一部分群眾組織奪了權，另一些群眾組織或是中途退出，或是一開始就拒絕參加，指責這樣的奪權不符合「毛澤東思想」，不符合中央的要求，是非法的……於是，全國許多地方因奪權而形成了敵對的兩大派，在黑龍江有決心捍衛省革命委員會權威的「捍聯總」和堅決對省革委某些領導人進行「炮轟」的「炮轟派」；山西奪權後分裂成了勢不兩立的紅總站和紅聯站；貴州奪權後分裂出了反對派「四一一」；在江蘇南京有認定1月26日奪權好得很的「好派」和咒罵那次奪權「好個屁」的「屁派」；在安徽合肥有認為1月26日奪權好得很的「G派」（「好」的英文"good"的字頭）和認為「好個屁」的「P派」（「屁」字的漢語拼音字頭）；在徐州地區有支持3月18日建立的「徐州市革委會」的「支派」和決心要「踢開徐革會徹底鬧革命」的「踢派」，等等。

重慶在「全面內戰」中兵戎相見、浴血廝殺的兩大派：「八一五派」與「反到底派」，也是因為1967年1月的奪權而正式分裂後形成的。重慶最初以對待「八一五事件」的態度來劃分造反派與保守派，認為「八一五糟得很」的是保守派，認為「八一五好得很」的就是造反派，所以重慶的造反派最初統稱「八一五派」。1967年1月24日至26日，重慶造反派（即「八一五派」）在奉命「支左」的駐軍支持下，宣佈奪取了重慶市的黨政領導權力，建立起由駐軍代表主持的臨時權力機構革命造反聯合委員會（簡稱「革聯會」）。在此之前，造反派內部本來就有的一些意見分歧與矛盾衝突，因奪權而激化，在當時那種提倡鬥爭，反對寬容，強調「在路線問題上沒有調和的餘地」，提倡「痛打落水狗」、「追窮寇」的時代氣氛中，任何意見分歧都可能上升為不共戴天的「原則」衝突。一部分造反派組織或是中途退出了這次奪權，或是一開始就沒有參加這次奪權，聚集起來形成反對派。2月1日，反對派中的幾十個組織代表聯名向中共中央、國務院、中央文革小組發出〈急電〉，稱以重大「八一五」戰鬥團為首的一些群眾組織「完全違背了毛主席關於大聯合大奪權的指示，完全違背了毛主席的群眾路線，客觀上迎合了黑市委的需要」，「以重慶十二所大專院校學生為主體，以重大『八一五』為核心，排斥了所有的工人革命造反組織，單方面的接管了黑市委和重慶全部市一級黨政領導機關的大權」，「這不是真正的奪權，而是假奪權」。兩派的公開對立就此形成。

此後，在毛澤東的一系列批示及《人民日報》、《紅旗》雜誌等「代表毛主席聲音」的官媒輿論引導下，全國陸續開始了一場主要針對部分造反派的「鎮反」運動。在重慶，是由「支左」部隊主持的臨時權力機構「革聯會」領導進行「鎮反」的。按照中央的調子，奪權是具有空前歷史意義的「一月革命」，所以，反對「革聯會」，就被視為「反對一月革命的偉大成果」；反對毛主席發動的「一月革命」，就必然是「反革命」。於是「革聯會」的「專政委員會」就對反對「革聯會」的一派實行大張旗鼓的鎮壓。反對「革聯會」一派，則認為這是「革聯會」鎮壓造反派，既然毛主席號召「造反有理」，「革聯會」鎮壓造反派，就是反對毛主席，鎮壓造反派就是鎮壓文化大革命，就是資本主義復辟。雙方都認為自己才是革命的，對方是反革命的，必須狠狠打擊，只有打擊對方，才能保衛毛主席的革命路線，保衛文化大革命。

三 武鬥成為內戰

1967年4至5月，中央由周恩來主持，按照毛澤東的旨意，陸續召開了解決四川、重慶問題的會議，發佈了〈中共中央關於處理四川問題的決定〉(共有十條，時稱「紅十條」)，否定了四川的「二月鎮反」，要求釋放被捕造反派，進行平反；發佈了〈中共中央關於重慶問題的意見〉(共有五條，時稱「紅五條」)，既肯定重慶駐軍在「支左」中有成績，又批評他們「在處理持有不同意見的革命群眾組織的關係問題上，錯誤地支持了一方，壓制了另一方，支持了公安部門錯捕革命群眾，把一批革命群眾打成『反革命』」，要求「對被錯誤宣佈為『非法組織』或『反動組織』的革命群眾組織要平反，對錯捕的革命群眾和革命群眾組織的負責人要釋放，並恢復名譽」。

「紅五條」對重慶造反派兩大派矛盾的焦點革聯會問題，採取了迴避態度，既未予以承認(因此反「革聯會」一派認為「紅五條宣判了革聯會的死刑」)，又讓一直領導「革聯會」工作的重慶駐軍以更高級別的領導幹部出面領導由中央任命的革命委員會籌備小組(簡稱「革籌組」)(因此「八一五派」聲稱從「革聯會」到「革籌組」是「革聯開新宇，革籌更上一層樓」)。

重慶大武鬥，就從「捍衛」還是「砸爛」「革聯會」而展開了。

反「革聯會」一派認定「革聯會」是「資本主義復辟的產物」，堅決要求「砸爛革聯會」，所以他們稱為「砸派」，到7月中旬改稱「反到底派」。「八一五派」則堅持認為「革聯會」是「偉大的一月革命」的成果，必須堅決捍衛，在各地建立起「捍衛紅色政權指揮部」。大家都信奉毛澤東的教導：「不是東風壓倒西風，就是西風壓倒東風，在路線問題上沒有調和的餘地。」兩派都認定自己堅持的是「毛主席的革命路線」，對方是「反動路線」、「反革命」、「資本主義復辟」，當然是只能鬥爭，不可調和。

按照長期教育、宣傳中有關「凡是反動的東西，你不打，它就不倒」:「對於反動派，別說大民主，就是小民主也不給，一點不給，半點也不給！對它們只能實行專政！」兩派都要向對方的「反動言論」實行打壓、「專政」，不准對方「放毒」。因為「毛主席教導」中有「凡是錯誤的思想，凡是毒草，凡是牛鬼蛇神，都應該進行批判，決不能讓它們自由氾濫」，所以兩派都會理直氣壯地撕毀或覆蓋對方的標語、大字報，砸對方的宣傳車、廣播站，這樣勢必發生鬥毆，於是就從動拳頭、扔石塊，發展到用匕首、棍棒、鋼釬廝殺，最後就升級到使用現代化武器。

因重慶作為三線建設中的常規兵器生產基地，分佈在主城區及周邊的幾個大型國防企業生產和儲存了大量常規兵器，其中有的是連當時的正規軍都還沒有配備，準備送到越南去支援打美國的。再加上當時的「支左」部隊普遍對自己支持的「八一五派」組織搶奪武器採取「明搶暗送」的態度，「八一五派」利用自己一派控制着生產子彈的長江電工廠的優勢，1967年7月21日一次就提走72萬發半自動步槍子彈，隨即在7月25日調集多路人馬並集中了一批槍枝，強攻佔領了「反到底派」控制的重慶工業學校。「反到底派」則利用自己控制着生產半自動步槍的建設機牀廠的優勢，於7月底決定打開成品庫房「發槍自衛」。於是大量武器彈藥流散到群眾組織手裏，使得重慶的武鬥迅速升級，雙方在武鬥中使用了半自動步槍、自動步槍、輕重機槍、高射機槍、迫擊炮、高射炮、榴彈炮、坦克、裝甲車及民船改裝的「炮艇」……重慶武鬥成為一場不折不扣、真槍實彈的「內戰」。

不過這場「內戰」雙方都是為着同一個領袖，同一個「革命目標」(「把文化大革命進行到底」，「鞏固無產階級專政，防止資本主義復辟」)，都在面對死亡時唸誦着同樣的《毛主席語錄》「下定決心，不怕犧牲……」，呼喊着表達同樣信念的「頭可斷，血可流，毛澤東思想不可丟」、「為毛主席而戰，完蛋就完蛋」等口號……因此這又是一場真正「史無前例」的奇特內戰。

四　文革武鬥的兩大特點

文革中的武鬥或曰「全面內戰」，有兩大特點：亡命與殘忍。

(一) 亡命

從重慶兩派當時傳單、小報、標語、大字報所提出的一些口號上即可了解當時投身武鬥的人們那種亡命的程度：「提着腦袋也要跟着毛主席幹革命！」「頭斷西南，血灑四川，不打倒劉鄧心不甘！」「血裏梅花開不敗，老子敢上斷頭台！」因「八一五派」有標語提出「要來砸我革聯會，先交遺書和腦袋」。5月28日，「砸派」中學生紅衛兵「九一」縱隊發表〈遺書〉，以大量模仿中共多年來「革命傳統教育」中反覆宣傳的那些先烈的豪言壯語，表示為「砸爛革聯會」不惜犧牲的決心。這份特殊的〈遺書〉中寫道：「『是七尺男兒生能捨己，作千秋雄鬼死不還家』，從我們跟着毛主席造反的第一天起，我們的腦袋就交出來了。我們把他交給了毛主席，交給了輝煌壯麗的革命事業，我們早就是提着腦袋跟毛主席幹革命！……我們，只有一個信念：用生命和鮮血保衛毛主席！我們只有一個要求：把我們的忠骸埋在紅岩的青松旁。我們只有一句遺言：中學生紅衛兵『九一』縱隊戰士絕不給毛主席丟臉！」

當時重慶兩大派武鬥中，「反到底派」的中學生紅衛兵「九一」縱隊下屬有一些普通中學和中專學校學生組成的武鬥組織衝殺在第一線，傷亡慘重。「九一」縱隊的重要成員電力學校東方紅創作了一首《中學生紅衛兵九一縱隊戰歌》：

炮聲隆，槍聲激，風煙滾捲戰旗。
啊，「九一」戰士浴血奮戰，所向披靡全無敵！
烈士血，染紅旗，流血犧牲志不移。
「九一」戰士心向黨，誓死保衛毛主席！
前進，前進，前進，前進！踏着烈士的血跡勇敢前進！
踏着烈士的血跡前進，前進，前進！
為保衛毛主席的革命路線，我「九一縱隊」誓與牛鬼蛇神狐群狗黨
決一死戰！決一死戰！決一死戰！
(口號) 下定決心，不怕犧牲，排除萬難，去爭取勝利！

當時與「反到底派」廝殺的「八一五派」中學生組織裏，有名的西南師範學院附屬中學無產者戰鬥隊也有自己的戰歌，作者是其主要負責人胡明富（西師附中高二年級學生），他在1967年8月4日率隊攻打「反到底派」佔據的845廠（炸藥雷管廠）時中彈身亡。他在武鬥中對下屬有一個規定：誰也不許衝在他的前面，只能跟在他身後。那次武鬥中，他和「無產者」的好幾個頭頭都當場陣亡。他創作的《無產者戰歌》歌詞為：

> 我屬無產，名為鋼鐵。組織如鋼，紀律似鐵。一舉一動，從不亂越。對己對彼，都要嚴格。革命途中，不停不歇。革命後代，誓作鋼鐵！

在武鬥初期就開始流傳着一段林彪語錄：「在需要犧牲的時候要勇於犧牲，包括犧牲自己在內。完蛋就完蛋。上戰場，槍一響，老子下定決心，今天就死在戰場上了。」這段語錄極大地鼓舞了武鬥參與者們的亡命精神。當時重慶「反到底派」就在市中心最繁華的解放碑鬧市區交電公司樓上設立了一個有名的「完蛋就完蛋廣播站」，每天廣播時都要反覆誦讀這段林彪語錄，並高呼：「為毛主席而戰，完蛋就完蛋！為紅十條而戰，完蛋就完蛋！」「八一五派」將其視為眼中釘肉中刺，於1967年8月11至13日對該廣播站發起進攻，因樓下鐵柵門緊閉，難以攻入，「八一五派」先後派出兩個自告奮勇的敢死隊員抱炸藥包前去爆破鐵柵門，都在接近樓下後被擊斃（其中一個中學生後來安葬在沙坪公園墓地）。最後，「八一五派」前線總指揮下令調集了幾支信號槍，從街對面的東方紅電影院（原和平電影院）樓頂向四樓一底（樓上四層加上底層）的交電大樓頂樓窗內齊射，信號槍彈引燃了樓裏的易燃物，致使整幢大樓及周邊的針紡公司、化工公司及數十家民房燃成一片火海……

重慶大學兩派在武鬥中有27位學生死亡（這在全國高校中可能是武鬥死亡的最高紀錄），大多是在戰場廝殺中身亡，個別是在被俘後遇害，還有的是因意外事故遇難。舉兩個例子即可見當年這些大學生是如何「視死如歸」的：

重大「八一五」戰鬥團成員李盛品，奉派去輔導中學生使用重大的自製手榴彈。在進行投彈演示時，因質量問題，拉掉引信後的引爆時間太短，他不幸被炸身亡。在他生前寫好還沒來得及寄出的給女友的信中，他把自己所從事的武鬥活動看成是非常正義的，他寫道：「階級敵人隨時在夢想變天，我們怎能睡大覺？⋯⋯現在的問題是將文化革命進行到底還是夭折的問題。」「我若有甚麼不幸，希不要把消息告訴家裏人，如果我媽知道了我遇不幸，她肯定也不會再活下去了。你若有空，希到我家去玩，以免除家裏人的懷疑。他們若問到我，你可編些話來回答，注意不要前言不搭後語，要先想好。你得消息後，要說不難過那是假的，我只希你不要傷心過度就行了，不要影響身體健康，要想開些，我對得起黨和毛主席對我的培養，沒有辜負他老人家，我想，你只要想到這一點，可能心裏就會開朗些。」

另一位重大學生辜習榮，是與「八一五派」敵對的「反到底派」井岡山公社成員。井岡山公社在重大是極少數，武鬥時流落在外，辜習榮與十幾個同學住在「反到底派」佔優勢的嘉陵機器廠（生產子彈的軍工廠）。8月13日，「八一五派」調集多路人馬，以重大八一五總團負責人吳慶舉任前線總指揮，向嘉陵廠發起總攻。嘉陵廠的「反到底派」難以固守，被迫從廠後山下搶渡嘉陵江撤往「反到底派」控制的江北區。重大井岡山公社成員都跟着軍工井岡山嘉陵兵團成員及家屬一起撤退了，只有辜習榮留了下來。軍工嘉陵兵團的楊維富是個轉業的前解放軍部隊「五好戰士」，他正要到廠後的制高點掛榜山上去掩護大家撤退，辜習榮對他說：「你是工人，還要為國家創造財富，你趕快撤，我來掩護。」楊維富不聽他的，認為自己是轉業軍人，應該由自己來打掩護，堅持要上山去，辜習榮見勸說無效，便用槍指着他，逼他撤走，楊維富相信他不會開槍，繼續往山上走，辜習榮情急中掉轉槍口指着自己的頭說：「你不走我就打死自己！」楊維富見他態度如此強硬，只好轉身撤走了。辜習榮獨自在掛榜山上以一挺127高射機槍（發射12.7毫米口徑子彈）和幾支半自動步槍掩護大家撤退。最後在進攻者密集的火力中受傷，被包圍上來的「八一五派」三十二中「四野」

(因仰慕戰爭年代林彪領導的第四野戰軍而起的名)的學生亂槍齊發,身中七彈身亡。多年後楊維富只要一講起此事就說:「辜習榮是替我死的。」

(二)殘忍

在武鬥中,兩派最殘忍的行為就是殺俘。

據四川省革命委員會人民保衛組工作組在1971年6月5日〈重慶市武鬥殺人案件情況的調查匯報〉中記載:文化大革命中重慶全市共發生較大的武鬥殺人事件22起,造反派以「叛徒」、「俘虜」、「探子」等名義殺死1,737人,作案兇手878人,已拘捕239人。

這是一個十分驚人的數字。因為據筆者統計,目前已經查到姓名、死亡時間或雖無姓名卻有準確死亡原因的武鬥死者有1,300多人,而僅僅因「殺俘」而死就有這樣大的數字,可見當時武鬥參與者的瘋狂、殘忍程度。

當時殺俘是兩派都有的情況。

1967年7月底8月初,北碚幾十個「反到底派」人員乘車到楊家坪(據說是前往建設廠領取槍枝)途中被「八一五派」攔截,車上的一個煤礦工人(被認定是「反到底派」北碚武鬥組織猛虎團成員)和一個女大學生王蘭英(西南農學院土化系學生,「反到底派」西農「八二六」戰鬥團後勤負責人,後來曾任重慶市革命委員會委員、北碚區革命委員會副主任、西南農學院革命委員會副主任)被抓到「八一五派」楊家坪地區指揮部(設於重慶市衛生學校)關押。8月4日,「八一五派」因爭奪建設廠制高點清水池失利,從楊家坪撤退時,該地區指揮部關押的俘虜被抓出來槍斃,先殺的是一個被認定為「探子」的小學生(以「釋放」為名待其走出一段距離後亂槍齊射將其打死,小孩邊跑邊喊「叔叔不要開槍……」),隨後槍殺了王蘭英和那個煤礦工人,王蘭英中彈後僥倖未死,後被農民發現救活,逃到成都向四川省「革籌組」組長張國華當面控告,此事轟動一時。

1967年8月18日，「八一五派」向「反到底派」佔據的潘家坪高幹招待所發起總攻。為配合這場武鬥，「八一五派」另一路人馬向九龍坡區黃葛坪王家大山進攻，那裏有「反到底派」中學生紅衛兵「九一」縱隊的兩支勁旅——電力學校東方紅和電力技工學校井岡山。電校與電技校背靠王家大山。「八一五派」於拂曉突襲攻佔了王家大山制高點，消滅了在山上駐防的五個「反到底派」人員，其中包括軍工井岡山嘉陵兵團負責人、「反到底派」的軍工井岡山「艦隊」副司令李魯沂和電技校井岡山作戰部長徐其祥——據後來打掃戰場時檢查遺體和遺物情況分析，他們是在子彈打完後被包圍上來的「八一五派」槍殺的。這就激發了「反到底派」此後報復性的兩起殺俘事件：軍工井岡山負責人、「艦隊」司令鄧長春在「反到底一號」艦艇上為李魯沂召開追悼會時，下令槍斃了兩個「八一五派」俘虜(其實其中一人只是被懷疑為「八一五派」探子)；「反到底派」黃葛坪地區指揮部則為給王家大山死難「戰友」復仇，在九龍坡江邊躉船上由電技校和電校學生執刑，用太平斧斧背砸頭的殘忍方式殺害了四個「八一五派」俘虜(其中女俘一人)。

當「八一五派」攻佔王家大山那天清晨，「反到底派」立即組織人馬反攻。兩派激戰中死數十人。重大「八一五」301部隊參戰的三三、三四、三五、三七縱隊在這次戰鬥中死亡十人，是重大「八一五」戰士在武鬥中損失最慘重的一次。其中的段亞偉在王家大山激戰中本來未死，但在被俘時拒絕舉手投降，還倔強地說了一句：「八一五戰士沒有投降的習慣！」被激怒的「反到底派」成員當即開槍將他打死。

8月24日，空壓廠「八一五派」敗退前夕，將幾個關押的反到底俘虜抓出槍殺，其中有一對夫妻，丈夫鄧榮是廠供應科260工地指導員，妻子劉素芳是廠家屬會指導員。兩人本來在中梁山老家躲避武鬥，8月18日上街為小孩買鞋子時被「八一五派」抓回空壓廠關押。這天早晨被抓出槍殺時，鄧榮懇求説：劉素芳已有身孕五個月，希望不要殺她，讓她把孩子生下來，但遭到冷酷的拒絕……

武鬥中的殘忍表現還有一個方面，就是「打活靶」——以活人(並未參戰的無辜者)為靶子練槍法或「過槍癮」。

在重慶沙坪公園的武鬥死者墓園裏，就有因遭「打活靶」而無辜喪命的死者。

安葬於重慶市第二十九中學群葬墓中的張光耀，是「八一五派」二十九中毛澤東主義戰鬥團的負責人，一個優秀的高中三年級學生（要不是文革，他已經坐在大學課堂裏了）。1967年8月3日，兩派在二十九中校內爆發槍戰，有外校來支援的「八一五派」學生被打死在操場上，外校女生找到二十九中毛澤東主義戰鬥團團部哭訴，要求去把烈日曝曬下的同學屍體搶回來，張光耀獨自去了，在場同學說他「甩起兩隻手就去了，活像到操場去撿個籃球回來一樣」，但他一出現在操場上就被對方槍手當成了「活靶」……

安葬於建設機牀廠「八一」兵團一座群葬墓中的四十五車間工人何心貴，是1967年8月1日去車間代同事領工資路經袁家崗時，被「反到底派」人員從三十五中方向射來的子彈「打活靶」打死。

沙坪公園文革墓園內另一座單人墓「黃培英母親大人之墓」，安葬的黃培英是新華書店重慶發行所職工。因住地黃葛坪成為兩派武鬥熱點，為逃避武鬥威脅，1967年8月24日，黃培英帶着兩個兒子（一個初中生、一個小學生）逃往「八一五派」控制區大渡口（重慶鋼鐵公司所在地）投奔親戚，途中在毛線溝（再過一道山脊就是大渡口了）突遭「八一五派」槍手開槍「打活靶」，黃培英不幸中彈身亡。兩個孩子嚇得趴在農民菜地裏，大孩子席慶生拼命揮舞白襯衫高喊：別打了！我們是老百姓，逃難的！對方卻冷血地繼續開槍，他這才知道對方是在「打活靶」，只好躲藏於菜地裏不敢起身。等兩個孩子好不容易逃離險境到達大渡口找到父親時，他們的父親（新華書店發行所「八一五派」負責人）正帶領幾個準備上戰場的武鬥隊員在理髮店剃光頭……

有一個當時在「八一五派」楊家坪「捍衛紅色政權廣播站」擔任保衛工作的中學生，武鬥間隙中看了一本有關射擊知識的小冊子，想要實踐一下在射擊移動目標時怎樣「取提前量」，這時正看到遠處一個農民挑着水桶走出農舍，便不假思索地以此為目標試取提前量開槍，當那農民應聲扔掉水桶倒下（或是嚇得趴下）時，他才被自己行為的後果嚇得愣了好半天。後來在「清理階級隊伍」時被揭發出來，反覆交代、請罪，雖未坐牢，仍然被罰在學校監督勞動了多年……

就在中華大地硝煙四起、血雨紛飛的1967年7至9月，毛澤東以在警衛森嚴的專列上聽取匯報的方式「視察」了一些地方。中央人民廣播電台此後反覆播放了熱情洋溢的頌歌《毛主席走遍祖國大地》。1967年10月7日，中共中央轉發〈毛主席視察華北、中南、華東地區時的重要指示〉，要求各地組織學習貫徹。毛澤東在這「重要指示」中，不但隻字未對各地發生的大規模武鬥表示指責，甚至竟稱其視察期間(正是各地大規模武鬥最嚴重的7至9月)：「全國的無產階級文化大革命形勢大好，不是小好，整個形勢比以往任何時候都好。」「有些地方前一段好像很亂，其實那是亂了敵人，鍛煉了群眾。」

「形勢大好，不是小好」，這就是毛澤東對全國各地大規模武鬥，即「全面內戰」時期的一個基本評價。這也是他在1966年底自己的家庭生日宴會上，向中央文革小組成員舉杯祝酒時說「為開展全國全面的內戰乾杯」的預言成為現實的一種滿意結論。

血雨腥風中的廣西文革

宋永毅

上世紀70年代末到80年代初，在中共「徹底否定文革」和處理文革遺留問題的高潮中，成千上萬的來自廣西的上訪人流一次次地震撼着北京的中央接待站。尤其是上訪者們反映揭露的廣西文革中發生的「大屠殺」、「人吃人」等罪行之駭人聽聞和文革中成立的廣西自治區黨委異乎尋常的一概否認，更使人疑惑萬千。最後，中共中央自1981年起向廣西派出了三個工作組進行調查。不久，原廣西省委又被中央徹底改組。新的廣西自治區黨委動員了十萬幹部，深入到每一個縣做最仔細的調查，以揭示歷史真相。為了將調查工作做得細緻扎實，這些幹部用了五年時間、深入到廣西的每一個縣去按文革十年的年、月、日來編纂「大事記」、「大事件」，並在內部出版了近千萬字的有關廣西文革的中共機密和絕密的檔案資料。

這些檔案目前所知的有：一、中共廣西壯族自治區委員會整黨領導小組辦公室編：《廣西「文革」檔案資料》(機密)，共十八冊，1985至1988年；二、中共廣西壯族自治區委員會整黨辦公室編：《處理「文革」遺留問題、清理「三種人」文件彙編》，共五冊，1985至1987年；三、中央紀委中央組織部赴廣西落實政策調查組、中共中央赴廣西工作組的調查報告：《關於廣西落實政策情況的調查報告〔絕密〕》、《廣西落實幹部政策的情況〔絕密〕》(1981年5月25日)；《廣西在「文革」期間大批死人問題的情況報告〔絕密〕》(1981年7月15日)；《廣西「文革」期間判處反革命案件存在的一些問題》(1981年7月30日);《廣西「三支」「兩軍」工作中存在的一些問題〔絕密〕》(1984年1月20日);四、廣西區黨委處理「文革」遺留問題領導小組辦公室:《韋國清同志在廣西「文革」期間所犯錯誤的事實依據〔絕密〕》(1983年6月17日)等。雖然在上世紀80年代初的全國性的處理文革遺留問題的運動裏,其他省市也有過大量的檔案材料,並也編纂出版過一些。但是無論從出版的規模還是從整理的深度上來看,都遠遠落後於廣西的文革檔案資料。換句話說,無論是中央工作組,還是廣西的十萬幹部,都為揭露和保存廣西文革的歷史真相做出了名垂青史的貢獻。

在通讀上述檔案、寫作此文之際,我簡直不敢相信廣西文革中發生過如此震慄人心的罪行。但這又是中共官方最具權威性的秘密調查報告,由不得任何人有不信的疑惑。由此,用血雨腥風來形容廣西文革,一點也不是誇張之語。廣西是文革的重災區,就「非正常死亡」人數而言,就一直居全國之冠。其中有名有姓有地址的被打死和迫害致死者就至少有89,700多人,加上無名死者和所謂的「失蹤者」,死者總數實際上高達14萬至15萬人之多,而民間調查則認定總數至少20萬以上。而在如此大規模的「非正常死亡者」中,根據上述機密檔案裏的結論:武鬥死亡者不過3,000多人,而其他的都是被「有領導有計劃地……在非武鬥情況下,被個別或集體加以殺害的」。誰是這些大屠殺的領導者和組織者呢?讀者會更吃驚地發現:是文革中廣西的各級新生的「紅色政權」,即革命委員會和軍隊支左機構。由於他們的領導和指揮,廣西文革出現了絕然迥異於其他省市的特點:一、軍隊動用了兩個師以上建制的兵力,直接策劃、指揮、攻打和殲滅一派群眾組織,由此導致大規模的殺俘虜的現象;二、發生過一場旨在消滅「四類份子」(及其子弟)和反對派群眾組織的遍及全省的大屠殺;三、出現了相當規模的人吃人,即革命群眾對「階級敵人」剜心剖肝吃肉的風潮;四、作為大屠殺的自然衍生物,對女性的性暴力和性侵犯出現了中國大陸和平時期從來沒有過的集中迸發。

如同全國各地的群眾在文革中普遍地分為兩大派一樣,廣西文革中圍繞着是否打倒第一把手韋國清也形成了對立的兩大派。倒韋的一派為「四二二」(廣西四二二革命行動指揮部)，是平民造反派，基本成員為青年學生、市民、產業工人、下層知識份子及少數幹部組成。他們在人數上為小派，並沒有得到軍隊的支持。保韋的一派為「聯指」(無產階級造反派聯合指揮部)，在人數上為大派。其基本成員為黨團骨幹、武裝民兵，並以軍隊、即廣西軍區和各地武裝部的支持為後盾。兩派在1967年4月形成之後小規模的武鬥衝突不斷，造成少量的人員傷亡。但大規模的「非正常死亡」則發生在1967年底到1968年7月以後。

顯然，廣西文革兩派衝突的中心節點是它的自治區第一書記、廣西軍區第一政委韋國清。在全國所有省市的第一書記或被打倒、或被調任的十年裏，韋卻始終不倒，並得到了中共中央、尤其是軍隊的極力支持。韋國清是紅七軍、新四軍和三野出身的軍隊幹部，1955年被授予上將軍銜。他最出色的軍功是在越南抗法戰爭期間，1950年任駐越南民主共和國軍事顧問團團長，參加指揮奠邊府戰役。這和他在文革中的地位的穩固有很大關係，因為1966至1974年正值中國竭盡國力的抗美援越期間，毛澤東想藉此和蘇聯爭奪在國際共產主義運動中的領導權。而廣西和越南交界，正是毛抗美援越佈局的大後方。

然而，韋國清在歷史上並不是毛的嫡系。這就不排斥毛和中央在運動初期照樣發動造反群眾對他「炮打」和「火燒」，以檢視他的忠誠度，並扶植制衡他的反對派。事實上無論是中央文革還是周恩來，在1968年以前對倒韋的一派，即「四二二」都是大力支持的。但同時他們又不把受到嚴重衝擊的韋國清打倒或調離，仍然要他當省革命委員會籌備小組的組長。來自中共最上層的這種矛盾的態度自然而然地種下了韋國清和反對他的群眾之間仇恨難消的禍根。韋國清當然不敢對文革初期支持了造反群眾的毛、周和中央文革有所怨言，但是一旦他大權在手，對那些反對了他的幹部群眾就決絕不會心慈手軟了。

一　從混亂走向災難：廣西的軍隊「支左」和武裝剿匪

對於文革中毛澤東命令解放軍「三支兩軍」(支左、支工、支農、軍管、軍訓)，官方的說法至今還是持基本肯定態度的，其主要觀點是「在當時的混亂情況下是必要的，對穩定局勢起了積極的作用」。其實就「三支兩軍」而論，文革的新創造是「支左」。其他四項任務，軍隊在文革前就一直是在執行的。但是「支左」則不一樣，首先是誰是「左派」? 軍隊根本搞不清楚，因此「支左」只能是「支派」。而文革中的兩派都有幾十萬群眾，支持任何一派都只會造成整個社會的更大撕裂。而中共的軍隊在文革前只有解放初期的暴力土改、鎮反剿匪的政治經驗。根據這些以往「對敵鬥爭」的思維原型，軍隊很容易把它不支持的一方群眾組織當作「反革命」和「土匪」來武裝鎮壓，從而製造出大規模的流血事件來。其次，軍隊擁有大規模殺傷性武器，支持任何一派都可能使武器流入群眾組織，使雙方一般性的肢體衝突向真槍實彈的戰爭演變。

在廣西文革的群眾造反時期：從1966年10月的批判資反路線到1967年初的「一月奪權」中，全省雖然有紛亂的兩派鬥爭，但還沒有發生過事關人命的武鬥。1967年3月起，廣西軍區、地專軍分區和各縣武裝部開始軍管公檢法，成立各級「抓革命、促生產指揮部」，事實上接管了各級政權。但是廣西的局面並沒有趨向穩定，相反從混亂迅速走向災難。廣西文革從一般性的兩派對峙到武裝衝突的轉折點是群眾組織(主要是「聯指派」)的大規模的「搶槍運動」。而支持「聯指」的廣西軍區根本就是和「聯指」一起唱一齣「明搶暗送」的雙簧戲。有關檔案記載廣西的第一次搶槍真相如下：「(1967年7月)14、15日南寧地專『聯指』搶了南寧軍分區槍枝906支，子彈80萬發。在劃策搶槍的會議上有人說：軍分區暗示，軍分區的槍地專『聯指』不去搶，外面的人何能來搶。」再如，1968年6月15日至19日，融水縣革委召開四級幹部大會，動員向階級敵人「颳十二級颱風」。縣革委副主任、縣人武部部長劉庶民等人在會議結束後，直接打開縣人武部的軍械庫，向大隊、生產隊的來開會的「聯指」骨幹，「發下子彈35,000多發，手榴彈4,500餘枚。造成全縣性的亂鬥、亂打、亂抓、亂殺人，成批殺人的所謂十二級颱風」(全縣被迫害致死的985人)。此類廣西軍區送槍殺人的事件使兩派衝突迅速升級，也造成「四二二」在全省範圍內奮起搶槍自衛。大規模的流血事件便頻頻發生了。

1968年4月初，毛澤東計劃在全國盡快地成立省一級的革命委員會。他同時關於文革實質下了這樣一段新結論：「無產階級文化大革命，實質上是在社會主義條件下，無產階級反對資產階級和一切剝削階級的政治大革命，是中國共產黨及其領導下的廣大革命人民群眾和國民黨反動派長期鬥爭的繼續，是無產階級和資產階級階級鬥爭的繼續。」這裏，原來〈十六條〉中所說的「這次運動的重點，是整黨內那些走資本主義道路的當權派」已經改變了。換句話說，凡是有歷史或現行問題的群眾和群眾組織也成了運動的重點打擊對象。機密檔案顯示：廣西軍隊馬上抓住了這一時機。就在4月初，即他們一方面還在大談廣西兩派大聯合、盡早成立革委會之際，韋國清就和廣西軍區司令歐致富、廣州軍區司令員黃永勝一起在「衡山秘密會議」中內定「四二二」為一個「反革命組織」，必須加以消滅。他們同時認定：毛要拋棄造反派依靠軍隊來穩定全國局面了。於是，廣西軍區牛刀小試，在4月9日先把寧明縣「四二二」的一個小組織「上石農總」誣陷為成分複雜的「反革命武裝匪幫」，要求中央同意派軍隊圍剿。不久，他們果然如願，便出動了八個連的兵力，殲滅了這一群眾組織，造成了一百多人的死亡。1968年7月，中央輕信了韋國清和廣西軍區對於「四二二」搶劫「援越物資」的謊報，下達了由毛親自簽署的〈七三佈告〉。該〈佈告〉以罕見的嚴厲口氣指責了「四二二」群眾的「破壞無產階級專政，破壞抗美援越鬥爭，破壞無產階級文化大革命的反革命罪行」。廣西軍區當然牢牢地抓住了這一戰機，又如法炮製了「枯那反革命暴亂事件」、「南寧縱火案和攻打展覽館——解放路事件」、「鳳山剿匪」、桂林「八二〇事件」和「巴馬上山剿匪」等一系列的武裝剿匪事件。他們共出動超過兩個正規軍師建制的兵力，對「四二二」群眾先羅織罪名，後武裝殲滅，造成了大量傷亡。如在1968年7月15日到8月5日的「南寧縱火案和攻打展覽館——解放路」的圍攻中，他們前後出動12個正規軍連的兵力，還動用了重火炮。結果造成死亡人數達1,620人，俘虜共9,600人，而其中的2,324人(25%的俘虜)竟被活活殺害，由此開啟了大規模殺俘虜的先河。

除了軍隊直接出兵，另一種鎮壓模式是由軍隊主導和指揮武裝民兵對反對派群眾進行屠殺。在後一種情況下，殺戮常常表現得更為殘忍——無組織的暴民(群眾)比有組織的暴力(軍隊)更為可怕。當然，這裏的策劃者和指揮者是軍隊的支左幹部，他們的所作所為徹底顛覆了中共解放軍的熱愛人民的「雷鋒神話」。檔案裏的史實表明，在廣西各地區支左的軍隊幹部，從軍區司令員到各公社武裝部部長，絕大多數都策劃或直接指揮過大規模的殺人事件。用中共以往醜化敵人的套話來說，就是「雙手沾滿了人民的鮮血」。例如，賓陽縣在縣革委會主任王建勳(6949部隊副師長)的策劃指揮下，自1968年7月24日後一個月不到該縣就亂打亂殺和逼死了3,681人。王建勳還嫌在賓陽縣殺得不夠，跑到隔壁的殺人較少的邕寧縣去表示願意派兵去幫忙殺人。

為了爭奪革委會的領導權，許多支左軍人還直接對地方幹部進行陷害和謀殺。據檔案記載：「凌雲縣人武部政委、縣革委會主任王德堂陰謀策劃，殺害縣委書記趙永禧等十一名幹部、教師和學生。……王德堂在『文革』期間，不僅主謀策劃危害趙永禧和幹部群眾，而且利用職權，先後多次強姦被害者的妻子及受批鬥的女學生共六人。如此罪大惡極的王德堂，曾被封為『支左』的好幹部。」1967年10月16日，駐靖西縣支左軍人伍祥勝、曾克昭，盜用「四二二」靖西「造反大軍」名義，由曾克昭執筆偽造了一封信寄給黃小林(靖西縣委書記)，要黃站到「四二二」一邊支持靖西「造反大軍」。此後，他們便以此信為藉口，誣陷黃小林參加派性活動，以致「聯指派」將黃活活打死。

眾所周知，軍隊是國家機器最主要的組成部分。由於「三支兩軍」，支左的軍人成了各級「紅色政權」的第一把手，絕大多數的廣西大屠殺的案例都是由軍人領導、指揮、縱容甚至直接動手的，這說明所謂的暴民政治只不過是國家機器行為的一種結果和延伸，甚至是被國家機器直接利用的形式而已。而廣西文革的失控——從一般性的社會混亂快速地墜入武裝屠殺的人間地獄，其轉折點正是軍隊的支左(其實是支派)和對另一派群眾組織的「武裝剿匪」。

二　大屠殺：階級滅絕和政治迫害

自1967年底到1968年下半年，廣西全省發生了慘絕人寰的大屠殺。就其類型而言，大約有階級滅絕和政治迫害兩種。前者的殺戮對象主要是「黑五類」，即「階級敵人」；後者則包括了在階級成分上並不是「黑五類」的反對派，即「四二二派」的幹部群眾。在許多場合，這兩種類型的殺戮是交叉混合的。根據文革中和文革後的三次官方統計，受害者中大約超過一半的受害者(56%)是「四類份子」及其子女，這一群體的總受害人數高達5萬至8萬。

需要説明的是，這些大屠殺並不是權力真空的產物。如上所述，自1967年2月起，廣西軍區和各縣武裝部在省、市、縣三級都成立了以現役軍人為第一把手的「抓革命、促生產指揮部」，成為革委會成立以前的實際權力機構。也就是説，廣西在文革中從來就沒有出現過權力真空，相反，我們可以看到是各級政府蓄意製造了這類「紅色恐怖」的無政府混亂。據檔案記載：大屠殺的「第一滴血」灑在桂林地區的全州、灌陽、平樂縣和玉林地區的容縣、平南、博白等縣。因為受湖南道縣等地屠殺「四類份子」的影響，那裏出現了所謂「貧下中農最高人民法庭」和「貧下中農鎮反委員會」等「非法組織」，亂殺「四類份子」及其子女，從9至12月，共殺死地、富及其子女440人。在這一階段，製造血案的還只是大隊的民兵營長、公社和區的武裝部長等基層的政權代表。值得一提的是：當時的各地軍隊、武裝部、軍管會和「抓革命、促生產指揮部」不但都沒有及時制止，卻相反地加以提倡。如1967年9月，灌陽縣人武部政委原紹文就公開支持剛冒頭的所謂的

「貧下中農最高人民法庭」，幾天內就殺害了158人。他還給上級寫報告把亂殺人罪行説成是甚麼「就地處決、先發制敵革命行動」，「大長了貧下中農志氣，大滅了階級敵人威風，群眾拍手稱快」等等。

當然，大屠殺的黑幕絕不僅止於區縣一級的執政者，有絕密文件中確鑿的證據表明：作為廣西第一把手的韋國清直接授意了大屠殺。武鳴縣是韋國清「四清」蹲點的樣板縣，1968年6月下旬，韋在「四清」蹲點的梁同大隊支部書記梁家俊、副支書黃錫基（韋國清蹲點住在他家）、前任支書梁其均等三人到南寧找韋國清請示匯報。韋國清授意他們回去後搞大屠殺，結果他們當晚就殺了包括「四類份子」在內的54人。在武鳴，梁同大隊是最先動手殺人的。接着，全縣推廣了梁同大隊經驗，共殺死、打死、害死2,100多人，其中幹部74人，工人11人，貧下中農和學生1,278人，「四類份子」及其子女802人。梁同大隊副支書黃錫基因殺人立功，直升武鳴縣委副書記兼城廂公社書記。

為甚麼政府要製造本來它的職能要制止的無政府狀態呢？看了上面韋國清的親信黃錫基因殺人升官的例子會或許使人豁然開朗。施害者在他們一手製造的「紅色恐怖」中不僅表現出堅定的「階級立場」，更可以得到種種實際利益。據檔案披露：廣西文革中直接動手和參與殺人的主要是共產黨員！據文革後處理遺留問題（「處遺」）核查組統計資料，廣西全省有近50,000名共產黨員是殺人兇手，其中「有20,875人是入黨後殺人的，有9,956人是殺人後被吸收入黨的。與殺人有牽連的黨員達17,970人」。在1984年後「處遺」工作中，全省共有25,000名黨員被開除黨籍。

值得注意的是：在大屠殺發生前夕，體制內的策劃者都非常熱心於在體制外成立了許多施害者的組織，如所謂的「貧下中農最高人民法庭」、「貧下中農鎮反委員會」、「貧下中農聯合指揮部」、「保衛紅色政權指揮部」等等，來充當直接的兇手角色。至今為止的中共文件都把它們稱之為「非法組織」。其實，在中共一貫倡導的「群眾專政」中，這些組織耳熟能詳，在建國以來的政治運動中都是合法組織。在上世紀50年代初的大規模暴力土改和鎮壓反革命運動裏，中國農村至少有數百萬地主富農或歷史反革命份子被虐殺。而直接充當殺戮者的，也都是這些林林總總的「人民法庭」、「貧下中農委員會」。在文革前「四清」運動中還作為一種重要的重新組織階級隊伍的手段寫入「二十三條」，即著名的「貧農、下中農協會」。更值得注意的還有事情的另一方面：成千上萬無辜的「四類份子」或「四二二」的幹部群眾還被莫名其妙地高度組織化，即被打成林林總總莫須有的反革命組織成員。在檔案中我們可以看到這類組織有一兩百種之多，如「四類份子」對貧下中農的「暗殺團」、「暗殺隊」、「殺貧留中保地富反動組」。還有遍佈「四二二」中的「廣西反共救國團」、「反共救國軍」、「農民黨」、「平民黨」等。由此看來，對大屠殺的發生而言，最重要的並不在於受害者是否真是「黑五類」，而在於他們是否是「紅色政權」的反對派。「階級敵人」是可以根據需要隨意製造的。即使你歷史清白，施害者也可以羅織罪名，把你隨意地「組織」到某個「反革命組織」裏去。

在文革後複查的機密檔案資料裏，對施害者觸目驚心的殘暴都有非常詳細的記載。被害者的死亡方式，就有敲死、溺死、槍死、捅死、砍死、拖死、活割、砸死、逼人上吊、圍捕殺害、破腹割肝等數十種之多。政治迫害中的刑訊逼供的手段，還有拔河、假槍斃、假活埋、封豬、泡水、灌狗屎、脱褲遊街、踩足跟、坐坦克、坐老虎凳、遊鬥、打活靶、罰跪、手銬、腳鐐、木枷鎖腳、跪碎石、罰跑步、化妝遊街等上百種之多。顯然，施害者並不想盡快地結束被害者的生命，而是要充分地享受一種在拷打和處死人的過程中所得到的獸性的快感。

這種施害者感官和心理快感的產生，無疑和長期以來中共官方意識形態中把階級敵人的「非人化」有關，即「黑五類」不是人，而是必須予以清除的「臭狗屎」、「臭蟲」，因此，殺掉階級敵人不是殺人而是為人類除害。在這些檔案裏，被殺的「四類份子」常常被稱為「豬」，而預謀殺戮被稱為「完成生豬上調任務」。尤其在成立廣西省革命委員會前，縣裏都要發出通知要下面「殺『豬』向自治區革委成立獻禮」。這樣，對「四類份子」妖魔化和非人化符號操作，非但能夠起到重要的減輕施虐者心理緊張或心理負擔的作用，還可以給他們虛假的正義感。

在廣西階級滅絕式的大屠殺中，不少地方還提出「殺哥必殺弟，殺父必殺子」等「斬草除根」式的做法。例如，在〈七三佈告〉後，賓陽縣曾大開殺戒，「蘆墟區南山公社六炭村吳日生一戶五人，當吳日生被拉去臨打死前，其已懷孕七個多月的妻子帶着三個小孩到現場哀求不要打死她的丈夫，結果連她和兩個孩子也被打死，只剩下一個四歲的女孩被打致傷倖存」。

皮相地看來，「斬草除根」似乎是為了防止受害者家人的報復，但深入地審視還會發覺很多有「謀財害命」的動因。許多檔案記載了這樣一個循環不已的模式：在滅門絕戶式的血跡未乾之際，施害者們即刻進入了瓜分被害者財產的高潮，而原被害者家庭所有的雞鴨豬羊和有限的糧食，在大吃大喝的盛筵中被揮霍一空。例如，在賓陽縣的大屠殺中，武陵區上施公社的兇手在殺害了黃澤先全家以後，「打死人後，已經是次日凌晨4點多鐘了。這幫人回家後接着黃樹松又帶隊抄了黃澤先家，將所抄得的財物搬到本村小學，當晚全部瓜分乾淨」。正因為有這些實實在在的物質利益，廣西各地農村幹部和武裝民兵才爭相把「四類份子」全家「斬草除根」，以便瓜分他們的財物。

三　人吃人和性暴力：
有組織的大屠殺中的非組織化的極度惡

在廣西高度組織化的大屠殺裏，還有一些非組織化的極度惡的衍生物。一是竟然出現了人吃人的風潮；二是迸發了大量的強姦、輪姦、性傷殘和性虐殺的案件。

在所有的文革暴力行為中，恐怕最令人震驚的事件莫過於廣西發生的相當規模的人吃人，即革命群眾對「階級敵人」剜心剖肝吃肉的風潮。根據機密檔案的記錄：這一吃人風潮共波及了31個縣（市），就地理規模上來講，至少將近一半的廣西土地上發生了人吃人的風潮。

另外，這一風潮的數量規模在廣西也是史無前例的。就被吃者的數目而言，僅根據《廣西文革機密檔案資料》(即《廣西「文革」檔案資料》〔十八冊〕的電子文本)中的記載，有名有姓有統計數字的被吃者就有291人(次)。據廣西民間學者的多年調查，有名有姓的被害者有421人之多。論及參與者的規模，廣西文革中的人相食，帶有明顯的群體作案的鮮明特點，即大都是公開的、瘋狂的群眾運動 。這裏，我們不妨從案例最多的武宣縣的檔案——中共武宣縣整黨領導小組辦公室編的《武宣縣「文化大革命」大事記》(1987年5月4日)——中摘錄一段，來看一下當年「革命群眾」殺人而食的瘋狂：

> 縣城遊鬥打死湯展輝肉被割盡吃光。
>
> 6月17日，武宣圩日，蔡朝成、龍鳳桂等人拿湯展輝上街遊鬥，走到新華書店門前，龍基用步槍將湯打傷。王春榮手持五寸刀剖腹取心肝，圍觀群眾蜂擁而上動手割肉。肉割完後，有一個老媽子割要生殖器，縣副食品加工廠會計黃恩範砍下一條腿骨，拿回單位給工人鍾桂華等剔肉煨燉吃。當時在殘殺現場的縣革委副主任，縣武裝部副部長嚴玉林目睹這一殘忍暴行而一言不發。當時正在召開四級幹部會，參加縣四級幹部會議的個別代表也參加吃人肉，造成極壞的影響。

武宣縣在文革中有人口22萬，縣城的圩日每一次都有成千上萬人參加。就是在這樣的藍天白雲之下、人山人海之中，發生了成百上千，甚至上萬人的革命群眾把個別活人的肉「割盡吃光」的場面。而現役軍人、革命委員會副主任和武裝部副部長竟然以「目睹這一殘忍暴行而一言不發」的表態來縱容鼓勵。從此，全武宣各地都掀起了新一輪吃人的群眾運動高潮。在武宣縣的文明的最高學府——武宣中學和桐嶺中學裏還發生了學生吃掉老師和吃掉校長的血腥事件。

一般説來，國家機器在維持社會穩定上有其一定的中立性。無論是民主還是專制的國家機器，都是某種社會法律和秩序的維護者。在人類進入20世紀的文明後，防止和制止人吃人罪惡的發生更應當是一種共識。但不幸的是，在廣西文革中策劃、行兇和嗜血的，卻大都是國家機器的代表。在上述700萬字的機密檔案中，大約有200名有名有姓的直接殺人犯(剖腹取肝的兇手)和直接或間接策劃犯(殺人食人的策劃和主持人)被點名。除了一般的群眾，其中118人的政治身份如下：一、武裝部長5名；二、武裝民兵指揮員17人；三、武裝民兵78人；四、幹部18人。換句話説，60%的食人行為是中共國家機器的基層代表的親力親為，或是他們推波助瀾的直接後果。由於文革中黨的系統常常受到群眾運動的衝擊，各級人民武裝部就更成了國家機器的權威代表、各地的實權派。「榜樣的力量是無窮的」: 既然這些國家機器的代表人物如此身體力行、不遺餘力地推動吃人，想嘗試一下「共同專政」滋味的暴民們怎麼會不爭先恐後地追隨響應呢？

對吃人風潮的間接支持和直接縱容還來自權力的更高層面。我們在上面提到的武宣縣縣武裝部副部長和革委會副主任嚴玉林就是一個典型的例子。據説，後來有人批評他不當面制止群眾性的吃人風潮，他還大言不慚地回答：「群眾的事，管不了哦！」換句話説，他認為這一「群眾運動」並無大錯，不值得他挺身而出去阻止。

浮面看來，廣西的吃人風潮似乎可以歸納為所謂的「為革命吃人型」，即革命群眾出於對階級敵人的仇恨的大義而吃敵人。其實不然，當我們對一個個案例做進一步分析時，便會發現兇手的暗藏動機絕不是出於純粹的意識形態——「階級鬥爭」的理論。首先，在被吃掉的敵人中有不少並不是「四類份子」，而只是「四類份子」的子女。即便按中共文革中的階級路線，也不應當把他們錯誤地劃入階級敵人的範圍。第二，被食者中有不少既非「四類份子」，又非「四類份子」的子女，有不少還是響噹噹的「紅五類」。吃掉他們不過是因為他們有反韋的「四二二派」的觀點而已，而兇手的目的顯然是蓄意製造「紅色恐怖」來鎮壓反對派。最後，兇手對被害者的選擇常常有極大的隨意性，既不按階級性，也不按派性。比如，1968年5月14日晚，貴縣農民陳國勇路過武宣縣通挽鄉時，被當地的一個民兵營副營長叫民兵把他活活殺害，挖出心肝，20人分吃。而兇手們在施害前也根本不了解他的政治身份和派別所屬，只是因為他「長得胖」，即可能他的肉和心肝比較好吃。再如，1968年5月24日馬山縣林墟區興隆公社有過一個「殺父食子」的滅門案。先是大隊負責人、民兵營長覃振興宣佈農民黃永勝（父親）「階級鬥爭表現不好」的「罪狀」，造成他的被害。然後「白天殺父，晚上殺子，當天晚上又把未成年的黃少奇（11歲）、黃月明（14歲）押到水庫旁用繩子絞死並剖腹取肝，……當晚參加吃人肝」。這裏值得分析的是：這些兇手們為甚麼不食已死的父親的人肝，而偏要向兩位未成年的青少年下手？原來兇手們食青少年心肝的真實動機是「沒有結婚的肝好，可壯膽治病」。可見作案者的動機絕非是僅出於「斬草除根」，其深層動因更是功利性的變態私欲：活人的心肝可以延年益壽、治病養生。

然而，參與這一風潮的還遠不止上述的兇手們，更有成千上萬的普通農民。不幸的是：這些普通人和代表國家機器的執政者、兇手們一起製造了這一史無前例的吃人風潮。從犯罪心理學的角度，人總是一半是天使，一半是魔鬼。善和惡之間的界限並不是牢不可破的，邪惡也從來不是暴君和惡棍的專利。從廣西文革中的吃人風潮來看，人與獸之間就沒有絕對不能逾越的界限，而文革在最大程度上激發了和釋放了人性中的惡，才使「人」迅速地完成了向「獸」的返祖轉化。

除了人吃人風潮外，廣西文革中失控的極端暴力行為，還有在1967至1968年的大屠殺和政治剿匪中發生的一種遍及全省性暴力的現象。在那些檔案裏，完整的強姦、輪姦、性虐待，乃至以性暴力辱屍、毀屍的記載便有225個案例之多，女性受害者的人數應當在千人以上。只要稍稍瀏覽一下這些案例，便會令人震驚地發現，這些惡性的性暴力案件有如下這些特點：其一，戕害的多重性；其二，前設性和預謀性；其三，殘虐性和變態性。

戕害的多重性有兩重含義：一、對施害者來說，他們不僅劫色，還劫財甚至害命，即一種殺父姦女、殺夫姦妻的模式；二、而對被害的女性來說，她們要承受的不僅是可以治癒的身體的被佔有，更有永遠無法消弭的精神創傷。

性暴力大多是伴隨農村大屠殺發生的。殺戮結束後，「四類份子」或「階級敵人」的妻女常常被強行分配給兇手們為妻。這更給受害的女性帶來了長期的精神創傷和無窮盡的靈魂折磨。她們常常輕則外逃重新嫁人，重則精神失常或自殺身亡。如1968年6月24日，金秀縣金秀區長二公社由黨支書、「文革」主任莫志光，為了達到姦淫和霸佔青年婦女莫秀雲的目的，召開群眾對敵鬥爭大會，當場打死陶明榮（莫秀雲的丈夫），又逼死了莫的父親，還活埋了莫的母親莫女嬌。然後，莫志光又以莫秀雲的孩子為威脅，如願以償地姦污了莫。最後，莫秀雲不甘長期當莫志光的性奴，只好離鄉背井，逃落他鄉。再如，在天等縣1968年3月的「祥元大屠殺」後，殺人兇手黃正建等人把被他們害死的農會沖女兒先進行輪姦，後強迫她嫁給兇手農朝豐為妻，還將被他們害死的農良權、農良寧兩人的妻子分別嫁給兇手黃正建、蒙加豐為妻。但不久這些女性無法忍受和殺父殺夫的兇手一起生活而出逃改嫁了。時光的流逝並沒有沖淡這些精神上的創傷，以致在文革結束後還造成了作孽深重的多重悲劇。如上思縣思陽公社一個婦女，丈夫被殺後，她在不知情的情況下被兇手佔有為妻，還共同生下兩個孩子。至1983年「處遺」時，她終於得知現夫是殺害前夫的兇手，便悔恨交加，想到不能為仇人留下後代而將兩個孩子砍死，自己也瘋了。

對於不願意嫁給兇手的女性，施害者一方面逼迫她們改嫁出門，以便沒收她們家的全部財產；另一方面，還向她們徵收匪夷所思的「改嫁費」，以榨取最後的「剩餘價值」。1968年5至6月，浦北縣北通公社旱田大隊的大隊「文革」主任黎亦堂在指揮民兵殺光了當地的地富份子以後，便規定凡被殺害了的地富份子的老婆要改嫁、女兒要結婚的，必須經過他批准，並到大隊民兵隊交所謂「證明」款後，才辦理結婚手續。有賬可查，該大隊有六名婦女出嫁，被大隊民兵隊、生產隊勒索所謂「證明」費共894元——這在當時的中國農村是相當的一筆鉅款！

性暴力還常常帶有一定的前設性和預謀性。施害者或在大屠殺發生以前就對被害的性對象有着非常強烈的性幻想或佔有欲，或因性關係和被害者及其家人有過嫌隙和衝突，而大屠殺則給了他們不可多得的宣泄和報復的機會。例如，合浦縣白沙公社發生殘忍的殺人事件。指揮殺人者之一的宏德大隊治保主任沈春先一直對地主朱有蓮的漂亮的大媳婦垂涎欲滴，揚言：「我們貧下中農老婆都沒有一個，地主仔竟娶到這麼靚的老婆。」於是他在大屠殺中指派民兵把朱有蓮的大兒子抓去大隊部後院，以其「調皮搗蛋」為罪名，用木棍把他活活打死。爾後又傳其媳婦到大隊進行調戲騷擾，要她嫁給他。因朱有蓮的媳婦不答應，他又連續殺了她丈夫的四個兄弟，並滅其家門。為此，朱有蓮的媳婦趕緊逃回她馬山縣的原籍。沈還不放過，跨縣去威脅朱的媳婦。為了擺脱色狼的糾纏，朱的媳婦只得遠嫁草江大隊和一位看水磨的老人。儘管命運如此多蹇，朱的媳婦還算是幸運的。有的婦女則因此而遭滅口殘殺。

其實，廣西文革大屠殺中的謀財害命和劫色害命並不是第一次，最早的原型可以追溯到中共建國初期的暴力土改中。晚近不少大陸學者研究土改的著作，就揭露了中共早期土改中「分房、分地、分老婆」的固有模式。從土改開始，「四類份子」的妻女便和他們的土地一起，作為一種被合法剝奪的「財產」分配給所謂的農村革命階級——「貧下中農」。從土改到文革的十多年裏，地富及「四類份子」早已淪為政治賤民。但是，「四類份子」們辛勤勞動，還是有一些可憐的雞鴨餘糧的積蓄的。尤其是他們的兒子或娶上了漂亮的媳婦，他們的女兒或出落成豆蔻年華的少女，這便激發了那些「土改積極份子民兵」壓抑在心底的最齷齪的性欲望：既然第一次暴力——土改時分配地富的妻女是合法的，為甚麼文革中不來第二次再分配呢？事實上，廣西文革中不少性暴力的發生，是和模仿土改息息相關的。如金秀縣金秀區長二公社黨支書、「文革」主任莫志光，為了達到姦淫和霸佔青年婦女莫秀雲的目的，逼死了莫的父親，還活埋了莫的母親莫女嬌。這一惡性事件就是在搜查土改時沒有能發現的「銀元」的藉口下發生的。

最後，這些性暴力事件還充分顯示了施暴者的性虐狂和性變態。機密檔案揭示了相當數量未成年幼女和少女被強姦或輪姦；相當多的孕婦或被姦污，或被蓄意拷打殺害，以致造成一屍兩命的悲劇。機密檔案還記錄了：施害者們即便無法姦淫，也不放過受害的女性。他們在刑訊中有意着力於故意傷殘女性的乳房和陰戶，有時直接導致被害者慘死。而被害女性死後，他們還想方設法地以性暴力來侮辱她們的屍體。

四　幾點簡單的餘問和餘論

在一個沒有任何戰亂外患的和平時期，中國的一個省竟有8.97萬到15萬的人在一場政治運動中死於非命。而且根據官方的調查的結論：這些人中僅有三千多人是死於兩派自願參加的武鬥，而其他的8.94萬至14.97萬的受害者則是「在領導有計劃地進行的」屠殺中，即「多是在非武鬥情況下，被個別或集體加以殺害的」。僅此，我們不禁要問：這樣的革命還有甚麼起碼的「文化」和人道氣息嗎？

如果我們更進一步追溯一下施害者和受害者的社會——階級成分的構成，還會發現：在這一居全國之冠的所謂的「非正常死亡」的數字後面，是一場由廣西最高領導授意的，由各級政權組織的，由軍人、武裝民兵和眾多的黨團積極份子執行的對所謂的「階級敵人」和政治反對派的血腥大屠殺。那麼，究竟誰要對這些慘絕人寰的大屠殺負責呢？當然，當我們講到少數派組織「四二二」群眾主要是受害者時，並不是說他們就沒有類似的問題和責任，而只是闡述一個簡單的歷史事實：他們當時還是弱勢群體，還沒有掌權迫害對立派的機會。

在廣西高度組織化的大屠殺裏，還有一些非組織化的極度惡的衍生物。一是竟然出現了人吃人的風潮，二是迸發了大量的強姦、輪姦、性傷殘和性虐殺的案件。難道這些不齒於人類的獸行還能用對階級敵人的仇恨來解釋嗎？這些施害者的動機還是為了甚麼美好的「革命」理想，而不是出於赤裸裸的姦淫擄掠的惡欲嗎？

在探索這些人性極度扭曲，乃至獸化的過程中，我們還會驚人地發見這些作惡的方式都不是文革的首創。相反，其原型可以追溯到中共建國最早的政治運動：暴力土改和血腥鎮反。而文革只不過是給了那些軍人、武裝民兵和眾多的黨團積極份子又一次財產——女人的再分配的機會——某種結果和延伸、是「中國特色」的惡之華的結晶而已。我們不禁要問：這些極度惡的衍生物，和中共文革前十七年的政策和實踐究竟是甚麼關係？

我們還要追問毛澤東和周恩來等中共主要領導人對廣西文革究竟要負甚麼責任？雖然毛澤東等中共領導人並沒有提倡過吃人和強姦，但是他們在1968年的〈七三佈告〉中批准了動用軍隊對群眾組織進行武力鎮壓，由此導致大屠殺的發生和加劇。另外，不正是他們所建立的崇尚暴力的無產階級專政體制，他們所提倡的「你死我活」的階級鬥爭的理論，每每被施暴者作為指導理論，才結出了吃人風潮和性暴力的惡之果嗎？

最後，如果我們從廣西這一個省的文革的個例出發，來回答究竟「甚麼是文革」，可予以回答：藉一斑以窺全豹，只要稍作思考，恐怕不難發現所謂的「文化大革命」的反文化、反文明和反人性的本質吧。

1967年上海「一月革命」

李　遜

一　毛澤東生日家宴對上海文革高度評價

1966年12月26日，毛澤東73歲生日。從1966年6月1日《人民日報》發表社論〈橫掃一切牛鬼蛇神〉，宣佈文革全面開展，到此時已經半年。各級黨委——從省市委到基層黨支部——普遍遭衝擊，大字報鋪天蓋地，幹部們被批判揪鬥。毛澤東讓江青請中央文革小組成員陳伯達、張春橋、王力、關鋒、戚本禹和姚文元，在他生日那天到中南海游泳池吃飯。席間毛澤東高度評價上海的文革：「上海的革命學生起來了，革命的工人起來了，革命的機關幹部起來了，上海的文化大革命就有希望了 。」毛澤東向大家祝酒：「祝全國全面的階級鬥爭！」

毛澤東所説的上海「革命的工人」、「革命的機關幹部」以及「革命的學生」，實際就是上海正在崛起的造反派們。「革命的工人」主要是指上海工人造反派組織「工總司」(上海工人革命造反總司令部)，是全國最早也是上海第一個全市性職工組織，負責人是當時上海國營第十七棉紡織廠的保衞幹事王洪文。中共掌握政權後從來不允許民間自行成立組織，所以1966年11月9日開成立大會那天，中共上海市委雖然被籌備大會的王洪文等邀請，但拒不出席。這意味着市委不承認這個組織。參加大會的工人造反派於是湧向上海火車站，擠上去北京的火車北上告狀，集體上訪。但載着他們的火車還沒開出上海，鐵道部就打電話到上海指示列車不能赴京，上海鐵路局只能馬上將列車就近停在安亭。列車上的造反派們下車後見赴京無望，於是攔截火車，造成滬寧、滬杭鐵路線大面積停擺。這就是震驚中外的「安亭事件」。

中央當即開會討論，決定派中共上海市委書記處書記張春橋立即飛赴上海處理。中央的意見是對「工總司」不予承認。但張春橋到上海後，經與王洪文等人的談判，簽字同意了「工總司」的要求，承認「工總司」是「革命的合法組織」。之後，毛澤東引用憲法，支持張春橋，說工人有結社自由。

在此之前，只有學生紅衛兵可以成立全市性組織。即使如此，紅衛兵剛開始成立時也不被允許，是毛澤東支持了他們，毛澤東在寫給他們的回信中說「對反動派造反有理」，全國各地紅衛兵組織於是一哄而起。在紅衛兵的榜樣帶動下，工人也成立組織。上海的「安亭事件」就是因工人要求成立全市性組織遭壓制而起。毛澤東從來認為工人應該是政治運動的主力軍，所以上海的工人造反派組織起來，他十分支持。「安亭事件」突破了執政黨不允許職工自行成立組織，尤其是全市性跨行業組織的規則，從此上海乃至全國的工人群眾組織興起。毛澤東發動工人參加文革的目的達到。

毛澤東所說的「革命的機關幹部」，就是以徐景賢為首的機關造反派。徐景賢文革前是中共上海市委宣傳部的普通幹部，也是文革前中共上海市委寫作班的黨支部書記。市委成立寫作班是為了配合當時的「批判修正主義」，實際就是對文化領域開展整肅。當時上海市委分管宣傳的書記是張春橋，寫作班的工作屬於宣傳領域，所以與張春橋的聯繫較多。寫作班的成員與姚文元也有較多工作上的接觸，所以與姚文元的關係也較熟。姚文元文革前是上海《解放日報》社編委兼文藝部主任。江青組織批判北京市長吳晗撰寫的新編歷史劇《海瑞罷官》，在北京找不到願意撰寫者，到上海找到姚文元。姚文元寫出〈評新編歷史劇《海瑞罷官》〉，於1965年11月10日發表在上海《文匯報》。批判《海瑞罷官》被認為是文革的序幕。姚文元在文革前夕被調往中央文革小組，而張春橋則成為中央文革小組副組長。

「安亭事件」後，儘管造反派組織迅速興起，但文革在底層仍呈拉鋸狀態：各級幹部打而不倒，仍然影響或操縱保衛他們的保守派組織，與造反派組織對立並頻頻衝突，明裏暗裏地抵制文革。保守派在人數上仍大大多於造反派。1966年11月底和12月初，姚文元兩次從北京打電話給徐景賢，催促徐景賢帶領市委寫作班造上海市委的反。12月18日，以徐景賢為首的「機關聯絡站」(上海市委機關革命造反聯絡站)成立。「機關聯絡站」的成立，為正在猶豫的底層幹部和群眾樹立了造反榜樣。更重要的是，打破了科層抵制文革的防線。市委的工作原來都是靠各級普通幹部去具體執行的，他們也知道許多「黨內機密」。這些幹部造反，造成市委工作的癱瘓。

毛澤東所說的「革命學生」，是指上海的造反派紅衛兵。當時上海最有影響力的造反派紅衛兵組織是「紅革會」(紅衛兵上海市大專院校革命委員會)和「炮司」(上海市炮打司令部聯合兵團)。後者曾參與「工總司」的籌建，前者曾於1966年11月29日至12月9日製造了轟動上海的「《解放日報》事件」。

整個生日家宴上，毛澤東對文革非常樂觀，完全是運籌帷幄的自信。不料幾天後，「康平路事件」爆發：1966年12月28日，上海上萬保守派工人前往中共上海市委辦公處所在地康平路大院請願。因為市委為跟上文革形勢，改變了他們原先支持保守派組織的策略。保守派不甘被文革拋棄，也喊出「打倒上海市委」的口號。在北京的張春橋得知上海發生的情況後，要造反派不能坐視，說不能讓保守派搶了造反的勝利成果。12月30日淩晨，「工總司」的幾萬名工人造反派，對正在康平路大院內向市委請願的工人保守派發起衝擊，強行解散了他們的組織「赤衛隊」(捍衛毛澤東思想工人赤衛隊上海總部)。這就是震驚全國的「康平路事件」。一個多月前剛爭取到結社權的上海工人造反派，就這樣首開以革命名義取締另一派群眾組織的結社權的行為，日後兩派衝突性武鬥源頭都可以溯源於此。

上海局勢一片混亂。這個中國最大工業城市的經濟生產癱瘓或半癱瘓。「康平路事件」的兩派衝突，造成上海及周邊鐵路運輸又一次癱瘓。文革對經濟的巨大破壞終於開始突顯。

二　上海兩張傳單為毛澤東的文革找到出路

「康平路事件」中，保守派學着當初工人造反派赴京告狀之舉，也北上告狀。尤其上海鐵路局是「赤衞隊」的大本營，大批保守派離開生產崗位，上海及周邊鐵路運輸又一次癱瘓。1967年1月1日淩晨，國務院總理周恩來從北京打電話給因病在家休養的中共上海市委書記陳丕顯，要他出來工作，盡快平息事態，暢通鐵路。周恩來並要陳丕顯「與革命左派商量商量」。

陳丕顯接到電話後馬上通知「工總司」等工人的造反派和紅衞兵組織，到市委召開聯席會議。但造反派們不相信中央會讓陳丕顯出來主持工作，所以會議實際由造反派主持。會上大家同意出一個傳單，標題是〈抓革命、促生產，徹底粉碎資產階級反動路線的新反撲——急告上海全市人民書〉，號召全市群眾把鬥爭矛頭對準以陳丕顯、曹荻秋為首的中共上海市委；歡迎「赤衞隊」反戈一擊，回廠「抓革命、促生產」。陳丕顯簽字同意印20萬份。

就在上海的造反派組織起草〈急告上海全市人民書〉時，上海《文匯報》社也發生一件大事。上海當時主要的報紙有兩家：《文匯報》和《解放日報》。文革開始後，兩張報紙不敢彰顯風格，辦得愈來愈相似，上海市委於是打算將兩張報紙合併。加上局勢愈來愈亂，紅衞兵也屢屢衝擊報社要求進駐。《文匯報》報社的造反派商量：與其合併，與其被紅衞兵進駐，不如我們自己接管。1967年1月3日，《文匯報》社的造反派接管了報社的辦報業務。1月4日，被接管後的第一期《文匯報》的第一版刊登〈告讀者書〉，宣佈報社已被造反派接管；1月5日被接管後的第二期《文匯報》第一版又刊登了〈急告上海全市人民書〉。

《文匯報》被造反派接管，拉開了不久全國奪權的序幕。

此時，張春橋已經回上海，毛澤東派他回上海就地觀察和掌握上海的形勢。張春橋1月4日回上海，1月5日便看到《文匯報》上刊登的〈急告上海全市人民書〉。但張春橋對《文匯報》的被接管以及刊登的這份傳單都沒有重視。此時上海的一部分造反派組織正在籌備聯合召開

「打倒上海市委大會」，張春橋全力支持。大會發出不承認上海市委、要求中央對上海市委徹底改組等三項通令。會後張春橋將這些通令上報毛澤東。

與此同時，張春橋還大力支持「抓革命、促生產火線指揮部」。這是一個由「工總司」的工人造反派與紅衞兵造反派聯合組成的機構。與之前的各類造反派組織不同的是，這個組織的目標不再只是「革命」，而是恢復生產秩序。「火線」成立後最重要的工作就是疏通交通運輸，尤其是鐵路運輸，以及疏散港口積壓的60萬噸物資，恢復碼頭吞吐。為此動員和組織了幾萬名學生紅衞兵去碼頭幫助裝卸。發電廠急需的煤也是「火線」想方設法解決的，1月9日，五列火車載着一萬多噸煤直達電廠。而此時上海最大的楊樹浦發電廠存煤已經幾乎告罄。張春橋評價說「火線」是「經濟蘇維埃」，可以替代市政府的職能。「火線」是1月7日成立的，張春橋於1月9日便上報中央。

但是，毛澤東不表態，他沒有讓中共中央的權威報紙《人民日報》刊登上海「打倒市委大會」的消息或轉載大會通令，也沒有對「火線指揮部」作出回應。這種以少數幾個造反組織代替整個政府職能的做法，似乎不合毛澤東心意。毛澤東還在尋找他認為合適的文革政權形式。

《文匯報》的被接管給了毛澤東啟示。1967年1月8日，毛澤東對此作出強烈回應。毛澤東將造反派對《文匯報》的接管定性為「奪權」：「《文匯報》現在左派奪了權……這個方向是好的」，「兩張報紙奪權是全國性的問題，要支持他們造反」。毛澤東還評價《文匯報》1月5日刊登的〈急告上海全市人民書〉是「又一張馬列主義大字報」，是「少有的好文章」。他要《人民日報》轉載，電台廣播；還吩咐馬上起草一個編者按，表明中央的支持態度。這篇〈編者按〉，幾乎由毛澤東親自口授，中央文革小組王力記錄後執筆。1月9日，《人民日報》轉載〈急告上海全市人民書〉，並發表了〈編者按〉。

文革前，在中共中央的文件中便已出現「奪權」口號。「工總司」的成立宣言中也用了「奪權」二字，但只是一句政治口號。人們理解的奪權，是群眾批判幹部、中央撤換和委派幹部式的奪權，也即文革初期改組北京市委式的奪權，可以稱之為「改組式奪權」。在打倒上海市委大會之前，所有的「打倒」口號，內涵是「批判」，而不是罷免，是在承認權力的前提之下對權力的批判，實際還是承認上海市委的權威。「打倒上海市委大會」第一次以群眾組織的名義，提出不承認市委的權力。但是，張春橋雖然想以打倒上海市委大會罷免上海市委權力，思路仍是「改組」式的，即請求中央改組上海市委，由中央委派幹部。

而《文匯報》的「接管」，雖然造反派沒有意識到自己的行動就是奪權，但從上到下地替代原有的報社領導系統，行使業務和文革運動的領導權力，卻是實際意義上的真正奪權行動。這個奪權行動，顯出「奪權」在群眾運動層面的操作意義。這是置換式的奪權，是讓當權派靠邊，由造反派群眾接替和行使權力。毛澤東抓住了這個方式，高度評價説「這是一個大革命，是一個階級推翻一個階級的大革命」。

1月8日，陳丕顯又一次召開由「工總司」等參加的造反派組織聯席會議。會議撰寫了又一份傳單〈緊急通告〉。因為此時的上海，一股被稱為「經濟主義風」的風潮正在迅速蔓延。對計劃經濟體制下的體制身份和經濟分配不平等的不滿日益增長。

文革前的中國，除了以階級鬥爭理念劃分出的各種政治等級身份，還有因所有制、城鄉、地區差別劃分的體制等級身份。個人只有很少甚至幾乎沒有職業的選擇權，一切都是被分配的。但分配去的工作單位經濟收入差別很大：全民所有制企業工資和獎金都比集體所有制企業高，大城市比中小城市收入高；而且工作一旦被分配，要再改變體制身份非常困難。城市和農村的經濟差別更大，而且農村戶口不能進城市工作，除了機會極少的招工，只能一輩子待在農村，「農民」是貧困的代名詞。所以文革中許多人要求改變自己的體制身份：因1958年大躍進經濟衰退被動員回鄉的職工要求回上海並重新分配工作；文革前夕被動員去外省市支援建設的職工，以及被動員去新疆等邊緣地區上山下鄉的青年也要求回滬。這些曾經的上海人都要求討回自己的上海戶口，遷回上海。而體制外的臨時工、合同工、外包工等，則要求穩定的工作，日薪改月薪，不得隨意解僱他們。至於體制內的工人，集體所有制的工人要求工資和福利待遇向全民所有制看齊，全民所有制的工人則想方設法要求補發工資、增加各種勞保福利待遇。許多人如願拿到了現錢，最多的上千元，而當時一般工人的月工資是40至80元。

這股當時被稱為「經濟主義妖風」的風潮幾乎颳遍所有的工廠企業。工人們無心幹活，找盡各種理由逼着幹部簽字同意他們的要求；幹部們為避免簽字，東躲西藏。工廠車間無人管理，少人上班，一片蕭條。上海生產連續大幅度下降。而且由於鐵路停擺，沒有火車運煤，上海的發電廠用煤只夠兩天存量。電力和需要電力的自來水供應隨時可能停頓，甚至供應上海居民燒飯的煤球也幾乎脱銷。而在上海港口，因碼頭無人裝卸，積壓物資幾十萬噸。上海港幾乎癱瘓。前面提及的「抓革命、促生產火線指揮部」的成立就是為了解決這些困境的。與此同時，拿到幹部簽字的人們都馬上去銀行提現：1966年12月底至1967年1月上旬，上海所有銀行門前都擠滿了提款人群。由於提款人數多、數量大，上海各銀行現鈔幾乎被擠兑一空。

〈緊急通告〉就是面對這樣的局勢。1月9日，〈緊急通告〉在《文匯報》上刊登，呼籲剎住正在蔓延的經濟主義風。此時的張春橋正全力以赴地貫徹毛澤東肯定的〈急告上海全市人民書〉，對於經濟主義風並沒有重視。相反，1月9日這天他看到《文匯報》刊登的〈緊急通告〉時，不滿意地説：怎麼搞的，剛發表了個〈急告上海全市人民書〉，又來了個〈緊急通告〉。現在是執行的問題，那麼多文告，光發號召怎麼行？

三　毛澤東公開表態支持上海造反派

張春橋認為自己正在完全按照毛澤東的思路指導上海文革運動，卻不料毛澤東又出了另外一張牌。1967年1月10日，江青向毛澤東報送了兩篇新華社電訊稿:〈上海革命造反派向資產階級反動路線發起總攻擊〉,以及刊登在1月9日上海《文匯報》上的〈緊急通告〉。江青不愧毛澤東的妻子和助手,捕捉各地資訊敏感及時,而且非常準確地符合毛澤東的政治需要。毛澤東抓住了上海的局勢,要中共中央、中央軍委、國務院以及中央文革小組聯名給上海的工人和紅衛兵造反派組織發賀電。1月11日下午,四個中央最高機構聯合署名的賀電發到上海,上海立即趕印紅色號外散發全市,整個上海沸騰。

中央最高權力機構聯合發賀電,而且是向造反派組織發賀電,還加上中央文革小組,連身為中央文革小組成員的王力都深感不解。事後,他問毛澤東:中央文革小組同中共中央並列,合適嗎?毛澤東笑而不答,説:「就是要這樣好。」事實上,正是從這次賀電後,中央文革小組完全成為事實上的政治指揮中心。毛澤東就這樣不動聲色,又一次大大提升了中央文革小組這個最忠於自己的工作班子的地位,更提高了作為中央文革小組第一副組長的自己妻子江青的地位。

這是文革以來,毛澤東第一次以中共中央名義公開表態支持造反派,舉國為之震動。中共中央、中央軍委、國務院和中央文革小組,以最權威的地位和態勢,向以「工總司」為代表的上海造反派組織發去賀電,高度評價他們的造反行為,表明以毛澤東為首的中共中央,旗幟鮮明毫無保留地站在造反派一邊。

毛澤東的這個動作是對保守派最大最致命的衝擊波,徹底打碎保守派心底的最後防線。毛澤東的巨大威望,使他們不得不否定自己。賀電發到上海第二天,就有「赤衛隊」員在《人民日報》駐滬記者站門前貼出大字報〈向毛主席請罪!〉,批判自己過去反對造反派是錯誤的。而就在幾天前,還有不少「赤衛隊」員到《人民日報》駐滬記者站門前示威,抗議作為黨中央機關報的《人民日報》轉載〈急告上海全市人民書〉。

不但保守派紛紛轉變立場,就連保守派最頑固的核心——幹部們,也因毛澤東的賀電而動搖了心中的原則。各級幹部對文革的抵制,正是文革深入開展的最大障礙,而人數眾多的保守派正是他們用以對抗造反派的屏障。中央賀電使幹部們不得不強迫自己向昨天還看不慣的造反派們歸順。許多幹部就是在這一天才開始真正懷疑自己過去對文革的抵制是否錯了。這些幹部們的交代、揭發和批判，比造反派的任何批判都更強烈地衝擊着保守派。如果説紅衛兵在青年學生中成為多數派是從1966年10月以後；那麼到這時，工人造反派也開始在工人群眾中成為多數派。文化大革命終於在幹部和群眾中贏得了多數。在工廠基層，愈來愈多工人加入了造反隊。

上海兩張普通傳單，讓毛澤東如此看重，不但要《人民日報》轉載，而且還史無前例地讓中央三個最高權力機構，再加上他所信任的中央文革小組，聯合給上海的造反派組織發賀電。這在當時和以後都讓許多人費解。究其原因，正是這兩張傳單，為毛澤東解決了文革在1967年初陷入的巨大困境。一方面，幹部們因被逼着在各種要求上簽字，盡量四處躲避，科層管理人員因普遍遭受造反派衝擊，有意無意消極怠工，造成各級監督管理的缺位。於是大批工人以革命名義偷閒甚至離崗。另一方面，體制外的民眾要求改變體制身份造成的經濟不平等，體制內職工要求提高工資及福利，颳起經濟主義風潮，造成銀根緊缺。這是兩個無法繞過的瓶頸，因為這兩個瓶頸造成嚴重的生產和經濟危機。不解決這兩個瓶頸，文革無法繼續開展。

上海兩個傳單的倡議和起草者們，加上張春橋和姚文元，誰都沒有料到這兩張傳單解決了這個困擾着毛澤東的大難題。上海的〈急告上海全市人民書〉和〈緊急通告〉，前者呼籲工人返回生產崗位，後者呼籲制止經濟主義風潮，正是完全針對兩個瓶頸。更重要的是，這兩個呼籲恢復社會和生產秩序的傳單，都是造反派自己提出，而不是由中央發文提出，這符合毛澤東「群眾自己解放自己」、「自己教育自己」的一貫思路。兩張傳單將社會和生產的失序責任統統算在「走資派」頭上，既號召恢復生產、打擊經濟主義風，又開脱造反派的責任，解決了毛既不想打擊造反派又必須收拾亂局的困境。原來為經濟和生產所困的文革運動，一下子峰迴路轉。

四　從「接管」到「奪權」

《文匯報》被接管之後，上海的接管還只限於報社和電台等傳媒機構。1月11日中央賀電下達後，上海立即掀起接管熱潮，上海所有的區、縣、局被紛紛接管。這種自下而上的接管風，是1949年共產黨執政以來所從未有過的。從1967年1月11日起，整個上海的接管進入高潮。三天之內，市區、縣、局一級黨政機構中，有49個被接管。

當所有組織都忙着接管市區、縣、局一級黨政機構時，有人已經想到去接管省市委。1月14日，山西省的造反派組織「山西革命造反總指揮部」，發出第一號通告，宣佈他們已經於1月12日晚上，接管了山西省委「對文化大革命的一切領導權」。這是全國文革中最早的省一級黨委被接管。

而在上海，這個行動的最早發起者是紅衛兵造反派組織「上三司」。1月15日，「上三司」宣佈接管中共上海市委和華東局，參加者主要是工人造反派組織「二兵團」，還有另外幾個造反派組織。他們發了四個「通令」，宣佈對中共上海市委和中共中央華東局實行接管，成立臨時督管委員會，由張春橋和姚文元擔任主任和副主任。

用民眾接管這樣非程序形式的更替，而不是中央任命改組或重組上海市委的正式程序，這樣的行動是一件大事，這種權力更替形式是1949年後從未有過的。張春橋馬上向毛澤東匯報。

張春橋自己並不贊成造反派直接處理大量具體事務，他一再告誡造反派，一定不要把一切矛盾拉到自己身上，而是要邊批判上海市委，邊讓市委幹部去抓具體工作。張春橋的思路就是：造反派不要做具體操作性的管理工作，還是要讓幹部們去解決矛盾，這是幹部們本來的責任。造反派的任務是大批判。換句話說就是幹部工作，群眾監督。

張春橋的這些想法，正是當時中央決策層中許多人的共識，周恩來和陳伯達等也都是這樣的思路。1967年1月15日，北京工人體育場召開十萬人大會，陳伯達在會上呼籲「一般不用接管的辦法，採取派群眾代表監督的方式」，參加會議的周恩來馬上表示同意。同一天，周恩來在另一個會上，也表達了這個意思，他提出「督管」，保持工作的延續性。周恩來和陳伯達的思路，與張春橋的「幹部工作，造反派監督」的思路基本相同。

但是，毛澤東不同意他們的思路。大會剛結束，毛澤東馬上召開小範圍常委擴大會，討論上海的接管風。毛澤東講了一大段話，說：「就是要奪他們的黨權」，「掌握在走資派手裏的部分政權也要奪」。毛並要中央文革小組王力和關鋒為《紅旗》雜誌撰寫一篇關於奪權的評論員文章。於是，毛澤東講的那些關於奪權的主要內容，被寫進這篇題為〈無產階級革命派聯合起來〉的文章，當晚就按毛澤東要求通過電台向全國廣播，並登在1967年1月16日《紅旗》雜誌上。這篇《紅旗》雜誌評論員文章，是文革中代表毛澤東、黨中央號召奪權的第一篇正式公開的文字。毛澤東覺得只是這篇號召奪權的評論員文章還不夠，又要《紅旗》雜誌再寫一篇綱領性的關於奪權的社論。2月2日，《紅旗》雜誌社論〈論無產階級革命派的奪權鬥爭〉廣播。文章的思想完全是毛澤東的，許多句子是毛澤東的原話。

自從《文匯報》被接管後，毛澤東一直在尋找新的政權替代形式。上海從《文匯報》社開始的接管報社業務的行動以及山西的接管省市委行動，給毛澤東以新的思路，不再是過去的那種自上而下的奪權，即撤換幹部，上級重新委派；而是全新的自下而上的奪權，即由造反派接替原來的幹部們的權力。

本來，造反派只是將「接管」作為撤換和罷免幹部的過渡性臨時舉措，只是在幹部被打倒的權力真空時期臨時代管權力，待中央或上級另派幹部後，便移交權力。所以「上三司」的「督管」，提出中央任命張春橋、姚文元接任上海市委之職，並沒有想到自己取而代之。而在全國的其他省市，也有將此種罷免行動稱之為「查封」，即在上級另行委派幹部之前，先行終止幹部們的權力。

而1月16日毛澤東表態支持上海造反派奪權行為後，「奪權」代替了「接管」。《紅旗》雜誌的評論員文章 ，一下子使造反派過去幾個月的造反行為，終於有了最終指向；也使造反派過去的不安全感，有了最終保障。那句政治口號式的「奪權」兩字，現在終於具有了真正與造反派切身關聯的實際意義，成為最有效的對底層的社會動員，贏得了最廣泛的社會呼應。所有積極參與奪權的組織，不會不預感到，參與奪權行動愈多愈深，對於提升自己的組織在文革中的地位愈有利。那些在文革前一階段對運動介入不深的組織，這次都認準方向，一定要積極投入奪權，再也不能掉隊。各造反組織紛紛想方設法參與各種奪權，召開各種大會，盡量為自己的組織在政權重組中增加砝碼。

五　毛澤東提出「三結合」

1月16日，毛澤東表態支持上海造反派奪權行為後，「奪權」代替了「接管」。不過造反派們都是底層民眾，沒有對上層機構的管理概念。他們眼裏權力的物化體現就是各種公章。因為只要蓋上了公章，許多事便一通百通。文革前夕，有部重點上映的電影《奪印》，其中奪公章的畫面給人們印象很深。於是許多造反派組織的奪權行動，就是到奪權單位發個宣言或通令，將圖章拿到手，就算奪權了。上海有個紅衛兵組織「紅革會」，一天之內就收繳了幾十枚市級部門的公章。當時號召奪權的宣傳畫上，都是畫着穿着工作服的工人造反派和穿着軍裝的紅衛兵一起，手裏高舉着剛奪過來的辦公圖章。由於沒有奪權程序、奪權資格等操作層面的規則，於是誰都可以奪權，誰都希望將權奪到自己手裏。許多單位今天這批造反組織去宣佈接管，明天另一撥造反組織又去宣佈奪權，經常發生幾方爭奪的衝突。

1月19日晚上，張春橋接見上海各路造反派，提出建立造反派聯絡站。張春橋明確地指出，奪權必須聯合，並告訴大家，這是毛主席的思想。

當日各造反派組織即召開聯席會議。首先討論聯絡總站叫甚麼名字。有的建議叫「上海無產階級革命派大聯合總聯絡站」，有的建議叫

「上海無產階級革命派大聯合委員會」。華東師範大學的一個紅衛兵說：「『政治聯絡總站』這類名字不響亮，容易和一般群眾組織混淆，全世界第一個無產階級政權叫巴黎公社，我們這個組織是不是叫『上海公社』?」大家一致叫好。一位北京紅衛兵提出再加一個「新」字，於是定名「新上海公社」。有人提出，應該給目前的形勢定個名稱，「我們現在的情況，跟蘇聯十月革命時期差不多，可稱為『一月革命』」。又博得大家贊同，把準備起草的宣言定為〈一月革命萬歲——新上海公社宣言〉。

1月30日，《紅旗》雜誌社論〈論無產階級革命派的奪權鬥爭〉傳達了毛澤東對新權力機構設想：「毛主席把北京大學的第一張馬列主義大字報稱為20世紀60年代的北京人民公社宣言。這時，毛主席就英明地天才地預見到我們的國家機構，將出現嶄新的形式。」社論未發表前，陳伯達便在電話裏將內容逐字逐句告訴張春橋。又告訴他，毛澤東正在考慮建立北京人民公社的名單。毛澤東要成立北京公社，擬名單後通知上海，要上海也成立公社。張春橋接電話後，即向造反派建議，將「新上海公社」改稱人民公社——「上海人民公社」，大家都同意。

但是，就在上海人民公社緊鑼密鼓籌備成立的同時，毛澤東的思路又變了。這次，他是從黑龍江省奪權後建立的文革政權受到的啟發。2月2日，《人民日報》報導了黑龍江省造反派聯合奪權的消息，還配發了社論〈東北的新曙光〉，高度評價黑龍江省奪權。在全國上下對各級幹部一片打倒和奪權聲中，這篇社論用了相當篇幅講述幹部問題，肯定黑龍江省建立的「三結合」奪權機構。「三結合」的三方是：群眾、幹部、軍隊的軍人。其中最重要的，就是讓那些被打倒的幹部重新進入政權機構。

這是一個非常重要的信號。在此之前，山東的青島市、山西省、貴州省宣佈奪權，報上發消息時，《紅旗》雜誌或《人民日報》所配社論的重點，都是強調造反派的大聯合以及要求幹部站出來支持造反派。《人民日報》為黑龍江省奪權所配社論，則不僅要求幹部支持造反派，而且要求奪權機構中必須有原來的幹部參加。黑龍江省是全國省級奪權中第一個在奪權機構中有幹部參加的省份，讓一些在群眾中仍有威信的領導幹部站出來工作。毛澤東抓住了黑龍江的做法。

幾天前，1月22日王力給張春橋的電話記錄中，毛澤東已經提出「要一點舊的人，黎元洪也好」。現在毛澤東從要求造反派聯合奪權，進而要求在新的權力機構中一定要有幹部參加。看來毛澤東並不想打倒所有幹部，否則政權將失去持續性；但如果讓幹部們毫無約束地重新上台，又會使他好不容易發動起來的群眾運動受到打擊。他支持從上海發起的群眾性接管，是對幹部們的嚴正警告：不支持文革，就交出權力。但真的讓造反派全部接管權力，他也不放心，他在以後多次講過類似的話。

黑龍江的「三結合」式奪權，既制約幹部權力，又讓幹部繼續工作。鑒於幹部被批鬥後權威大大下降，毛澤東支持了黑龍江結合軍人進入新權力機構以增強新機構威信的做法。隨着以後造反派的弱點逐步顯現，毛澤東更將「三結合」確定為奪權的基本形式。

毛澤東的這個思路，是張春橋等之前沒有想到的。上海奪權不得不推遲。張春橋要上海警備區領導作為軍隊一方參加上海的奪權，他和姚文元則作為「革命幹部」的代表。2月5日，上海人民公社正式成立。

六　奪權機構統一稱「革命委員會」

但是，上海人民公社成立後，北京方面卻遲遲不表態。文革以來，毛澤東對上海幾乎每一個重大行動都反應迅速，高度評價。但這一次，如此重大的行動，而且事先經過毛澤東認可，卻不見毛澤東回應。《人民日報》一直不刊登上海人民公社的成立消息，因為毛的思路又有變化。

1967年2月6日下午，毛召集周恩來、陳伯達、江青、葉劍英等開會。對上海的奪權批評說：「你們這攤子有錯誤。所有的省市都叫人民公社，那全國就叫中華人民公社啦，也不要中央、國務院啦？」而事實上，將奪權機構命名「公社」是執行毛的指示。只是毛的思路變化太快，這次他又改變主張。可陳伯達沒有及時將毛的變化轉告上海，造成上海一時未能跟上。

毛澤東發覺了隨便改變政體稱呼可能引發的麻煩。毛澤東通知張春橋、姚文元回北京。2月12日，張春橋、姚文元到北京，下了飛機就直奔毛澤東住處。毛澤東穿着睡衣等着他倆。毛澤東和他們商量：上海人民公社是否能夠改名，和別的省市一樣都叫「革命委員會」? 因為這涉及到政體、國家體制、國號問題，還涉及到外國承認問題。據2月24日張對毛講話的傳達：「如果都叫公社，那麼黨怎麼辦呢？黨放在哪裏呢？他說，總得要有一個黨嘛，要有個核心嘛，他說，你不管叫甚麼，叫共產黨也好，叫社會民主黨也好，叫社會民主工黨也好，叫國民黨也好，叫一貫道也好，總得有個黨，一貫道也是個黨嘛，公社總要有一個黨，公社能不能代替了黨呢？」毛澤東最關心的是「黨放在哪裏」，而所有的群眾組織，此時最關心最起勁的是打倒中共上海市委，以群眾組織聯席會議代替市委，根本沒有想到再給市委一席之地。但是，毛澤東已經清楚地意識到，這樣擯棄了市委的政權形式，實質就是擯棄了共產黨的領導權。這當然是毛澤東所不願看到的結果。

張春橋、姚文元當場做檢討，說自己考慮欠周到妥當，還是主席高瞻遠矚。

2月24日下午，文化廣場召開萬人大會，會議由姚文元主持，張春橋傳達毛澤東指示。徐景賢宣讀一項決議，是關於當前上海任務和形勢的。這個決議不再以上海人民公社名義發佈，而是用上海市革命委員會的名義發佈。就這樣，雖然沒有正式宣佈改名，但事實上改名了。會後，一輛彩車開到外灘，將「上海人民公社」牌子換成「上海市革命委員會」。

「人民公社」與「革命委員會」，看上去只是名稱的改變，但實際上，這是兩個性質不同的政權結構。「人民公社」式的「公社」政體，源頭是西方的市民自治，負責人由民眾直選或選舉產生。「革命委員會」的源頭是列寧的無產階級先鋒隊理論，負責人可以不必由民眾選舉選舉產生，而由「先鋒隊」决定。事實上，改名後的上海市革命委員會成員，以後始終不是由選舉產生。

1967年1月從上海造反派開始的「接管」，就這樣在毛澤東的支持下，發展為對整個政權的「奪權」行為。這個從上海發端的奪權運動當時被稱為「一月革命」。到1968年8月下旬，除了台灣，全國所有的省、市、自治區政府都被奪權，成立了文革新政權「革命委員會」。

毛澤東肯定了在一個強權國家，處於弱勢的底層民眾監督和撤換權力強勢集團的合理性，但卻沒有從操作層面，使之制度化，尤其是規則化和法律化。毛澤東出於對權力機構的監督設想，在文革初期支持對幹部衝擊。但是奪權卻使那些衝擊幹部的造反派進入權力機構，成為幹部權力的替換者。就這樣，權力的監督者成為權力的擁有者。毛澤東希望讓底層民眾監督權力的初衷，最終卻降低成為一場權力置換，一場權力再分配。而且如此事關全域的重大決策，不經決策層慎重討論，更不經局部地區試行，就這樣急匆匆輕飄飄地由《人民日報》評論員文章形式發出，一下將之推向全國，整個社會一片混亂。

奪權是毛澤東最失敗的文革舉措之一，文革開始脱離毛澤東的掌控，發展到不可收拾的地步。奪權使得國家從中央各部，到各省市，到工廠企業的管理階層，全部陷於癱瘓或半癱瘓，更引發群眾組織之間的惡性內戰。於是，自從「一月奪權」開始，文革已經不再是造反派與「走資派」的較量，而是造反派之間爭奪權力的較量，最後發展到動槍動炮的全面內戰。

文革的支柱

解放軍與文化大革命

丁凱文

文革是中國當代史上一個極為特殊、荒誕的時期。在這一歷史時期，軍隊的影響滲入中國社會生活的各個層面。文革研究學者何蜀先生對此有這樣的評論：「人人必讀的《毛主席語錄》是由軍隊推出後向全社會普及的；學毛著運動和召開學習毛著的『積代會』、『講用會』，是從軍隊開始形成風氣蔓延到各行各業的；『清理階級隊伍』中全國效法的樣板，是毛澤東樹立的八三四一部隊炮製的『六廠二校經驗』；當時最時髦的服飾是軍裝，最走紅的職業是軍人，最高貴最保險的出身是『革命軍人』……從中、小學校到機關幹部的『五七幹校』，全都按軍隊編制編為班、排、連……全國儼然成了一個大軍營。」簡言之，解放軍不僅把軍內文革前的種種極「左」的做法作為樣板推向民間，還廣泛地介入國家政治生活，更直接捲入執政黨的政爭和權爭，這在世界歷史上也是不多見的。

一　軍隊是毛澤東發動文革的主要依靠力量

文革是毛澤東精心策劃的一場大戲，在發動這場運動前毛做了各項準備工作，如讓自己的夫人江青在上海秘密炮製批判北京市副市長吳晗關於《海瑞罷官》的戲。而確保文革運動得以實施的最重要的步驟則是將軍隊的權力牢牢地掌握在自己的手中。為了達到這一目的，毛澤東採取了如下幾個步驟：

第一，在軍隊中廢黜解放軍的軍委秘書長兼總參謀長羅瑞卿。羅瑞卿倒台有兩個重要的因素，一是羅瑞卿與主管軍委日常工作的賀龍走得很近，而賀龍與劉少奇、鄧小平的關係又很密切。所以為了確保軍隊的絕對忠誠，毛澤東有必要在文革發動前消除這一隱患。二是羅瑞卿位高權重，其霸道和跋扈的作為、鋒芒畢露的個性得罪了上司林彪和眾多老帥，軍內形成了一股倒羅的強大勢力。毛澤東通過1965年12月的上海政治局常委擴大會議和1966年3月的北京會議打倒了羅瑞卿，由葉劍英出任軍委秘書長，楊成武出任代總參謀長。軍權完全掌握在忠於毛澤東的軍人手中。

第二，毛澤東讓江青出面找中央軍委副主席林彪，召開一個部隊文藝工作座談會，炮製出一份〈部隊文藝工作座談會紀要〉，該〈紀要〉經毛澤東多次修改增刪，增加了大量關鍵的內容，而更加巧妙的是毛澤東將〈紀要〉的原標題親筆加上「林彪同志委託」的字樣。毛江夫妻店打着林彪和中央軍委的旗號，將一份軍內文件轉化為推廣至全國的指導性文件，成為打擊劉少奇等人的重磅炮彈。

第三，毛澤東授意林彪、周恩來、葉劍英成立首都工作組，擴編北京衛戍區的兵力，以軍事實力全面掌控北京地區以策安全。毛澤東在北京調兵遣將的名頭是「防止修正主義政變」，1966年5、6月間北京增加了兩個陸軍師，擴編後的北京衛戍區共有四個師，每師六個團，兵力達十萬人左右。在發動文革前，毛澤東必須做到萬無一失、算無遺策，「首都工作組」的成立並非是針對「外敵」，而是針對「內敵」，毛澤東在部署針對黨內同仁的重大政治鬥爭時要保障自己的絕對安全，這就是毛調兵遣將的初衷。通過完成北京地區軍力的重新調整部署，毛澤東實際上完成了對一線中央的隱形政變。這時，他的黨內對手劉少奇等人已是甕中之鱉。

第四，毛授意林彪在1966年5月18日的中央政治局擴大會上大講「防止修正主義政變」。林彪按照毛的旨意臆造了中央要出修正主義和內部可能發生反革命政變，列舉了國際上發生過的武裝政變事例，同時進一步大力製造對毛的個人崇拜，聲稱誰敢在毛生前或死後反毛都沒有好下場。林彪這個講話並非針對剛剛被毛打倒的「彭羅陸楊」(彭真、羅瑞卿、陸定一、楊尚昆)，而是針對那些被毛認為搞了修正主義的劉少奇們，傳達了毛的真實心境。林彪的表態也代表了軍隊對毛的絕對效忠，成為毛發動文革的主要依靠力量。

二　軍內搞文革卻衝擊了軍隊本身

軍隊是國家的武裝力量，其任務是保衛國土的安全和人民的利益，一般而言是不應捲入或受到各種社會風潮的波及。然而，當文革風暴降臨時，中國社會上各種群眾組織、造反團體風起雲湧，解放軍並非是絕對的避風港，同樣也受到軍內和地方造反派的強烈衝擊。加上中共的軍隊本來就山頭林立，文革特有的群眾運動的方式就更易為軍內上層的派系利用，成為爭權奪利的惡鬥。

軍隊為何在文革中受到衝擊？源頭恰恰來自解放軍的最高統帥——毛澤東。1966年5月中共中央發佈的〈五一六通知〉中，毛就已經斷言「混進黨裏、政府裏、軍隊裏和各種文化界的資產階級代表人物，是一批反革命的修正主義份子」。換句話説，軍隊並非一片淨土，同樣也有反革命修正主義份子，也要發動文革予以揪出打倒。這樣，毛澤東在軍隊與文革的關係上便表現出難解的矛盾性。一方面，他需要一個非常穩定的軍隊來支持他的文革。另一方面，他又屢屢在軍內發動和擴大文革的規模，不斷破壞軍隊的穩定性。文革剛開始時，軍內的文革還沒有搞「四大」(大鳴、大放、大字報、大辯論)。但是在八屆十一中全會以後，中央軍委連續召開擴大會議，明確規定「在全軍的軍、省軍區、軍區、軍種、兵種、院校和總部機關，開展一次轟轟烈烈的深入的無產階級文化大革命」，其主要的任務是「徹底鬥垮黨內走資本主義道路的當權派，批判資產階級反動學術『權威』……」對於軍事院校的文革，則基本上照搬了地方院校發動學生造反的群眾運動模式。在稍後對全軍、全國造成混亂的〈關於軍隊院校無產階級文化大革命的緊急指示〉裏更明確地指出：「根據林彪同志的建議，軍隊院校的文化大革命運動，必須把那些束縛群眾運動的框框統統取消，和地方院校一樣，完全按照十六條的規定辦，要充分發揚民主，要大鳴、大放、大字報、大辯論，在這方面，軍隊院校要作出好的榜樣。」

如果說在軍隊內部搞文革已經走出了「亂軍」的第一步，那麼提倡軍隊院校群眾組織搞「四大」更是錯上加錯。這些群眾組織很快就藉着清算工作組的「錯誤」和批判「資產階級反動路線」的名義，將鬥爭的矛頭對準軍隊的各級領導機關和領導幹部，使軍隊陷於動盪之中。到1966年11月，湧進北京來串聯和造反的解放軍院校師生已達十萬多人，他們與地方的紅衛兵造反組織的目標日趨一致。時任解放軍總政副主任、全軍文革小組組長的劉志堅回憶說：「北京相繼發生了多起衝擊軍事機關，揪鬥領導幹部的事件。有些來京學員到各軍種、兵種和總部，不分日夜地輪番地要求領導接見，要求解答問題。如不接見，有的造反派就靜坐、寫血書、絕食。」時任海軍司令員的蕭勁光回憶說：「院校的群眾組織大規模地串聯，到處炮打司令部。我們海軍的領導同志也幾乎整天陷於接待各院校來京的群眾組織負責人，與各院校的領導幹部談話解決問題等繁瑣的工作中，搞得十分緊張、疲勞。」

當時軍隊受到不同程度衝擊，範圍十分廣泛，不僅有總參謀部、總政治部、總後勤部、國防科委、空軍、海軍、炮兵、裝甲兵、工程兵、通信兵、防化兵等領導機關，還有13個大軍區、12個省軍區、4個警備區、24個軍分區領導機關，7個陸軍軍部、1個要塞區、8個師部、1個空軍軍部、4個空軍軍區指揮所、2個海軍艦隊的機關等。一些軍隊領導人甚至還被迫害至死，如國防工辦常務副主任趙爾陸、東海艦隊司令員陶勇等。

儘管軍隊的老帥們在文革初期都是毛的支持者，但當軍隊院校造反派的行為危及他們本人和軍隊穩定時，也很快引起了他們的強烈不滿。1966年11月13日和29日，在北京工人體育館召開兩次大會，由幾位軍隊元帥和周恩來接見來京的軍事院校學生。在會上，陳毅和葉劍英等人發表講話，公開指責軍隊院校學生造反派種種「超過限度」的錯誤，警告他們「真理跨過了一步，就會變成謬論，越過了一定的量就發生了質變」。

1967年1月24日，葉劍英、聶榮臻、徐向前和楊成武到林彪住所商議解決軍隊受到衝擊的危機，最後由林彪口授九條命令。其主要內容是：為了搞好戰備和保證文化大革命的發展，必須保證軍隊的絕對穩定，具體要求是：不准隨便揪鬥軍隊領導人，不准衝擊軍事機關，不准泄露軍事機密，不准影響戰備和正常工作，不准到基層部隊串聯，不准成立跨單位、跨地區的所謂戰鬥組織，不准搞打、砸、搶等，最後一條是部隊搞「四大」必須加強黨委的領導。但是該九條命令在中央文革小組討論時只通過了七條，1月25日，林彪將中央文革討論通過的七條呈送毛澤東審閱。在這種情況下，毛澤東又想要維護軍隊的穩定了。1月28日，毛澤東在七條之後又加了一條：關於管教幹部子女的問題，並批示：「所定八條，很好。照發。」〈軍委八條命令〉的核心思想就是保持軍隊的穩定，不許隨意衝擊、武鬥軍隊幹部，軍隊實行正面教育，而非造反奪權。

然而，毛澤東在這一命令中又一次顯示了他對軍隊與文革關係處理的矛盾性。如第五條規定：「對於衝擊軍事領導機關問題，要分別對待。過去如果是反革命衝擊了，要追究，如果是左派衝擊了，可以不予追究。今後則一律不許衝擊。」毛在1月26日的批示中竟然還寫下了「今後右派衝擊，要抵制，左派衝擊，要歡迎」的昏話。何為「左派」? 何為「右派」? 文件裏的定義含糊其辭、莫衷一是，造成了錯誤執行的主觀隨意性。又如第五條規定：「軍隊內部展開文化大革命的單位，應該實行大鳴、大放、大字報、大辯論……不允許用對待敵人的方法來處理人民內部矛盾……不允許體罰和變相體罰，例如，戴高帽，掛黑牌，遊街，罰跪，等等。認真提倡文鬥，堅決反對武鬥。」但就在文件出籠前後的北京、在毛的身邊，就有解放軍總參謀長羅瑞卿和一批軍隊將領、海軍政委蘇振華等在萬人大會上被批鬥、被「武鬥」。2月上旬，毛澤東又在一份文件上作了個批示，大意是：絕不允許右派群眾組織衝擊部隊……部隊可以開槍自衛，但僅限於鎮壓帶頭鬧事的右派骨幹。林彪將毛的「部隊可以開槍自衛」的批示轉給軍委秘書長葉劍英，葉又帶到全軍各總部和各軍區首長的會議上宣讀，於是全軍上下都得到了可以鎮壓「右派」的令箭。

因為和地方政府的多年緊密關係，軍隊一般都厭惡和反感造反一派的群眾組織，更傾向於支持地方的「保守勢力」或溫和的造反組織，廣州、武漢、南京、成都等地都發生了軍隊對造反派組織或其中一派的鎮壓，不少造反派組織被取締，大批成員被逮捕關押。軍隊此時對群眾組織的鎮壓史稱「二月鎮反」。更嚴重的是中央文件中的「如果他們動武，軍隊應當堅決還擊」這一條，給了軍隊巨大的鎮壓群眾的空間。當軍隊要為武裝鎮壓製造理由時，只要說「對方動武，我們還擊」就夠了。而鎮壓最慘烈者莫過於青海發生的「二二三事件」。青海「八一八」紅衞戰鬥隊於1月12日奪了《青海日報》的大權。1月23日，青海省軍區司令員劉賢權召開會議決定支持「八一八」。視「八一八」為眼中釘的省軍區副司令員趙永夫非法奪了劉賢權的權，劉賢權被軟禁。但趙永夫卻得到了省軍區軍隊和北京中央軍委的支持，遂決定由西寧衞戍區司令部宣佈對《青海日報》社軍管。2月23日晨8時，西寧全城戒嚴。解放軍西寧市衞戍區司令部發佈通令，取締「八一八」紅衞戰鬥隊總聯絡站及其所屬組織。與此同時，省軍區調動獨立師、獨立團的部隊，共計13個連，團團圍住《青海日報》社。下午近2時，趙永夫所在的賓館和報社後門臨河的橋頭先後發出信號彈，軍隊大開殺戒。部隊從報社前面以及後面臨河的橋頭同時向報社院內密集射擊，僅用了20分鐘就輕易佔領了整個報社大院。在這次鎮壓行動中，共計打死平民169人，傷178人。事後趙永夫製造了群眾組織先開槍的謊言，以此洗刷自己開槍殺人的罪責。

趙永夫對造反派的鎮壓實際上得到了中央軍委葉劍英等人的支持，葉當時就稱讚說「打得對，打得好」，事後趙成為平亂英雄，葉劍英甚至讓趙在3月初赴京，在軍以上幹部會議上介紹「平定反革命暴亂」的經驗。那些因所謂「平亂」被打死的169人則成為毛澤東文革運動的犧牲者。必須指出的是，無論甚麼場合，全副武裝的軍隊殘殺手無寸鐵的平民都是不可原諒的，這種行為都是反人類和反人道的，都必須受到嚴厲的譴責。

三　軍隊「支左」的實質其實是「支派」

自從1967年上海「一月革命」後，全國陷入了造反奪權的動亂之中，主要表現為地方各級黨政機關因陷於派性鬥爭處於癱瘓或半癱瘓狀態，公檢法等政權機構失去了原有的作用，工廠企業陷入停產或半停產，社會秩序嚴重紊亂。如何控制這一混亂的局面，毛澤東的策略是祭出解放軍這一法寶，讓解放軍全面介入地方文化大革命運動，支持左派造反群眾，完成奪權運動。由此中共開始了「三支兩軍」，軍隊從此深深地介入地方的事務。所謂「三支兩軍」是「支左、支工、支農、軍管、軍訓」，而「支左」和「軍管」則是其中的重中之重。

「支左」最開始從何而來呢？1967年1月21日，南京軍區黨委向林彪和中央軍委請示「頃接安徽軍區報告，首都第三造反司令部駐安徽聯絡站等單位向安徽軍區提出，22日到23日，在合肥召開15萬到20萬人大會」，「要安徽軍區派出三百到五百名部隊警衛會場。他們提出，如派部隊就是支持文化大革命，如不派就是不支持文化大革命，並限安徽軍區21日14時前答覆。」當天，毛澤東就此批示說：「林彪同志：應派軍隊支持左派廣大群眾。請酌處。」「以後凡有真正革命派要求軍隊支持、援助，都應當這樣做。所謂不介入，是假的，早已介入了。此事似應重新發出命令，以前命令作廢。請酌。又及。」毛澤東的這一批示顯示了對解放軍以往追求穩定的保守態度的不滿。毛澤東希望通過軍隊對安徽地方造反派的支持，帶動全國其他各地的軍隊支左運動，將奪權運動推向深入。

為了將地方出現的奪權運動納入自己掌控的範疇內，毛澤東於3月10日發出指示：「凡條件不成熟者，要等待條件成熟，然後舉行。處於無政府狀態者，則先實行軍管。」3月19日，中央軍委發出〈關於集中力量執行支左、支農、支工、軍管、軍訓任務的決定〉。該〈決定〉指出：「為了適應無產階級文化大革命新階段形勢的需要，集中力量完成毛主席賦予軍隊的支左、支農、支工、軍管、軍訓等項重大任務。」隨着3月19日軍委〈決定〉的頒發，解放軍參與「三支兩軍」的任務開始在全軍正式展開。1967年4月3日，中央軍委常委會議決定中央軍委設立三個辦公室，即支左辦公室、支工支農辦公室、軍管辦公室。

毛澤東口中的「支左」實際上就是讓軍隊支持「左派」或曰「造反派」奪權。但是經歷了1966年底的「批判資產階級反動路線」運動後，各地都出現了至少是兩派的「造反」群眾組織。軍隊長期以來有一套自身運作的機制，即一切行動聽指揮，服從黨中央和中央軍委的命令。但是，無論是毛澤東、中央文革，或是中央軍委，都沒有向支左的軍隊明示哪一派是應當支持的「左派」。這便使軍隊在判定左派和右派時常常處於兩難的境地。這樣，軍隊在捲入地方群眾運動之中後，他們理論上「支左」在實質上就變成了實實在在的「支派」。有不少地方有野戰軍和省軍區兩個系統的軍隊執行「支左」任務，則常常分別支持了對立的兩派群眾組織。這非但擴大了群眾組織之間的矛盾，使之勢不兩立，還使他們之間的「內戰」迅速加劇、逐步升級。因為軍隊是大規模殺傷性武器的擁有者，兩派群眾組織常常在明搶暗送中獲得大量的槍炮彈藥，開啟了全國性的「武化大革命」篇章。毛澤東這又一戰略失策，他在1967年7到9月〈視察華北、中南和華東地區時的談話〉其實也已經認識到了。為此他提出：「在工人階級內部，沒有根本的利害衝突。在無產階級專政下的工人階級內部，更沒有理由一定要分裂成為勢不兩立的兩大派組織。……有些人當了保守派，犯了錯誤，是認識問題。有人說是立場問題，立場問題也可以變的嘛。……只要兩派都是革命的群眾組織，就要在革命的原則下實現革命的大聯合。」然而，亂局既成，便覆水難收了。而毛的出爾反爾和朝令夕改，顯然昭示了它為動亂的一大根源。任何再有政治智慧的政治家也不可能在這樣的「最高指示」擺佈下不犯錯誤，更不要説根本不是政治家的軍人了。

另外，軍隊對一些情況特殊的職能部門無法奪權者則實行軍管，主要是國務院的各部委，如鐵道部、交通部、郵電部、各機械部，還有國防科委、國防工辦、銀行、報社、電台、監獄等。此外，解放軍的總政治部亦被毛澤東下令於1968年10月實行了軍管。解放軍舉足輕重的機構居然也被軍管，成為中國政壇的一大奇觀。

解放軍執行「三支兩軍」任務達到何種規模？據官方統計，從1967年1月到1969年4月中共九大期間，每月投入「三支兩軍」工作的軍隊指戰員都在90萬人左右，最多時期是1968年的上半年，全軍參加「三支兩軍」的人數95萬多人。

「三支兩軍」終止於何時？林彪事件後，毛澤東發現軍隊勢力尾大不掉，儘管軍人參政是文革本身和毛澤東有意造成的現象，毛開始逐步籌劃並實施限制軍隊勢力的措施。軍人出任地方一把手的人，或因去世更換，或因受林彪事件牽連而下台者，皆換為地方幹部。1972年8月中共中央、中央軍委發出通知，實行地方黨委一元化領導，撤銷軍管、軍宣隊等。從此宣告了「三支兩軍」的終結。

四　軍人執政和軍人「入閣」

軍人「入閣」實際上在八屆十一中全會既已出現。當時葉劍英、聶榮臻和徐向前這幾位軍委副主席被增補為中央政治局委員，軍人在政治局內比重大大增加。

從1967年1月開始的上海奪權到1968年9月西藏、新疆革委會的成立，全國各地「奪權」成功，實現了「全國山河一片紅」。毛澤東認為，新成立的革命委員會要搞「三結合」，要有革命幹部、革命群眾和軍隊的代表。幹部和群眾的代表往往是虛的，而軍人代表卻是實打實的掌權人物。從下表即可看出一元化領導下的各省、直轄市和自治區的革委會主任、省委書記大都是現役軍人(粗體字標識),竟然佔了七成多,軍人在服從命令聽指揮的前提下全面介入地方文革運動,走上了執政的道路。

1	黑龍江	潘復生	原黑龍江省委第一書記
2	山東	王效禹	原青島市副市長
3	上海	張春橋	原上海市委書記處書記
4	貴州	**李再含**	**貴州省軍區副政委 大校**
5	山西	劉格平	原山西省副省長
6	北京	**謝富治**	**公安部部長 上將**
7	青海	**劉賢權**	**青海省軍區司令員 少將**
8	內蒙古	**滕海清**	**北京軍區副司令員 中將**
9	天津	謝學恭	原天津市委書記
10	江西	**程世清**	**福州軍區副政委 少將**
11	甘肅	**冼恒漢**	**蘭州軍區政委 中將**
12	河南	劉建勳	原北京新市委書記處書記
13	河北	李雪峰	原華北局第一書記
14	湖北	**曾思玉**	**武漢軍區司令員 中將**
15	廣東	**黃永勝**	**廣州軍區司令員 上將**
16	吉林	**王淮湘**	**陸軍十六軍政委 少將**
17	江蘇	**許世友**	**南京軍區司令員 上將**
18	浙江	**南　萍**	**浙江省軍區政委 少將**
19	湖南	**黎　原**	**陸軍四十七軍軍長 少將**
20	寧夏	**康健民**	**寧夏省軍區司令員 少將**
21	安徽	**李德生**	**陸軍十二軍軍長 少將**
22	陝西	李瑞山	原陝西省委第二書記
23	遼寧	**陳錫聯**	**瀋陽軍區司令員 上將**
24	四川	**張國華**	**成都軍區政委 中將**
25	雲南	**譚甫仁**	**昆明軍區政委 中將**
26	福建	**韓先楚**	**福州軍區司令員 上將**
27	廣西	**韋國清**	**廣州軍區政委 上將**
28	西藏	**曾雍雅**	**西藏軍區司令員 少將**
29	新疆	**龍書金**	**新疆軍區司令員 少將**

中共九大後不久，幾個省的一把手換人：山東省的王效禹被濟南軍區司令員楊得志取代，山西省的劉格平為山西省軍區司令員謝振華取代，貴州的李再含被昆明軍區副政委藍亦農取代，黑龍江省的潘復生被瀋陽軍區副司令員汪家道取代。省級一把手的軍人比重上升到了八成多。

從1966年8月八屆十一中全會多位軍隊老帥進入政治局，到中共九大前後軍人執掌各地大權，中國成為不折不扣的「黨軍」國家。「二月逆流」後，軍隊老帥們退出政治舞台，軍委辦事組應運而生，不僅負責軍隊自身的事務，還參與中央文革碰頭會的工作，更在中共九大後成為中央領導層中的一個重要組成部分，在周恩來的領導下參與了中央的日常工作，黃永勝、吳法憲、李作鵬和邱會作等人在九大上成為中央政治局委員是當時政治形勢使然。

五 文革中與軍隊相關的若干重大事件

(一)「二月逆流」

1967年2月11日，周恩來主持政治局常委碰頭會，原定議題是「抓革命、促生產」。會上，葉劍英和徐向前等與陳伯達、康生、張春橋就軍隊穩定問題發生激烈爭執。2月16日開會時國務院副總理譚震林拍案而起，怒斥張春橋等人，甚至乾脆表態，即使坐牢、開除黨籍，也要鬥爭到底。陳毅、余秋里、李先念等人也紛紛表示了對中央文革小組的強烈不滿。其實，「二月逆流」就是軍人對文革路線不滿的強烈反彈。但是不久，中共軍人元老們在毛澤東的嚴厲批評下退出政治舞台。以軍人為代表的第一次直接抗爭以失敗而告終。

(二)武漢「七二○事件」

1967年，武漢地區的文革運動出現了兩派，一派號稱「工總」得到了中央文革的支持，另一派號稱「百萬雄師」得到武漢軍區的支持，兩派鬥爭日趨激烈。毛澤東於7月14日抵達武漢，試圖挾主席之威一舉解決武漢地區兩派的矛盾。惟毛行前既已確定了解決武漢問題的方針政策，即支持「工總」的行動，指認武漢軍區在支左中犯了方向路線錯誤。7月19日，中央文革成員王力在武漢水利學院發表一番講話，堅決支持武漢地區的造反派。王力的講話引發了武漢軍區軍人的強烈不滿。7月20日，武漢軍區軍人發動聲勢浩大的遊行，衝擊毛澤東下榻的東湖賓館，強行抓走王力，在衝突中王力甚至被打至小腿骨折。此後幾天，工廠停工，交通中斷，軍人把怒火燒向王力和其背後的中央文革，武漢整體形勢完全失控，釀成震驚全國的「七二○事件」。毛澤東不得不灰溜溜地緊急飛離武漢逃往上海。武漢軍人以實際行動抵制毛澤東和中共中央的方針政策，反映出軍隊對文革的強烈不滿和抗議，毛澤東解決武漢文革運動的計劃以失敗告終。此後，毛澤東不得不調整戰略部署，對軍隊高幹採取安撫、懷柔的政策，緩和軍隊幹部的憤怒情緒，並以反黨亂軍為名關押了中央文革大將王力、關鋒和戚本禹以平眾怒。

(三)軍隊製造的數起重大血案

雲南「滇挺事件」：1968年1月，參加援越工作的工役制工程第八團從下關去昆明，卻被雲南省軍管會領導人誣稱為「滇西挺進縱隊」上報中央。在中共中央的指示下，昆明軍區派出部隊圍剿了這支所謂的「滇挺縱隊」。在圍剿戰鬥中，工八團被打死184人，其他職工家屬被打死59人，工八團有480人被抓。但事實上，工八團從未使用過「滇西挺進縱隊」，雲南軍管會基本上是捏造事實和徹頭徹尾的陷害。

廣西絞殺「四二二派」：文革中廣西出現了兩派，一方是韋國清支持的「無產階級造反派聯合指揮部」，另一方是曾經得到中央文革支持的「廣西四二二革命行動指揮部」，前者誣稱後者成立了「中華民國反共救國團廣西分部」。1968年7到8月，軍隊對「四二二派」實行圍剿，在戰鬥中軍隊動用了高射機槍、四○火箭炮和七五無後坐力炮等武器，殘酷屠殺「四二二派」。據官方史料記載，全區被殺害和迫害致死者多達89,000人。而民間調查的受害者人數則達20萬之多。

內蒙古軍區製造挖肅「內人黨」運動：1968年1月，內蒙古軍區司令員滕海清妄稱子虛烏有的「內蒙古人民革命黨」是蒙修在內蒙古成立的特務組織，黨政軍裏都混進了「內人黨」，由此開始了內蒙古的挖肅「內人黨」運動。這一運動大搞刑訊逼供，幾乎造成人人動武，戶戶留血，冤案遍地。滕海清事後自己承認，全區共挖肅「內人黨」346,220人，刑訊武鬥致死16,222人，致傷殘87,188人。

雲南「沙甸事件」：由於中共在雲南少數民族地區實行的極左政策導致民族矛盾嚴重，雲南沙甸地區的回族群眾與當地政府逐漸形成對抗，1973年，雙方矛盾激化。1974年7月，雲南省委向中央報告提出，沙甸問題的性質變了，當地回民可能舉行大規模暴動，並提出軍事解決，得到了毛澤東的批准。1975年7、8月，軍隊開始對沙甸實行軍事鎮壓，軍隊動用了榴彈炮、加農炮、火箭炮狂轟濫炸，致使回民死亡1,341人，重傷420人。為了使鎮壓合法化，「沙甸事件」被定性為「一小撮反革命份子製造的、以沙甸為中心的反革命武裝叛亂」。

(四)鄧小平復出後的鬥爭

1975年1月5日，鄧小平被任命為中央軍委副主席兼總參謀長。隨後在十屆二中全會上，鄧小平當選為中央政治局常委、中共中央副主席。至此，鄧小平被毛澤東賦予了極大的權力。鄧小平大權在握開始了他的全面整頓工作。根據毛澤東「要安定團結、把國民經濟搞上去」的指示，鄧小平做了不少整頓工作。鄧小平對鐵路運輸、煤炭及鋼鐵生產、工業建設、國防戰備、科技教育、文藝政策、軍隊系統等進行全面整頓。這一整頓使得文革中遭受破壞的經濟有所好轉，有效地扭轉了社會生活和經濟工作的混亂局面。但是，鄧小平沒有接受「二月逆流」老帥們和林彪的教訓，自以為有了毛澤東的尚方寶劍，開始了對「四人幫」的反擊。5月27日和6月3日，鄧小平主持中央政治局會議，鄧小平、葉劍英等人對「四人幫」作了尖鋭的批評，指出「四人幫」的宗派活動有害黨的團結，甚至會走到分裂黨的地步。王洪文、江青被迫做了言不由衷的檢討。然而，毛澤東遏制鄧小平的部署也隨即展開了。鄧小平打擊「四人幫」，利用整頓否定文革是毛無法容忍的，這是毛、鄧之間無法彌合的根本分歧。11月毛澤東部署了反擊右傾翻案風，1976年2月中共中央發出1號文件，宣佈由華國鋒任國務院代總理，由陳錫聯負責主持中央軍委的工作。至此，鄧小平實際上被停止中央的一切工作，連帶着葉劍英也被剝奪了軍內的實權。此後，更由於「四五天安門事件」，鄧小平被撤銷黨內外一切職務，僅僅被保留了黨籍。鄧第三次被打倒。

六　軍隊最後成了結束文革的主要力量之一

1976年9月9日，毛澤東撒手人寰，昭示着一個時代的終結。毛澤東屬意的華國鋒接班集團在毛死後不到一個月的時間裏就一舉粉碎了「四人幫」，終結了毛澤東苦心孤詣的文化大革命，曾為文革保駕護航的軍隊反而成為終結毛文革的決定性力量之一。

首先，這是以軍人為主實行的一次宮廷政變。毛澤東去世的第二天，華國鋒就與李先念密談，請李面見隱居西山的軍委副主席葉劍英，轉達華國鋒要解決「四人幫」的決心。不久，華國鋒、葉劍英就分別找了負責中央警衛團的汪東興，策劃以武力形式逮捕「四人幫」。經過中共最高領導層的秘密串聯，華國鋒、葉劍英、汪東興幾個最核心的人物達成了共識，以迅雷不及掩耳之勢一舉抓捕「四人幫」。由於此次抓捕行動涉及到北京衛戍區，北京衛戍區司令員吳忠亦曾到中南海協同作戰。10月6日，由中央警衛團出手，一舉擒獲「四人幫」，隨後軍隊迅速控制了中央廣播電台和電視台，「四人幫」在北京的主要黨羽遲群、謝靜宜等人也相繼就擒。

其次，以武力威脅的方式，迫使中央政治局接受並承認粉碎「四人幫」這一既成事實。10月6日當晚，北京玉泉山9號樓葉劍英處召開中央政治局會議，華國鋒在會上宣佈了對「四人幫」的隔離審查。政治局此時實際上已被軍方完全控制，誰敢反對誰將步「四人幫」的後塵。在這種武力脅迫的情勢下，政治局其他成員也只能認可了這一非法行動。華國鋒、葉劍英趁熱打鐵，通過了華國鋒出任中共中央主席和中央軍委主席的決議，隨後以正統的名號和實力的展示瓦解了「四人幫」在上海的餘黨，收到兵不血刃的效果。

再次，整個軍隊系統在這次鬥爭中都站在了「四人幫」的對立面。比如，時任副總參謀長的楊成武就在葉劍英、聶榮臻兩位老帥之間傳遞消息；時任國務院副總理的王震根據葉劍英的指示，頻頻穿梭於一些軍隊老幹部之間，起到了聯絡員的作用；廣州軍區司令員許世友、瀋陽軍區司令員李德生、空軍政委張廷發、海軍司令員蕭勁光、海軍政委蘇振華都曾與聞或不同程度地參與了粉碎「四人幫」的活動。負責中央軍委工作的軍委常委兼北京軍區司令員的陳錫聯也堅決支持了華國鋒、葉劍英們的宮廷政變。由此可見，軍隊是終結毛澤東文革的中堅力量，沒有軍隊的全面倒戈，「四人幫」不可能在毛死後這麼短的時間內被粉碎，文革運動更不知伊于胡底。

七　軍隊與文革關係的幾點總結

第一，解放軍參與文革是服從命令聽指揮的結果。毛澤東作為軍隊的最高統帥，對軍隊和文革的關係表現出極大的矛盾性。一方面，他需要一支穩定的軍隊作為他威懾和清洗黨內政敵的主要依靠力量。另一方面，他又企圖通過在軍內搞文革，清洗「混入軍內」的「資產階級代表人物」來維持軍隊對自己的絕對忠心。但實際結果是，軍內文革常常激活派系鬥爭，而群眾運動和「四大」更錯誤地衝擊了領導機關，鬥爭了大批高級將領。不僅大大地影響了軍隊本身的穩定，還使軍隊上層對文革產生強烈的不滿和抵制。文革前期，軍隊一直在穩定和動盪的鬥爭中拉鋸。軍隊一方面不得不按照毛澤東的指示支持並參與文革運動，緊跟毛澤東的戰略部署；而另一方面軍隊又希望穩定，不希望軍隊捲入地方運動和內部奪權的發生。但是，毛澤東迫使軍隊一步步陷入這場文革的泥淖，誰不跟隨、響應毛澤東的號召，誰就會被毛所拋棄，「二月逆流」後老帥們的靠邊站、賀龍倒台事件、1971年的林彪事件以及1976年初鄧小平的第三次被打倒都是如此。一些曾緊跟毛戰略部署的軍人在文革後則被批判和清算。但是，我們還應該看到，軍隊中的很多參與文革的軍隊上層人物文革後大都安然無事，或是檢討過關，或是異地為官，有些人還步步高陞，如韋國清、滕海清、許世友等人。

第二，1967年1月，毛澤東指示軍隊「支左」，原意是想通過軍隊支持地方群眾中的左派來穩定局勢。但是，當時的群眾組織已經分裂為幾派，其必然後果就是「支左」變為「支派」，軍隊淪為地方派性的後台和工具。另外，無論是毛澤東、中央文革小組，還是中央軍委，都自始至終無法給軍隊提供一個可資判定的「左派」及「右派」的具體標準，因此常常使軍隊在進退維谷中隨意抉擇，甚至不同派系的軍隊支持對立的組織，反而加劇並擴大了對立的群眾組織間的矛盾。加上軍隊又是大規模殺傷性武器的持有者，對立的群眾組織在明搶暗送中獲得武器彈藥，開啟了全國性的「全面內戰」的亂局。

第三，在各級黨政機關癱瘓的情況下，軍隊在文革中實際上已經成為最主要的主導力量。但是，軍隊並不具有和平時期複雜的政治運動的經驗，且習慣了簡單的對敵鬥爭模式。因此產生了濫用武力和暴力的現象，製造了很多駭人聽聞的血案。除了上述提到的幾起軍隊鎮壓民眾的血案外，他們還利用「清理階級隊伍」、「一打三反」和清查「五一六」等運動大肆鎮壓異己，其漠視人權、草菅人命比比皆是，大批政治犯和無辜民眾在這一時期死於非命，慘烈的程度甚至超過了文革初期的政治迫害。最後，軍隊在文革之前就存在種種極「左」的做法，如「學習雷鋒」、「突出政治」、「個人崇拜」等等，在軍人執掌各地大權後，解放軍不僅把軍內文革前的種種左傾活動作為樣板推向民間，還使之深入各個層面的社會生活，造成了極為消極和負面的影響。

第四，毛澤東在文革中玩弄軍隊於自己的股掌之中，可謂翻雲覆雨、得心應手。但是，軍隊卻是一把雙刃劍，解放軍既扮演了文革運動的推手，也扮演了文革的掘墓人。實際上，軍隊對文革的認識也有一個過程，從支持、參與到懷疑、消極乃至抵制，毛死後軍人為主力粉碎了「四人幫」，軍隊徹底背叛了毛的初衷，這卻是毛澤東始料未及的。最關鍵的一點是，毛澤東發動的這場文革運動屬禍國殃民，倒行逆施，早已招致天怒人怨，軍隊的轉向只不過順應了歷史的潮流，站到了歷史正確的一邊而已。

第五，回顧並總結這段歷史，剖析軍隊與文革的關係，避免文革這類歷史重演的關鍵在於，軍隊是國家的軍隊，而非一黨之私，決不應捲入政黨的政治鬥爭，更不能成為黨爭和權爭的工具。只有走出所謂「黨指揮槍」的迷思，使軍隊國家化，政治民主化，才能使中國成為一個正常的民主國家，真正步入世界之林。

毛澤東與「四人幫」

魏昂德(Andrew G. Walder)

1960年代初，特別是1963年中蘇正式決裂後，毛澤東認定中國共產黨正沿着錯誤的道路前進，亟需採取嚴厲的手段加以制止，因此他計劃對共產黨的官僚體制發動全面攻勢。為此，毛私下進行了周密的部署。雖然黨內的其他領導人都對他畢恭畢敬，但毛仍然擔心，一旦自己的計劃事先泄露，未必不會有人聯起手來加以抵制。在毛的計劃中，不僅要把以劉少奇為首的老一代革命家們從黨的領導層趕下台，而且還將在全黨發動大規模運動，打倒一大批人，將各層各級在言行上表現出「修正主義」思想的官員統統清除掉。毛指控他們受到剝削階級殘餘勢力和思想的影響，形成了一個遍佈全國的陰謀集團。不久，他便將這一指控公諸於眾，並打算藉此掀起一場大動亂，將這些人全部清理乾淨，至於運動的方式和持續的時間則尚未確定。

毛的這一計劃之所以能成功，離不開許多人的支持，而且這些人對毛個人的忠誠超過了對黨的忠誠。在黨內的歷次衝突中，他們已經充分證明了對毛的忠心，因此得到毛的信任。其實，毛的所作所為正是嚴格意義上的反黨陰謀。從1964年底至1966年中，他一步一步做好鋪墊，最終才發動總攻，一下子便控制了黨政軍警，將全國置於其絕對統治之下。

效忠於毛的這些人當中，有兩個最重要，一個是他的妻子江青，另一個是林彪。江青此前並未積極參與政治，也從未在政府或黨內任職，許多年來一直不為公眾所關注。1960年代初，她開始在藝術界活躍起來，對傳統劇目品頭論足，同時推廣革命樣板。在得到毛的支持後，她開始用激烈的言詞批判那些缺乏革命性的劇本和作品。在此過程中，她與聲氣相投的上海宣傳部門的幹部結為同盟，特別是身為上海市委常委和宣傳部長的張春橋，以及張的下屬、擔任《解放日報》編輯的姚文元。

一開始，江青主要依靠上海的幫助，還無力對北京的媒體發動攻擊。後來，她又得到林彪的支持，可以動用部隊刊物，對藝術界的所謂反動勢力展開大肆批判。在軍隊和上海市委的雙重支持下，江青組織召開了一次文藝座談會。她在會上嚴厲批判了文化和宣傳部門的幹部，同時大誇特誇林彪和康生等人的文章。

林彪對毛一向忠貞不二，而且他在內戰後期取得了一系列軍事勝利，證明了毛對中共必勝的預言是正確的。1959年的廬山會議上，他站在毛的一邊，1962年的七千人大會上也是如此。他高調支持毛對「彭德懷反黨集團」的指控，對毛發動的大躍進大加讚揚。彭德懷倒台後，林彪取代彭為國防部長。在他的領導下，解放軍被打造成宣揚毛澤東思想的機構。林彪認同毛的游擊戰術，主張人的主觀能動性比現代化的武器更重要。他在軍隊的高級會議上稱毛是天才，將毛澤東思想捧為「馬列主義的巔峰」，是馬列主義在當代的最高發展階段。他還在全軍組織了聲勢浩大的學習「毛澤東思想」運動。林彪從1961年起，要求《解放軍報》報頭每天刊登毛澤東的言論或文章片段，累積多了，到1964年才集結成書出版。他組織全軍學習書中的內容，據說這樣可以培養無私奉獻的精神，保持中共的優良革命傳統。至1964年，解放軍已經成為全黨學習的榜樣，許多黨政機關都成立了「政治部」，由解放軍軍官擔任政治指導員。

除了江青和林彪，康生也是另一個效忠於毛的重要人物。1940年代初，就是由他在延安負責殘酷的整風運動。由於刑訊逼供的影響太過惡劣，他最終承擔了相應的責任，但其實是替毛受過。他曾是黨內最高領導層的成員，但此後卻遭到冷落，1950年代僅在地方上擔任領導職務，不過仍保留了較高的級別。1956年召開的中共八大，他被進一步降職。這與當時的大環境有關：斯大林死後，共產主義陣營出現了一股潮流，清算過去秘密警察對黨內高層領導的迫害。但實際上，康生卻受到毛澤東的保護和提拔，在黨內領導情報、審幹和意識形態工作，包括出任中央文教小組的理論小組組長，主編《毛澤東選集》和分管中央黨校。1960年代初，毛任命他主管一個中央委員會的部門，專門負責起草聲討蘇聯的文章。康生這一次得到重用，完全出於毛的提攜，也只有依靠毛的支持，他才能保住自己的位置。為了再次證明自己對毛的忠誠和作用，1960年代初開始，他向離經叛道的藝術家和學者發動了進攻。

與康生處境類似的還有陳伯達。陳長期從事宣傳工作，精通馬列著作。在延安時他就擔任毛的政治秘書，在樹立對毛的個人崇拜和宣揚「毛澤東思想」的過程中發揮了關鍵作用。延安整風時，他同康生一樣，也是運動的主要負責人之一。為了給大躍進作政治動員，在他的領導下，1958年創辦了《紅旗》雜誌。這份理論刊物培養了一批左派作者，為毛發動的各項政治運動提供理論支持。到了1960年代，《紅旗》徹底成了毛個人的傳聲筒。同康生一樣，陳的地位也完全依賴長期以來毛對他的提攜。

毛還有一名重要的忠臣，那就是周恩來，不過他與毛的關係與其他人都不同。周在黨內長期身居要位，1920和1930年代，他的地位比毛還高。身為總理，他長期領導國務院和各個政府部門，深孚眾望，是一名頭腦靈活、精力充沛、品行端正的行政官員。周不是一個專注於意識形態的教條者，因此1949年後他所執行的一系列政策，日後都受到毛的嚴厲批評。大家都知道周奉行實用主義，任何時候只要黨內的路線確定下來，他就會忠實執行。但不管怎樣，1943年整風運動以後，他就一直效忠於毛，每次黨內的政治鬥爭中，他都站在毛的一邊，包括打倒彭德懷那次。只要有人批評他偏離了毛的路線，他就會立刻態度誠懇地做長篇檢討，並發誓效忠毛主席。毛欣賞周的忠誠和管理能力，但周在內心深處對毛的主張並非完全盲從，有時甚至與之意見相左。

一　毛策劃向黨進攻

1965年末及1966年初，毛及其追隨者(周恩來除外，他還被蒙在鼓裏)採取一步步行動，最終將全黨置於毛個人的統治之下，使反對者無法組織有效的對抗。第一步是1965年9月，毛將彭德懷從北京郊區的軟禁地召回北京，在人民大會堂會見了他。毛同他談了五個小時，還招待他吃了頓飯。彭對毛表示諒解，並接受任命，遠赴四川。11月30日，彭動身前往成都。毛的這一招有兩重用意：一是將心懷不滿而且聲望很高的彭調離首都，防止他成為反抗者爭取的對象，同時又向外傳遞了一個信號，即毛並未對反對他的人懷恨在心，使其他黨的高級領導人放鬆警惕。

毛的第二步是全面控制全國的宣傳機構。當時，全國的宣傳工作掌握在以彭真為首的所謂「五人集團」手裏。彭真是劉少奇的老熟人，長期在其手下工作，後來到中央書記處，直接受劉少奇和鄧小平的領導。不僅如此，1956年他曾反對毛的百花齊放「開門」整風的做法。在1962年的七千人大會上，他又暗示毛應該為大躍進造成的災難負責。1964和1965年，當針對作家和知識份子的政治鬥爭愈演愈烈時，彭真及其手下禁止在批判文章中亂貼政治標籤，堅持文藝批評必須與政治批判相區分。他主張用高標準來要求文藝批評，否則只能造成錯誤的指控，經不起時間的檢驗。正如彭真自己所說：「在真理面前，人人平等。」不過，日後他將為這些話付出代價。如今，毛正想剷除黨內一切不忠於自己思想的人，彭真顯然是個障礙。

1965年11月10日，姚文元在上海的一份主要報紙上發表批判《海瑞罷官》的文章。毛曾表示很欣賞這部劇，但這篇文章卻指責吳晗的劇本公然攻擊毛和大躍進，因為海瑞為農民講話，對皇帝提出批評，主張把土地歸還給農民。這篇文章使彭真左右為難：它對吳晗提出了嚴重的指控，而彭真正是吳在北京市委的頂頭上司，而且這篇文章事先未徵得宣傳部門的同意就發表了。彭真需要作出決定，是否讓北京和全國的報紙轉載這篇文章。要是轉載的話，他自己就得承擔責任，因為正是在他的領導下，吳晗寫出了這樣的劇本；要是拒絕轉載的話，則可能會被人指責為包庇反黨份子。這篇文章在北京造成了極大的恐慌，令彭不知所措，在遲疑近三週後，最終還是決定在《人民日報》第五版轉載了這篇文章，並配發了一篇社論，強調批評的自由和尊重不同意見的重要性。這一決定的後果，只有等毛完成了一系列鋪墊行動後才能看出來。

就在姚文元那篇文章在上海發表的當天，毛執行了第三步計劃，突然宣佈對楊尚昆停職審查。楊當時是中共中央辦公廳主任，掌管着黨內高層各部門之間的文件往來。對他的指控是，1960年代初他曾下令，在毛的專列上睡覺和會客的地方，以及在毛常去的各地賓館裏安裝竊聽器。毛發現這一做法時非常生氣，但當時只開除了一批低級工作人員。他認為楊是幕後主使，從此對他不再信任。如今舊事重提，毛指控楊從事反黨陰謀，用汪東興取而代之。汪是中央警衛團的負責人，負責毛的安保工作，他對毛一向忠心耿耿，與毛形影不離。

毛的第四步是確保對軍隊的控制。此時，軍隊名義上歸林彪領導，但負責日常事務的是總參謀長羅瑞卿。1960年代初，林彪強調政治比現代化的武器更重要，羅對此公然反對。羅主張既要強調政治，也要發展先進的武器，他還很重視技術訓練和軍事演習，因此與林彪的關係很緊張。林認為羅跟自己唱反調，便於1965年11月向毛提出對羅的一系列指控，毛下令對羅進行調查，並親自主持了1966年1月的政治局常委會議，對羅展開批判，導致羅於3月試圖自殺。最終，羅被解除了一切職務，林彪終於完全控制了軍隊。

毛的最後一步是批判彭真及宣傳部門的領導。這時，羅瑞卿已經出局，江青得以進一步與解放軍總政治部合作。同彭真一樣，之前羅也不許《解放軍報》轉載姚文元的文章。在羅遭到首次批判後，江徑直找到林彪，要求召開一次部隊文藝座談會。結果，在這次後來被稱為「林彪同志委託江青同志召開的部隊文藝工作座談會」上，部隊幹部在報告中大談軍隊內部在文藝戰線的政治鬥爭。公開發表的報告稱，文藝戰線存在着「嚴峻的鬥爭」，並指出1949年以來，毛的指示並未在軍隊內得到貫徹執行，其原因是軍內的文藝被「反黨反社會主義的黑線」所控制。

在此期間，媒體上對吳晗的批判愈演愈烈，彭真則指示北京的報紙將爭論的焦點轉移到對歷史真相的討論上，試圖以此來保護吳晗。江青關於文藝座談會的報告公開後，彭真又很快組織人於2月底撰寫文章，捍衛吳晗對黨的忠誠，並再次重申劇本的事不應當成為政治問題。彭在政治局常委會上批准了這份報告（當時只有劉少奇、鄧小平和周恩來在北京，並參加了會議）。彭真等人隨即飛往武漢，向毛遞交了這份報告。毛問道：吳晗到底是反黨份子，還是跟彭德懷一夥的？彭真保證說，經過調查，沒有發現任何政治問題。毛似乎表示認可，說吳晗可以繼續擔任北京市副市長。

然而，彭真和其他批准了這份報告的政治局常委並不知道，兩個月前毛早已向心腹交代，海瑞的戲就是一個嚴肅的政治事件。毛採納了康生的說法：問題並不在於海瑞要求把土地分給農民，而在於海瑞被罷了官。也就是說，海瑞象徵着彭德懷，因此這是一齣反黨、反社會主義、攻擊毛主席的戲。但是，毛對自己的觀點隱忍不發，而是讓彭真繼續為吳晗辯解，彭真就這樣中了圈套。3月中旬，毛向周恩來和鄧小平抱怨說，彭真掌管着一個「獨立王國」，不聽中央的指揮。之後不久，在杭州召開的一次政治局常委會上，毛稱《人民日報》「只有一半是馬克思主義的」。

1966年3月26日，趁劉少奇訪問巴基斯坦、阿富汗和緬甸之機，毛開始收網。等到劉於4月19日回到北京，形勢已經發生了巨變。毛召集康生、江青和陳伯達到杭州談話，在談話中，他批判彭真的〈二月提綱〉，指控中宣部、彭真和北京市委包庇反黨份子。他下令解散中宣部和北京市委，認定彭真等「五人集團」應對此負責。中宣部長陸定一也被認為參與了反黨陰謀而遭免職。4月2日，《人民日報》刊登了戚本禹和關鋒的文章，批判北京宣傳戰線的「黑路線」。在4月9日至12日召開的中央書記處會議上，康生和陳伯達對彭真展開批判。鄧小平和周恩來的態度應該是遵從了毛的指示，因為沒有跡象表明他們當時為彭真作了辯護。書記處同意起草一份文件，批判彭真的〈二月提綱〉，據説毛把這份文件親自修改了七次，最終於5月在北京召開的一次黨的會議上公開，成為文革運動中的第一份官方文件。彭真、羅瑞卿、陸定一和楊尚昆受到公開批判，被當作陰謀奪權的修正主義「反黨集團」。他們的下屬紛紛遭到清洗和逮捕。北京市委被清洗了大半，許多重要領導人自殺。

通過以上這些步驟，毛將全國的宣傳機構和軍隊都置於他一個人的絕對控制之下，並完全掌控了中共中央書記處與各地黨委之間的聯繫。此外，通過這場政治清洗，首都的警衛工作得到重新部署和加強，對軍隊和公安實行了統一管理，並任命了新的北京衛戍區司令。當毛公開實行這些計劃時，劉少奇和彭德懷都遠在外地。至此，毛完成了反黨陰謀的第一個階段，接下來就要發動無產階級文化大革命了。

二　向黨的體制進攻

甚麼是文革？當然，從某種角度來説，文革就是中共黨內一次大規模的政治清洗運動。它的目標很明確，就是要打倒「黨內走資本主義道路的當權派」，也就是毛心目中的修正主義份子。從高層的劉少奇和鄧小平，到底層的農業公社和國營工廠的黨委書記，大批黨政幹部被趕下台，猶如1930年代蘇聯的翻版。不同的是，在蘇聯，遭到清洗的幹部被送進勞改營或處決，而在中國，他們則可能遭到囚禁，有人死在獄中，有人自殺身亡，但通常的遭遇是受到公開羞辱，被造反者毆打，先是拘禁在臨時牢房裏，然後被發配到工廠或農村從事繁重的體力勞動。同斯大林時代的受難者不同，文革中的大多數受難者都倖存了下來，最終恢復了公職。

然而，文革遠不止是對黨內幹部的清洗。清洗是以羞辱的方式剝奪個人的職務，但政權的結構保持不變。而文革則是要打破1950年代以來中國模仿蘇聯建立起來的整套官僚體系，取而代之一套簡單得多的制度，即成立一個個由文職幹部、軍官和造反派代表組成的委員會。與被打倒的官僚機構相比，新的職能部門的規模要小得多。在這個新建立的政治體系中，領導者必須絕對效忠於毛，而他們管理國家的方式，也同內戰時期動員軍民的方式差不多。最終，中央各部委70%至90%的工作人員將被下放到農村的「五七幹校」，從事兩到三年的體力勞動——這就是所謂「政府機關革命化」的主要內容。

對既有黨國體制的破壞和重建，將從上下兩方面同時入手。一方面，毛在上面迅速重建了一個政治體系的最高權力機構，事實上，這一過程至1966年夏天已經完成。原來的中共中央委員會遭到清洗，已經癱瘓，根本無法抗拒毛的進攻。原有的政府機關要麼縮編，要麼合併，決策權轉移到了由毛的忠實追隨者組成的非正式的委員會手裏，他們直接向毛報告，而且只對他一個人負責。隨着文革的開展，這些非正式的機構規模不斷擴張，權力也在增長，原來的職權部門卻被不斷削弱和肢解，最終解體，無法再行使各項職能。雖然於黨章和憲法都無據可循，毛的追隨者們組成聽命於毛的委員會，對原有的國家機關大肆破壞，最終登上了黨國權力的巔峰。

文革的另一個顯著特徵是對底層民眾的廣泛動員。造反群眾將目標對準各層各級的官員，認為他們不忠於毛澤東思想。最初重組國家權力機構的一個主要藉口，就是為了協助這些造反群眾，將他們的行動引向毛所希望的方向。從表面上看，由學生發起的紅衛兵運動在1966年8月一下子爆發出來，引發了混亂和無序，但事實上，這一運動始終受到一些人的密切關注和刻意引導，他們把群眾運動的動向隨時向毛匯報，同時把上面的意見、鼓勵和指示往下傳達。這個監控網絡的效率很高，在1966年夏秋之際引領着學生運動的方向。但是，當這種控制變得愈來愈明顯後，反而造成了反彈和分裂。

三　重組頂層權力

1966年5月對北京的所謂「反黨集團」的批判開始後，針對中央各部委及北京市的一系列清洗運動很快便展開了。這些行動表面上的理由，是為了清理那些倒台的領導幹部的黨羽。至7月份，十名北京市副市長全被免職，北京市委書記處所有成員中只剩下二人；到了10月，這二人也遭到清洗。原先隸屬於中央書記處的部門，如今也遭到破壞，234名中宣部的幹部被解職，中宣部的規模也大舉壓縮，各部門合併為一個「毛澤東思想宣傳辦公室」，此後不到一年，中宣部被正式取消。中央組織部也如此，8月，所有領導人都被免職，二百多名幹部接受正式調查。

這些變化對全國的權力機構造成了巨大衝擊。一方面，黨的政治局及其常委會、首都的各個政府機關全部失去了權力，無法再行使各項職能。與此同時，毛的死忠派則組成了一個特別委員會，接管了其權力。5月28日，在召開了一次極為重要的政治局會議後，中央文革小組宣告成立，7月，這個小組的名字第一次正式對外公佈。在接下來的一年裏，這個小組的成員變動頻繁，但核心成員都是對毛絕對忠誠的人，他們的權力和地位完全依賴於毛的支持。這些人在宣傳和安全方面經驗十足，他們從運動一開始就表明立場，要堅決打擊「自由主義」和「資產階級」傾向。這個小組最初的成員當中，沒有一個是政治局委員，也沒有人管理過行政或經濟工作。

中央文革小組的首任組長是陳伯達，他在延安時期曾輔導過毛的馬列主義，如今負責編輯黨刊《紅旗》，他將這份雜誌辦成了中央文革和毛個人的傳聲筒。小組的主要「顧問」是康生，1943年，他曾負責整風運動，導致濫用暴力的情況，此前不久他剛接受任命，領導一個寫作小組，起草反對「蘇修」的文章。此外還有兩名重要的副組長：一個是江青，她與毛在1938年結婚，從未正式擔任過黨政職務；還有一個是張春橋，原上海市委宣傳部長，曾協助江青批判文藝界的自由化傾向。其他主要成員都是意識形態方面的專家，擅長辯論或者寫「理論」文章，其中包括張春橋任上海宣傳部長時的下屬姚文元。

中央文革小組還有四名年輕的成員，都與《紅旗》雜誌有關。戚本禹，三十五歲，是《紅旗》雜誌歷史編輯組的組長，於1966年5月成為毛的秘書；王力，四十五歲，作家，在陳伯達手下任《紅旗》副總編，同時在康生手下任中共中央對外聯絡部副部長，是撰寫反蘇評論文章的主要寫手之一；關鋒，四十六歲，《紅旗》副總編，在中共中央政治研究室一路幹上來，同陳伯達和康生的關係都很密切，曾短期主編過一份內部理論通訊供毛閱讀；穆欣，四十多歲，也是《紅旗》的副總編，同時兼任《光明日報》的總編輯。在建立中央文革小組與學生激進份子的聯絡中，這些年輕人發揮了非常重要的作用。

在學生積極份子的眼裏，中央文革小組就是毛的代言人。可事實上，這個小組幾乎沒有獨立的權威性可言，小組成員也常常需要猜測毛的心思，而毛本人通常態度模糊，説變就變。而且在關鍵時刻，小組成員之間也常常意見不一，各懷心事，這在文革初期特別明顯。結果，小組成員隨時都在變動，有些人也遭到清洗，要麼因為不夠激進，要麼搞得太過火，或者惹毛生氣，成為替罪羊。小組成員有三次大的變動(見表1)：首先，1966年6至7月間負責協調各地工作組的幾名地區黨委書記於1966年8月被撤職；第二次，1966年底又有幾個人——陶鑄、王任重和劉志堅——被撤職，因為他們抵制運動進一步升級；第三次，王力、關鋒和戚本禹也在1967年下半年受到斥責，他們本來積極支持激進的學生運動，但後來卻導致大規模的派系武鬥。至1968年1月，原來的19名成員和顧問中，僅有5人仍保留原職。

從學生運動剛剛興起，中央文革小組就深深地捲入其中，其成員一直與學生中的積極份子保持接觸，經常在群眾集會和小組會上發言，許多發言都有錄音和文字記錄，並發表在學生辦的報紙上。隨着正規的國家機關的解體，中央文革小組的權力愈來愈大，其他非小組成員的官員也時常參加中央文革小組的會議，但沒有發言權。許多新參加會議的人員大都有軍方或公安的背景，體現了文革中權力轉移的動向。在中央文革小組的工作人員當中，名氣較大的有康生的妻子曹軼歐，她曾一度擔任中央文革小組辦公室主任；還有林傑，《紅旗》雜誌編輯，北師大歷史系畢業，在同造反派聯絡過程中表現積極，發揮了很大作用。文革開始後，中央文革小組在北京西郊位於海淀大學區的釣魚台國賓館設立了辦公室。中央文革小組成員及工作人員經常同學生積極份子會面，有幾個人還擔任了非正式的「聯絡員」，暗中支持和引導學生中的個別派系。

中央文革小組的情報網絡覆蓋了各個大學。它抽調了許多新華社和《解放軍報》的記者派駐校園，通過秘密渠道，每天向小組匯報運動的動向。學生積極份子把這些記者當作可以「通天」的人物，因此常邀請他們參加紅衛兵派系的領導層會議。

總之，毛讓中央文革小組對外透露其政治意圖，而他本人則喜歡藏身幕後，通過忠於自己的一小撮人來為他做事。而中央文革小組也試圖代表毛來掌控運動，它建立了嚴密的組織和情報網絡，深入大學校園，試圖以此來鼓動和引導學生運動的方向。它經常替學生選擇鬥爭的目標，有時針對政府機關，有時則針對個人。中央文革小組還向他們支持的派系提供各種資源，幫助其擴大影響，對不聽話的學生則予以警告、斥責，甚至逮捕。不過，中央文革小組企圖控制學生運動的努力只取得了部分成功，它最終還是失去了對學生的控制，未能阻止派系鬥爭的爆發。

中央文革小組實際上成了毛個人的指揮部，毛利用其對既有的黨國體制發動進攻，壓縮或解散原來的黨政機構。不過，跟建立新的權力機構比起來，它破壞舊制度的效率更高。這個小組的權力完全來自毛，其行動都基於對毛的意圖的解讀，但長期以來毛的意圖總是變化無常，模糊不明。這個小組一開始只有大約十個人，負責起草文件，但僅僅過了一年，其規模就迅速擴充，擁有數百名工作人員，佔據了北京西郊釣魚台國賓館的七座別墅。它取代了由鄧小平主持工作的中共中央書記處，開始負責中央的日常運作。經過不斷清洗和大規模壓縮，原有的黨政機關大都已被摧毀，而中央文革小組的規模和權力仍在不斷增長。

然而，讓毛頭疼的是，中央文革小組本身就是一個充滿爭吵、組織混亂的機構，內部衝突不斷，缺乏協調，其成員也不斷變動。至1967年1月，最早的19名成員和顧問中，超過一半的人要麼被清洗，要麼靠邊站。小組的權力沒有明確的界定，各成員之間也沒有明確的分工，許多人甚至公開對立。而且，中央文革小組向毛匯報的渠道也從未正式化，從來沒有定期書面匯報的制度。對於同一件事，毛通常要聽取不同人的口頭報告。讓情況更加令人捉摸不定的是，無論陳伯達還是江青，都不出面召集會議。這兩個人都缺乏才幹和管理經驗，而且性情古怪，很難與人相處。因此，召集小組會議的責任只能落在周恩來的肩上。周並不是中央文革小組的正式成員，卻要負責起草會議的議程，並要代表中央文革小組在公開場合發言。然而，周與這些激進份子的政治傾向極其不同，他不斷用巧妙的方式試圖來緩和他們採取的破壞行動。中央文革小組中的激進派對此完全明瞭，因此對周極不信任，經常想削弱其影響，為之製造麻煩。

1966年8月，毛對黨的領導層重新洗牌，大大降低了劉少奇和鄧小平的地位，同時提拔了更多中央文革小組的高級成員，其他副主席(周恩來、朱德、陳雲)的地位也下降了，林彪成為唯一的副主席，被毛指定為接班人。可是，林彪對行政工作毫無興趣，只願管軍隊。他將原來由劉少奇和鄧小平主管的工作交給周恩來負責。周不定期地召集非正式的「中央核心」會議，代替之前的政治局常委會和中央書記處行使職能，毛和林卻幾乎從不參加這些會議。這無疑將周恩來置於新的權力架構的中心地位，成為文革這架權力機器上無法取代的關鍵部件。雖然周並沒有獨立的權力，他做的一切都是為了贏得毛的歡心，但事實上，文革中所有的決策和行動都經由他手成為現實。

同中央文革小組同時建立並變得日益重要的另一個機構是「中央專案組」，其成立從未正式對外宣佈。這個小組的前身是成立於1966年5月末、負責調查彭真「反黨集團」案的「專案審查委員會」。事實上，中央專案組的成員包括所有中央文革小組的成員，以及康生、公安部長謝富治和林彪的妻子葉群。這個小組的目的是調查、揭發、逮捕和囚禁黨內的「修正主義份子」和「叛徒」。隨着清洗規模的擴大，這個小組的成員和規模也在擴張，最終僱了數千名全職工作人員，負責大量「專案」調查工作，以揭發隱藏在黨內的叛徒。至1968年，共有88名原中央委員被懷疑為「叛徒」、「間諜」或「通敵」而接受調查。小組下設的「專案組」遍佈全國，勢力龐大。據説僅僅為了將劉少奇定性為「叛徒」，專案組就動用了四十多萬人，查閱了四百多萬份文件。在收集證據方面，專案組(特別是基層的專案組)多使用「逼供信」的方式，對被審問者施以精神和肉體的折磨，彷彿回到了1930年代的蘇聯。對所謂「修正主義份子」的關鍵指控，往往無中生有，與被調查對象的政治立場或公開言行毫無關係，羅織的罪名則包括「叛徒」、從事地下反黨活動、為國民黨或境外情報機構充當間諜、在1949年前曾叛變革命等等。

四　動員群眾造反

對全國權力機構的大規模重組進一步破壞了原來的黨政系統。推動這一進程的是經過動員、從底層起來反對官僚體系的造反群眾。在近兩年的時間裏，先是學生，後來又有工人，幾乎可以任意成立自己的組織，把在他們看來表現出「修正主義」傾向的官員「揪出來」批判。文革中的這一幕，與毛在1956和1957年「開門整黨」的做法頗為相似。但是，十年前，毛並沒有允許獨立的群眾組織存在，也沒有讓「群眾」把任何官員拉下馬。如今，毛對黨的現狀做出了與1956年不同的判斷。他認為讓普通群眾對幹部提出善意的批評已經不足以解決黨內存在的問題，因為修正主義發展的勢頭已經很強大，只能靠發動群眾運動才能肅清黨內的修正主義份子。只有砸爛官僚機器，訓練一批新的革命接班人，才能防止中國走上蘇聯的道路。於是，文革伊始，受到鼓舞的學生(後來又有工人)紛紛成立了自己的「革命組織」，與那些在思想和行動上偏離了毛澤東路線的官員作鬥爭。

然而，群眾的造反運動並非隨心所欲、不受節制。中央文革小組的一個主要功能就是監控學生運動，通過暗中聯絡，煽動並支持造反派，積極削弱當權者。這種試圖操縱群眾運動來推翻既有秩序的做法，頗似1949年前共產黨地下黨對付國民黨的那一套。1966至1967年間，中央文革小組的許多活動都是私下進行的，它甚至還與影響較大的紅衛兵頭目建立了秘密聯繫，不過與1949年之前比，這個小組的活動已經算公開得多了。

中央文革小組的暗中活動，就像這個組織本身一樣，最初並不顯著，但迅速擴張。1966年6月和7月間，中央文革小組成立伊始，只有少數成員，地位也不高。當時它只派出幾名負責調查工作的記者，前往北京各大高校，與學生積極份子建立聯繫，為他們提供秘密情報和建議。8月，紅衛兵運動迅速展開後，它竟抽調了數百名《解放軍報》和新華社的記者，派駐全國各地的高校擔任「聯絡員」，人數最終達到近千人。這些「聯絡員」與各地的紅衛兵頭目保持密切聯繫，一方面定期向北京匯報，一方面經常對學生積極份子透露有關政治動向的消息並提供建議。他們向中央文革小組遞交的報告被編成《文革簡報》，只印發不到20份，供毛和少數領導人參考。除此之外，另一個消息的來源是由新華社編發的《內部參考》，這份參考發行時間較長，傳閱範圍更廣，是供黨內高層閱讀的保密文件。從1966年8月開始，《內部參考》開始發行名為《文革動向》的增刊；至1966年11月，《文革動向》每天發行兩期。

利用這個情報網絡，中央文革小組和毛監視着學生的一舉一動，將之往自己希望的方向引導，找出有前途和願意配合的學生領袖，對他們予以扶持，同時敲打那些言行不符合其要求的人。1966年歲末，這個情報網絡發揮了重要作用，發現了紅衛兵當中存在批評中央文革小組的異見份子，結果這些人遭到了逮捕和批判。有些聯絡員甚至長駐校園，並進入紅衛兵組織內部，向造反者提供權威的信息和建議，紅衛兵組織也通過他們與中央文革小組建立了直接聯繫。當中央文革小組與北京各高校造反派建立了穩定的合作關係後，便開始鼓勵北京的學生到各省會城市建立自己的「聯絡站」，並向當地的紅衛兵提供指導，引導其發展方向。這樣一來，中央文革小組在全國的公開影響力就變得愈發強大了。1966年秋，中央文革小組開始邀請他們中意的紅衛兵頭目參加定期舉行的會議，以了解各地的情況，並制定運動的策略。這些會議先是在釣魚台國賓館召開，後來搬到了中南海和人民大會堂。

除了監控網絡，毛和中央文革小組還採取了一系列手段，或明或暗，甚至令人毫不察覺地協助學生造反。例如，中央文革小組運用已不歸中宣部掌管的各種媒體，不斷鼓動學生造反，並用誇張的語言讚揚造反派。從8月18日開始，毛和其他領導人還出席了在天安門廣場舉行的一系列盛大的群眾集會，媒體對此進行了廣泛報導。對學生來說，如果投身政治運動，自然會影響學習。6月底通常是每學年結束的時間，高中生和大學生忙於複習迎考，高三的學生則準備參加競爭激烈的高考。但是1966年6月中旬，所有這些妨礙學生參與政治運動的障礙統統消失了：學校一律停課，期末考試全部取消，沒有了畢業典禮，大學畢業生也不需要分配工作，就連高考也停考了。除了留在校園裏，學生們無事可做，只有參加反對修正主義的運動。他們的人生基本上停頓了兩年。與此同時，各個大學還接到命令，在暑假期間及暑假後繼續向學生提供食宿。1966年8月，當學生運動變得愈來愈暴力時，有人呼籲採取制約措施，但毛和中央文革小組對此全不在意，在他們看來，只要能鼓動學生造反，暴力不是甚麼大不了的問題。相反，他們於8月尾下達了兩份文件，禁止公安和軍隊干預紅衛兵的行動。這些命令得到了嚴格執行，直到1966年12月。

然而，雖然運用了種種手段，中央文革小組發現紅衛兵運動還是很難駕馭。造反組織不斷出現分裂和矛盾，需要中央文革小組出面干預。中央文革小組的介入愈來愈明顯，也愈來愈強勢，雖然一時控制住了運動的走向，但也造成了巨大反彈。反對中央文革小組的人愈來愈多，麻煩也愈來愈大，最終中央不得不在年底動用軍隊鎮壓，逮捕了一批紅衛兵中的異見份子。可是之後不久，得到中央文革小組青睞的造反組織也出現了分裂，而且在接下來的兩年裏，雙方的對抗愈來愈激烈。最終，毛對學生運動失去了興趣，轉而將希望寄託於工人造反派的身上。

五 結論

文革中，如此眾多的受難者被誣陷從事「反黨」活動。然而，頗具諷刺意味的是，事實上毛自己才是向黨發動進攻的人，其行為完全符合「反黨集團」的定義。毛所倚重的那些人，對毛個人的忠誠遠遠超過了對黨的忠誠。有意思的是，這些人的忠心並未得到毛的回報。幫助毛發動文革的人當中，只有極少數倖存到文革結束。「四人幫」中的三個——江青、張春橋、姚文元是毛死後仍然活着的幾個重要人物。康生一直掌權，直到1975年12月去世。謝富治死於1972年。許多忠於毛的重要人物都遭到了清洗，要麼被關進監獄，要麼早在文革結束前就死了。陳伯達於1969年被打成反革命份子，投入監獄。林彪於1971年神秘死亡，死後被指控陰謀暗殺毛和發動政變——這項指控現在看來證據並不充足。就連雖然內心並不贊成文革、但一直對毛忠心耿耿的周恩來，在1974年罹患絕症時依然受到攻擊。對毛忠誠的結果就是這樣，往往得不到任何回報。

表1：中央文革小組成員的變化(1966–1968)

1966年5月	職務	1966年10月	1967年2月	1968年2月
組長				
陳伯達	政治局常委，《紅旗》總編輯	陳伯達	陳伯達	陳伯達
副組長				
江　青		江　青	江　青	江　青
王任重	中南局第一書記，湖北省委書記	王任重		
劉志堅	中將，解放軍總政治部副主任	劉志堅		
張春橋	華東局宣傳部部長，上海市委書記處書記	張春橋	張春橋	張春橋
顧問				
康　生	政治局常委	康　生	康　生	康　生
陶　鑄*	政治局常委，中宣部長	陶　鑄		
組員				
謝鏜忠	少將，解放軍總政治部文化部長	謝鏜忠		
尹　達	中國科學院歷史研究所，《歷史研究》編輯			
王　力	《紅旗》副總編	王　力	王　力	
關　鋒	《紅旗》副總編	關　鋒	關　鋒	
戚本禹	《紅旗》副總編	戚本禹	戚本禹	
穆　欣	《紅旗》副總編，《光明日報》總編輯	穆　欣		
姚文元	上海盧灣區委宣傳部副部長，《解放日報》編輯	姚文元	姚文元	姚文元
張平化	中南局書記處書記，中宣部副部長			
郭影秋	北京市委書記處書記			
鄭季翹	吉林省委書記處書記			
楊植霖	西北局書記處書記，青海省委第一書記			
劉文珍	西南局宣傳部副部長			

來源：中共中央組織部編：《中國共產黨組織史資料1921–1997》，第19卷(北京：中共黨史出版社，2000)。

*陶鑄於8月2日加入中央文革小組。

毛澤東與個人崇拜

馮　客（Frank Dikötter）

「個人崇拜」這個詞出現得比較晚，最早使用是1956年，赫魯曉夫在秘密報告中用它來批判昔日的領袖斯大林。不過，斯大林既不是第一個，也不是最後一個縱容別人吹捧自己的獨裁者。有人認為，個人崇拜的始作俑者是墨索里尼（Benito Mussolini）。1922年，他在法西斯軍隊的幫助下奪取政權，隨後在羅馬舉行了盛大的閱兵儀式。墨索里尼政權有一些鮮明的特徵，如領袖站在陽台上向群眾發表演説、行古羅馬式的軍禮、身穿黑衫的追隨者、黑色的旗幟以及盛大的閱兵儀式等等，這些特徵其實早在奪取政權之前就成形了。掌權之後，他的黨羽不斷歌頌他天縱英明，而墨索里尼本人也儼然以真命天子自況，高居所有同僚之上，似乎他永遠正確，並將率領「法西斯新人」實現意大利的偉大復興。他的照片、畫像和半身塑像隨處可見，那顆光光的腦袋令人一眼就能認出來。

一　形象與權力相伴相生

希特勒也學墨索里尼的這一套，上台前竭力煽動民眾，許下種種承諾，一朝掌權即盡食前言。他將自己裝扮成天降偉人和救世主，似乎比拿破崙還要厲害，要替德國一洗《凡爾賽條約》的歷史恥辱。他重建了德國的軍隊，也重新激發了國民的自豪感，因此贏得了眾多追隨者，在紐倫堡的一次次集會上，受到萬眾歡呼。在當時德國人的心目中，他並非熱衷於誇誇其談、激情四射的演説家，而更像一位真誠謙遜、值得信賴的政治家，得到男女老幼的由衷愛戴。希特勒的這一形象通過無數載體得以廣泛傳播，如照片、明信片、畫像、半身塑像、人偶玩具(許多人偶的右臂可以舉起行納粹軍禮)等等，甚至鬧鐘——就像後來中國出現的畫有毛澤東像的鬧鐘一樣。有些大公司專門建有小教堂，裏面供着希特勒的半身塑像。全國各地湧現了數百個以希特勒命名的街道和廣場，就連只有一百多人的小村莊也不例外。

斯大林同樣鼓勵人們對他的個人崇拜。從1929年開始，蘇聯每年都要在紅場舉行幾次盛大的閱兵儀式，每次他都站在列寧墓的頂上，接受民眾的歡呼。對斯大林的個人崇拜在二戰後達到了頂峰，他命人編寫的《聯共(布)黨史簡明教程》以及被譯成包括中文在內的十幾種語言，暢銷國內外。蘇聯境內隨處可見斯大林的半身塑像和全身像，他的畫像同馬克思、列寧一起，懸掛在所有學校、機關和工廠裏，許多村鎮和城市都以他的名字命名。斯大林比墨索里尼和希特勒活得都長，也更善於因時制宜，操控人們對他的崇拜，他偶爾也會發表指示，要求對他的歌頌降降溫。

當然，所有領導人(包括民主選舉出來的)都會刻意營造自己的公眾形象，例如在拍攝官方照片時擺個特別的姿勢之類。有些國家領導人在生前也會得到人們的頌揚，如華盛頓(George Washington)、拿破崙、戴高樂(Charles de Gaulle)和列根(Ronald W. Reagan)等。但20世紀出現的個人崇拜卻是一個前所未有的現象，遠遠超出了普通民眾對偉大人物的崇敬。在民主政治時代，權力不再由神授予，而來源於人民，獨裁者運用個人崇拜的手段，無需通過選舉，便可製造出一副萬眾擁戴的假象。這裏存在一個悖論，即現代的獨裁者們也不得不依靠民眾的支持來維持自己的政權。赤裸裸的強權雖然可以通過軍事政變或操縱選票等方式得逞於一時，但並不能長期有效。正如桑塔格(Susan Sontag)在描述納粹政權時所説，利誘和威逼是當權者慣常使用的兩種伎倆。我們也可以說，對獨裁者而言，形象與權力時常是相伴相生的。

除了製造萬民擁戴的氛圍外，個人崇拜還有其他一些功能。生活在獨裁統治下的人們，因為政治上的高壓不得不說違心的話，因此獨裁者往往被謊言所包圍，無法確切了解每個人對他們的真實態度。個人崇拜則可解決這一難題，它迫使每個人都公開歌頌領袖，人人都說謊，真假莫辨，致使反對獨裁統治的人們很難組織起來發動政變。一旦個人崇拜全面展開，局面就會不受人為的控制，逐漸摧毀每個人的尊嚴，將人人都變成溜鬚拍馬者。人們不僅對自己的言論進行自我審查，而且誰要是歌頌領袖時顯得缺乏熱情，就會遭到周圍人的責難。

對毛澤東的個人崇拜也不例外。作為斯大林的忠實學生，毛應該很早就認識到個人形象的重要性。他在還未加入共產黨的學生時代，就曾讀過德國哲學家鮑爾森(Friedrich Paulsen)的《倫理學原理》(*A System of Ethics*)一書，並作了大量閱讀筆記。在這本書的空白處，他寫下了日後將貫穿其一生的重要原則：「宇宙間可尊者惟我也，可畏者惟我也，可服從者惟我也。」

然而，若非得到莫斯科的許可，對毛的個人崇拜也無法建立起來。在1949年之前的數十年裏，蘇聯人一直為中國共產黨提供經濟資助和理論指導。1935年，斯大林日益擔心日本或德國會進攻蘇聯，因此改變了之前的外交路線，鼓勵各國共產黨與所在國的當權派由對抗轉為合作，建立反法西斯的統一戰線。為了達成這一目標，首先就必須提高共產黨領導人的威望。共產國際為此宣佈，毛澤東是國際共產主義運動的「旗手」之一。得到莫斯科認可後的第二年，毛便利用來自美國密蘇里州、充滿理想主義的年輕記者斯諾(Edgar Snow)，為自己虛構了一個生平。1937年，斯諾的《紅星照耀中國》(*Red Star Over China*)出版，將毛介紹給了全世界的讀者。這本書是件完美的宣傳品，它將毛描繪成「精通古文、博覽群書、酷愛哲學與歷史、善於演說、記憶超群、專心致志、文筆優美、不拘小節、工作細緻、精力旺盛、深諳軍事與政治的天才」。與此同時，斯大林也以行動來支持毛。1938年，他讓《真理報》稱讚毛是「聰明的戰術家」和「傑出的理論家」。幾個月後，毛便利用蘇聯人對他的讚譽，趁機重寫了中共歷史，將自己塑造成用正確的路線團結全黨，並率領紅軍取得長征勝利的領袖人物。

抗戰期間，毛待在安全的大後方——延安。他利用這一時機進一步抬高了自己的威望，將自己宣傳為中國的救星、先知和導師。同時，他對政治對手們進行了無情的清洗，所有黨員都被迫沒完沒了地作自我檢討，並歌頌領袖的英明偉大。1943年，有人訪問延安後報告說：「到處都能見到馬克思、恩格斯、斯大林和中共領袖毛澤東的畫像。」兩年後，「毛澤東思想」被寫入黨章，成為中國共產黨的理論基礎。

1949年後，對毛的個人崇拜開始日益盛行。當紅旗飄揚在北京上空時，一幅匆匆趕就的毛澤東像掛上了天安門城樓。隨後，毛主席的畫像出現在學校、工廠和機關裏，而且畫像懸掛的方法還必須遵循嚴格的規定。像莫斯科一樣，北京每年都要舉行幾次精心編排的閱兵儀式，整齊劃一的士兵、大隊的騎兵和坦克、裝甲車等一一經過天安門廣場，接受高高在上的毛主席檢閱。《毛主席是我們心中的紅太陽》之類的革命歌曲也開始流行開來。

毛利用自己在中共黨內的絕對領袖地位，指導全黨向蘇聯學習，締造了一個嚴酷的政權。當時流行的口號是：「蘇聯的今天就是我們的明天」。作為一個斯大林主義者，毛熱衷於集體農業、對領袖的無限崇拜、消滅私有財產、對普通民眾的生活實行全面控制，以及巨額的國防開支。

雖然毛是斯大林忠實的學生，但他們二人的關係並非一帆風順，毛在許多方面都對他的這位導師心存芥蒂。1950年，斯大林在莫斯科就曾羞辱過毛，他故意把毛晾在一邊，讓他等了幾個星期才舉行正式會談。斯大林擔心中國強大起來後，會威脅到他的統治地位，因此想竭力遏止中國學習蘇聯的步伐，例如他縮減了對中國第一個五年計劃的資助，並告誡北京不要過快實行集體化經濟。

1953年斯大林死後，毛終於解放了，中國經濟集體化的步伐也加快了。1953年底，中央實行了糧食的統購統銷，迫使農民按國家規定的價格將糧食賣給政府。1955至1956年開始出現類似於蘇聯集體農莊的合作社。合作社將分給農民的土地拿過來，把村民們改造成完全聽命於國家的農奴。在城市裏，工商業全部實行國有化，所有私營經濟——無論小店舖還是大企業——全都收歸國有。然而，為了加快集體化進程而掀起的社會主義改造高潮，卻給經濟造成了巨大的災難，引發了廣泛的不滿。

1956年，毛的集體化突擊運動遭遇了一次重大的挫敗。這一年2月25日，在蘇共二十大最後一天的會議上，赫魯曉夫嚴厲批判了斯大林生前的種種惡行，如發動殘酷的大清洗、驅逐大批異見人士、未經審判即處死犯人等等，並同時批評了集體農莊制度。周恩來和其他中共領導人抓住這一時機，暫緩了集體化的進程。在9月份召開的中共八大上——這次會議主要是選舉自1945年以來的新一屆中央委員，無人再提及「社會主義改造高潮」的口號，所有涉及毛澤東思想的提法都從中共黨章中刪除，個人崇拜也受到一致譴責。毛的內心雖然心潮起伏，卻也別無選擇，只好默認。

面對去斯大林化的大勢，毛的反應似乎是站在人民一邊，捍衛自由表達的民主權利，提出黨應該允許「百花齊放、百家爭鳴」。隨後發生的匈牙利事件給了毛一個重掌局面的機會。1956年11月，蘇聯軍隊鎮壓了布達佩斯的抗議，毛譴責匈牙利共產黨未能傾聽人民的不滿，致使事態不斷惡化，最終失去了控制。他因此呼籲民眾說出心中的不滿，幫助黨的幹部改進工作，以糾正種種不公的社會現象。就像日後在文革中的情形一樣，毛首先利用學生和工人來貫徹他的指示。很快，批評的聲音就爆發出來了，但內容卻完全出乎毛的預料。毛本希望聽到一片讚揚之聲，那些積極份子本當體察他的用意，批評那些將毛邊緣化、將「毛澤東思想」從黨章裏刪除的人。可事實上，人們開始喊出要求民主和人權的口號，有人甚至要共產黨下台。民眾的不滿如此強烈，令毛頗感震驚，他讓鄧小平負責，發動了一場針對學生和知識份子的批判運動，將至少55萬人打成了反黨的「右派份子」。

毛的計劃雖然失策了，但這場運動至少讓他和老戰友們重新團結了起來，開始聯手壓制批評黨的聲音。毛趁機重操大權，並着手加快農村的集體化改造。1957年11月，他同世界各國的共產黨領袖們應邀前往莫斯科，參加「十月革命」四十週年的慶祝活動。毛表面上表示效忠赫魯曉夫，並尊稱他為社會主義陣營的領袖，但內心深處認定只有自己才有資格享有這一地位。早在斯大林生前，毛就認為自己的革命意志更為堅定，因為畢竟是他而不是斯大林領導人類四分之一的人口取得了解放，而且在朝鮮戰爭中跟帝國主義陣營打了個平手。在慶祝大會上，赫魯曉夫宣佈蘇聯將在肉、奶和黃油的人均產量上趕上美國，毛也大膽宣佈中國將在15年內趕上英國——英國那時還是世界上主要的工業國家之一。大躍進運動由此拉開序幕。

大躍進是毛第一次企圖蓋過蘇聯風頭的嘗試。農村中的男女老少都被趕進了人民公社，組成一支人數龐大的勞動大軍，沒日沒夜地從事生產，毛認為這樣就可以加速趕超中國的競爭對手。毛相信他已經找到了通往共產主義的金光大道，他將率領人類建造一個物質富饒的新世界。

毛還利用大躍進重新發起對自己的個人崇拜。當時由郭沫若、周揚聯名主編的大躍進「新民歌」選《紅旗歌謠》中，頭一首就是由基層的文人冒名「民歌」寫的頌詩：「毛澤東，/毛澤東，/插秧的雨，/三伏的風，/不落的紅太陽，/行船的順帆風。/要想永世不受窮，/永遠跟着毛澤東！」1958年初，毛召開了一系列會議，迫使政治對手們向他臣服。他反問道：「崇拜有甚麼不好？」「我們相信真理，對掌握了真理的人就應該崇拜。」「一個班必須崇拜班長，不崇拜不得了。」毛解釋說，這些都屬「正確的個人崇拜」。毛的追隨者立即聞風而動。上海市長柯慶施熱情洋溢地說：「我們相信主席要相信到迷信的程度，服從主席要服從到盲目的程度。」劉少奇則可憐兮兮地說：「主席比我們高明得多，不論從思想、觀點、作用、方法哪一方面，我們都比他差一大截。我們的任務是認真向他學習……當然，主席有些地方，我們是難以趕上的，像他那樣豐富的歷史知識，那樣豐富的理論知識，那樣豐富的革命經驗，記憶力那樣強，這一切不是誰都可以學到的。」其他黨的高級領導人也紛紛表態，一邊作自我批評，一邊歌頌毛的偉大。

毛要求別人對他必須絕對忠誠，只有效忠他的人才能得勢，因此人人都拍他馬屁。結果，所有決定都得服從主席的好惡，而很少考慮可能造成的不良影響。1959年夏，大躍進顯然已經造成了災難，但即便是國防部長彭德懷在廬山會議上提交的那封措辭溫和的批評信，也被毛視為向他背後捅刀子。彭被指控為「反黨集團」的頭子，罷免了職務，而林彪卻站了出來，堅決捍衛毛主席。他厲聲叫喊：「只有毛主席能當大英雄，你我離得遠得很。」劉少奇也對毛大肆奉承，將他同馬克思、列寧相提並論。劉說：「我們中國黨，中國黨中央的領導，毛澤東同志的領導，是不是最好的領導、最正確的領導？我看是可以這麼說的。如果還不滿意，還要更正確一點，既不『左』，又不『右』，那麼，請馬克思、列寧來是不是會更好一些？我看也許可能更好一些，也不見得，也許更壞一些。」

全國上下，任何對大躍進持保留態度的人都會受到追究，大約有360萬黨員被打成「右傾機會主義份子」或「小彭德懷」遭到清洗。取而代之的都是些心狠手辣的人，他們根據北京的風向隨時調整自己的立場，以期從中獲益，並利用一切手段從農村中攫取糧食。結果，大躍進並未能促進中國的經濟趕超蘇聯，卻造成了巨大的災難，數千萬人任由驅使、遭到毆打，乃至餓死。

1962年1月是毛的光芒最為暗淡的時期，大約七千名來自全國各地的領導幹部們一起開會，討論大躍進失敗的問題。小道消息稱，許多人批評毛輕信謊言、不懂數學，主席的位置岌岌可危。有些高級領導人甚至認為，毛應該為眾多老百姓的死亡負責。毛的權威受到了全面質疑。他害怕自己死後也落得斯大林似的下場，有人會像赫魯曉夫一樣批判他。那麼，誰將成為中國的赫魯曉夫呢？

從1962年8月開始，毛發起了反擊，這就是文化大革命的緣起。他發動了「社會主義教育運動」，旨在教育農民，要他們認識到社會主義的優越性，並消滅在大躍進高潮中出現的資本主義行為。同時，這一運動也是為了教育作為革命接班人的年輕一代。林彪開始大力鼓吹學習毛澤東思想——他因為在廬山會議上積極批彭德懷得到嘉獎，被任命為新的國防部長。1964年，軍隊發放了數百萬冊《毛主席語錄》，也就是所謂的「紅寶書」。毛對這樣的奉承很受用，他命令全國都效法林彪和人民解放軍的這一做法。為了配合社會主義教育運動，軍隊還參與製造了更為軍事化的氛圍。全國各地的學校都強調要培養兒童的階級仇恨，並開始學習毛澤東的著作。在文化大革命開始前的數年裏，年輕人就一直接受這樣的教育，認為身邊確實存在着階級敵人。

1966年夏，毛發動了文化大革命，這是他第二次試圖成為國際社會主義運動的核心領袖。這一次，他的目標是要創造一個嶄新的文化，而不再是經濟改革——因為上一次嘗試就是大躍進，結果造成了災難性的後果。毛一定很好奇，赫魯曉夫為甚麼能夠僅憑一己之力，就輕而易舉地扭轉了蘇聯的內政外交——他不僅在1956年抨擊斯大林，兩年後又提出要與帝國主義陣營「和平共處」。答案是：蘇聯在文化領域並未發生根本的改變。資產階級雖然被消滅了，他們的財產也被沒收了，但資產階級的文化依然勢力強大，因此只要少數人手握大權，就可以侵蝕並推翻整個制度。

列寧發動了偉大的十月社會主義革命，為全世界的無產階級樹立了一個榜樣。但現在，像赫魯曉夫之流的修正主義份子篡黨奪權後，卻將蘇聯重又帶回到資本主義復辟的老路上。無產階級文化大革命將成為國際共產主義運動史上的第二個里程碑，其目的就是要捍衛無產階級專政，打倒修正主義。共產主義的希望就在中國，毛主席將指導全世界受壓迫的人民爭取自由。他繼承並捍衛了馬列主義，並將之發展到了新的階段，創立了馬克思—列寧—毛澤東思想，與他相比，斯大林根本不值一提——這就是毛的宏大構想。

與此同時，毛發動文革也是為了消滅他想像中的，以及真實存在的敵人。十年前的百花齊放運動中，他允許知識份子發表意見，結果卻事與願違。1966年夏，他發動學生打倒老師，嚴查他們的歷史，將所有仍具有「資產階級思想」的人都趕盡殺絕。那年8月，在他的允許下，狂熱的紅衛兵開始攻擊黨內的高級領導，以確保沒有人能夠聯合起來反對毛主席。毛還鼓動學生攻擊一切所謂「封、資、修」的文化，紅衛兵因此向舊世界宣戰，四處施暴、焚燒書籍、砸毀墓地、破壞寺廟和教堂，對一切象徵過去的東西大加批判，甚至連街名和招牌也不放過。他們還到各處抄家，僅上海一地就有約25萬戶被抄，家中保存下來的舊東西——無論是普通書籍，還是貴重的古玩字畫——全被洗劫一空。

二　新的無產階級文化：崇拜毛主席

在批判舊文化的同時，毛宣稱要創造新的無產階級文化。其實，大家都心知肚明，所謂的「新文化」就是對毛主席的崇拜。最簡單的崇拜方式就是喊標語口號。有親歷者說：「過去也有許多標語口號，但現在的數量超過以往任何時候。每一面乾淨的牆面都必須認真地刷上毛主席語錄或者尊敬他的話。」當時最流行的口號是「偉大導師、偉大領袖、偉大統帥、偉大舵手」、「毛主席萬歲」等等。商店、工廠和學校全都掛起了這類標語，有些從樓頂上一直披掛下來。公交車、卡車、轎車、麵包車等各類汽車的車身上也都刷上了毛語錄。

在這個紅通通的新世界裏，人的所有感官都受到輪番轟炸。馬路邊搭起了臨時講台，紅衛兵站在上面尖聲高叫，向路人發表激情昂揚的演說，不時引用一段《毛主席語錄》，呼籲人們積極投身革命。在天上，國內航班的空中乘務員也向旅客們發放與《毛主席語錄》相關的讀物。最讓人膽戰心驚的則是高音喇叭。這個東西很早就被運用到宣傳運動中，但如今它們一天開到晚，而且音量開到最大，反覆播誦《毛主席語錄》。紅衛兵們還在警察執勤的交通崗亭裏唸語錄，聲音則通過擴音器傳到大街上。城市裏到處都是遊行的革命青年，他們高唱着革命歌曲，歌頌毛主席和他的思想。廣播裏也放着同樣的歌曲，並用高音喇叭傳送到農村、學校、工廠和機關。當時最流行的一首歌叫

《大海航行靠舵手》，另一首則叫《毛澤東思想放光芒》。

在對領袖的崇拜中，人人都唯恐落後。愈來愈多的事物被劃入「封、資、修」的範疇，老百姓只能買一些不會出「政治問題」的商品，其中最氾濫的當然是毛的相片、像章、宣傳畫和書籍。為了生產這些個人崇拜的物品，工廠不得不開足馬力。上海新建了七家工廠，佔地16,400平方米，大約有三個足球場大，專門用來生產這些商品。在江蘇，許多工廠經過重新改造，專門印刷「紅寶書」。生產紅墨水的工廠也加班加點工作，但仍然供不應求。

「紅寶書」的封面是鮮豔的大紅色。至1968年，單是用來生產這種封面的塑料就用掉了四千多噸。早在1966年8月，商業部就開始禁止生產塑料鞋、塑料拖鞋和塑料玩具——全國的工廠都要為宣傳毛澤東思想做貢獻。

計劃經濟苦苦掙扎，但仍不能滿足民眾的需求。例如，光是毛主席像章，1968年每個月就生產了五千多萬個，但仍不夠用，由此促生了地下黑市，與官方競爭。有些政府機構為自己的員工訂製了像章，但在利益的驅使下，也半公開地對外出售。此外還出現了地下工廠，專門為黑市生產像章。它們與國營工廠搶奪稀有資源，不僅偷竊鋁桶、水壺、鍋和盆，甚至把工廠裏塗在貴重機器外面的鋁製保護層刮下來用作生產像章。

像章的款式數以千計，材質包括有機玻璃、塑料、竹子等，有些是手工着色的瓷像章，大多數則是鋁製的，上面用金色或銀色畫着毛主席的側面像，而且無一例外都是左半邊臉。像「紅寶書」一樣，佩戴像章成為表達對毛主席忠誠的一個標誌，而且要戴在正對心口的地方。在文革初期的幾年裏，毛主席像章成了最熱門的私人物品，被用於交換或買賣，各種資本主義的投機手段都出現了。因為生產像章佔用了太多的鋁原料，以致影響了其他工業產品的生產，1969年毛終於發話說：「還我飛機。」這樣一來，生產像章的熱潮才開始降溫，1971年林彪死後則基本停止了。

在文革的第一個階段，普通老百姓、幹部和軍官們出於對文革的不同理解，產生了意見的分歧，形成不同的派系，大家都堅稱自己代表了毛主席的真實意圖，各個派系之間甚至出現了惡性的武鬥，整個國家陷入了一場內戰。很快，人們就開始用機槍、高射炮等武器在大街上打起來。但不管怎樣，毛主席始終是勝利者：他審時度勢，隨時更改計劃，令數百萬人淪為犧牲品；他不時介入鬥爭，拯救忠誠於他的追隨者，或者把昔日的同僚投入狼群；他可以宣佈任何一個派系是「反革命」，也可以隨時收回成命；他的一句話就能決定無數人的命運，也能導致無休止的暴力，而人們卻始終爭相證明對他的忠心。

1967年夏，暴力的發展已經失去了控制，毛不得不出面干預。他前往各地巡視，呼籲實現「大聯合」。10月1日，北京召開了一次盛大的集會，以展示「大團結」的局面。五十萬士兵列隊走過天安門廣場，隊伍的最前面則是一尊高大的毛主席白色塑像，揮手指向前方。士兵身後是由數十萬群眾組成的方陣，許多人雖然並不樂意，但也不得不跟對立派系的成員並肩而行。

全國各地都湧現出毛澤東思想學習班。人民解放軍早在幾年前就開始提倡學習毛澤東思想了，如今軍隊試圖用對領袖的個人崇拜來恢復社會的秩序和紀律。林彪説：個人崇拜將有利於團結「全黨、全軍和全國人民」。1968年3月，中央發動了一場「三忠於、四無限」的運動，要求所有人絕對忠誠於毛主席以及他的思想和「無產階級革命路線」，將對毛的崇拜推向新的高潮。學校、機關和工廠都得供奉毛主席像，通常還會用紅紙剪出「我們心中的紅太陽」幾個大字，成弧形貼在毛像的上方，有些毛像的頭部還發出一道道光芒。大家每天得向毛主席像「早請示、晚匯報」。

有人甚至發明了「忠字舞」。這種舞蹈動作簡單，主要是將雙臂從胸口伸向毛主席像，伴舞的音樂則是《敬祝毛主席萬壽無疆》之類歌頌毛的歌曲。電視上整晚都會播放這些儀式性的歌舞節目，通常在舞台中央擺放一尊巨大的毛主席半身像，身後則用燈光打出一道道閃動的光線，好像是從神像的頭部發出來似的。

毛的塑像如雨後春筍般湧現，僅上海一地就多達六十多萬個。大多數是用灰白色的石膏做的，還有鋼筋混凝土的、鋁的和馬口鐵的。有些塑像高達十五米，莊嚴地矗立在人們的頭頂上，有些則只有三米高。為了建造這些塑像，各地展開了非正式的競賽，耗費了許多稀有的資源。1968年，僅上海一地，光是馬口鐵就消耗了九百噸，鋼鐵廠則花了十萬元生產不鏽鋼，用來支撐這些塑像。

1968年夏，文革的第一個階段結束了，一個新的機構「革命委員會」取代了黨和政府的權力。這些委員會的成員大都是軍官，實權都掌握在軍隊手裏。在這之後的三年裏，全國都被軍隊控制了，士兵們監管着學校、工廠和機關。軍隊還發動了一系列清洗，在1966至1967年的文革高潮期間敢於直言的人都受到了懲罰。最初，當局將數百萬不受歡迎的人（包括學生和其他聽從毛主席話的人）送往農村接受農民的「再教育」。隨後，全國開始抓「間諜」、「特務」和「叛徒」，成立了各種特別委員會，調查普通民眾和黨員與所謂「敵人」的聯繫。接下來的一場反腐運動令全體民眾進一步臣服於毛的統治之下，一言一行稍有不慎——如不小心在毛主席的畫像上摳了一個洞，或者質疑計劃經濟等，都可能遭致刑罰。許多人靠揭發同事、朋友、鄰居和親人，來證明自己對毛主席的絕對忠誠。一場又一場的清洗冷酷無情，令人防不勝防，社會徹底分裂，人與人互不信任，對強權只有服從，只能效忠於毛主席一個人。對此不順從的人都要被迫接受改造：普通人不得不參加毛澤東思想學習班，幹部則被關進「五七幹校」。

1969年4月，中共九大通過新的黨章，將「馬克思主義—列寧主義—毛澤東思想」確立為全國的指導意識形態。毛主席終於推翻了1956年9月黨的八大所做的決議。

然而，此時毛對軍隊已經心生警覺，特別是對林彪——正是他在軍隊中首倡學習毛澤東思想的。毛利用林彪發動和維持了文革，但林卻藉機擴張個人勢力，將自己的親信安插在軍隊的各個重要崗位。1971年9月，林彪死於一次神秘的墜機事件。軍隊對社會的控制隨之終止，軍隊本身也遭到了清洗，成為文化大革命的犧牲品。

在其統治的最後幾年裏，毛繼續操控着各個派系之間的鬥爭，但對他的個人崇拜已經開始降溫，因為這一崇拜是與林彪和軍隊密切聯繫在一起的。與此同時，中國與蘇聯的關係日益惡化，卻漸漸與美國走得近了。1972年，全國各大城市裝扮一新，準備迎接尼克遜訪華。北京的反美宣傳畫都取了下來，反美的聲勢也低調了許多。上海的市容整頓一新，當局組織一群婦女，將和平飯店對面牆上高達三米的標語「不可戰勝的毛澤東思想萬歲」刷掉，代之以「世界人民大團結」。原先陳列在商店櫥窗裏的毛像以及其他數千尊毛主席塑像全被移走，悄悄送往石膏廠銷毀。

毛主席本人也精心打扮了一番。他同尼克遜的會面是一次重大的宣傳盛典，這條消息震驚了世界，標誌着冷戰的天秤傾向了美國一邊。毛在北京洋洋自得地說：美國人正處在從猴子變人的進化過程中，但「猴子變人還沒有變過來，還留着尾巴」。他把尼克遜——這個地球上最強大國家的領導人——貶低為前來天朝進貢的使節。隨後不久，歐洲、拉丁美洲、非洲和亞洲的各國領導人也紛紛前往北京，爭取中國的認可。

同墨索里尼和希特勒的下場不同，幾年後毛是在自己的牀上去世的。與斯大林也不同，他死後並未受到批判。斯大林的屍體由赫魯曉夫下令從紅場的陵墓中遷走了，但直到今天，毛的屍體依然躺在天安門廣場的紀念堂裏。他的畫像仍高懸在天安門城樓上，並印在每一張人民幣上。今天，很少有人再去讀希特勒的自傳《我的奮鬥》，更不要說《聯共(布)黨史簡明教程》了，但仍有人信奉毛澤東思想，甚至連一些研究中國的學者也不例外。很多地方都能見到印有毛像的汗衫。在革命偉人的行列裏，毛受歡迎的程度輕易就超過了他的唯一競爭對手——切·格瓦拉(Che Guevara)；在利用個人崇拜將自己捧為世界社會主義運動的核心人物、與馬克思和列寧齊名這方面，毛超越了從斯大林到金日成的所有對手。然而，中國付出的代價也是巨大的，個人崇拜把黨員都變成了馬屁精，任由領袖驅使，造成數千萬普通民眾的無辜死亡。通過執行毛的指示，黨的其他領導人也成了他所犯罪行的同謀者，並因此不得不一代一代繼續維護毛的正面形象。

個人及制度的反思

文革時我在重慶大學

周孜仁

1966年，我22歲，即將從著名的重慶大學畢業。夏季來臨，校園小路夾竹桃鮮花盛開。我以優秀的專業成績修滿五年，終於在「潛水電機」(我的畢業設計課題)總設計圖上簽下了我的名字：距離工程師的夢想，於我只有一步之遙。但是我不敢高興，因為，要最後在「工程師」頭銜前取得那年代必要的定語：「紅色」，我還有艱難的路要走。共產黨的教育方針——從初等教育到高等教育——有明確規定：「教育為無產階級政治服務」。除了學習專業知識，學校當局首先要求學生成為政治工具，成為「又紅又專」的「無產階級革命事業的接班人」，所有受教育者概莫能外。學習內容當然是馬克思列寧主義，更具體説，就是毛澤東思想，因為毛澤東的理論表述得最中國化，最直白：「共產黨的哲學就是鬥爭哲學」，人類幾千年的文明史，就是「階級鬥爭史」，就是「槍桿子裏出政權」，就是「階級鬥爭，一抓就靈」、階級鬥爭必須「年年講，月月講，天天講」，直到1976年他病入膏肓，很快龍馭賓天之時，還躺在牀上喃喃吶吶、口齒不清地發佈「最高指示」道：「八億人口，不鬥行嗎？」

一　主題就一個：階級鬥爭和仇恨

年輕人最愛讀小說、看電影、聽歌曲，而我們的年輕時代，能接觸到的所有文藝作品，主題就一個：階級鬥爭和仇恨，於是頭腦裏就只銘刻了一個概念：人與人的關係，不是「革命同志」，就只能是「階級敵人」，就只能你死我活，就必須「像嚴冬一樣嚴酷無情」。那時提供給青少年學習的榜樣，從雷鋒到王杰、從劉英俊到歐陽海，他們成天提心吊膽關注的，總是軍營門口磨剪子的小手藝人、公社大田裏偷吃蠶豆的饑饉餓夫，走街串巷叫賣糖葫蘆的小販⋯⋯是不是都在暗中顛覆共產黨江山？

為了批量製造與這些敵人鬥爭的革命者，我們被要求像中世紀的信徒那樣克己、苦修、禁欲、忠誠、蔑視私人情感、拋卻個人自由，絕對服從各級教權組織和懺悔牧師，不需要也不允許獨立的理性思考。你只用到革命領袖的教誨裏去尋找生存的理由，依靠「神諭」行事就行了。我們都渴望用神聖的獻身來證明自己。

大學畢業的前一年夏天，我和同學們曾被派去大巴山區參加為期半年的所謂「社會主義教育運動」(即所謂「四清」)，發動山民揭發批鬥鄉下的「走資本主義的走資派」。大巴山區窮得叮噹響，我所在的達縣申家公社十三大隊，日工分值僅一毛三分錢(即一個全勞動力幹一天農活所得)，吃飽肚子尚大成問題，哪兒去找走資本主義的當權派？作為對農村社會一竅不通的大學生，我只能絞盡腦汁觸發自己內心的仇恨並煽動他人的仇恨，鑽頭覓縫尋找好吃懶做的所謂「貧農」充作積極份子，煽動他們去揭發批鬥日子相對好過的「生產隊長」，批鬥早被剝奪得一無所有的「地主」、「富農」，鬧出許多荒唐卻讓人落淚的故事。

除了在國內需要防止「資本主義復辟」，對域外情況一無所知的我們還被告知，世界三分之二階級兄弟都在受苦受難，生活在「水深火熱」中，而中國原來的社會主義「老大哥」蘇聯、還有整個東歐陣營，全都「變」了！「右」了！「修」了！成為了美帝國主義和國際反動派的「幫兇」。整個世界都已墮落，等待中國的「革命十字軍」前去拯救。

就這樣，我們那一代年輕人，於是滿心渴望成為拯救世界的天使，等待在未來血與火的人生歷練之中，成為小說、電影裏的柯察金(Pavel Korchagin，前蘇聯小說《鋼鐵是怎樣煉成的》的主人公)、江姐(革命小說《紅岩》的主人公)和林道靜(小說《青春之歌》的主人公)那樣的英雄，為虛妄而壯麗的事業獻身。

這樣，我的大學畢業之年，機會終於等來了。正好我整日撲在繪圖板上設計我的潛水電機，《人民日報》、《解放軍報》開始連篇累牘刊發的社論、文章，批海瑞、批鄧拓、批吳晗、批廖沫沙、批翦伯贊、批《燕山夜話》、批《三家村札記》⋯⋯滿紙瀰漫火藥味。年輕人眼裏，這都是共產黨和學界的大老啊！接下來的事情愈發聳人聽聞，重量級更高的大人物彭真、羅瑞卿、陸定一、楊尚昆⋯⋯也紛紛成了「黑幫」；毛澤東宣佈：十七年的教育界是「資產階級專政」、中宣部是「閻王殿」、文化部是「死人洋人部」、外交部是「三和一少部」、中聯部是「三降一滅部」⋯⋯還有甚麼「二月兵變」之類。毛澤東的江山果然岌岌乎殆矣，必得要我們奮起保衞了。大幕訇然拉開，等待未來的明星演出，那時刻年輕人的興奮、激動、躍躍欲試，可想而知——雖然發生在北京的故事離開我們重慶還顯得有些遙遠。

二　向重大校長鄭思群開刀

很快，讓單純的重慶天使們大感驚異的事情在自己身邊發生了：1966年6月，中央電台廣播了北京大學所謂「第一張馬列主義大字報」：這是毛澤東為了大亂天下親令點燃的第一把火。重慶市委聞聲而動，即刻向重慶大學派來多達數百人的工作組，直接對黨委書記兼校長鄭思群開刀。那年月，即便最普通的共產黨員，在大學生眼裏都是純潔高尚的聖徒，各級機構的黨委、黨支部、黨小組，都是革命樞機派來訓牧愚氓的神聖代表。重慶市委的工作組理所當然受到了大學生們不需要理由的尊崇，可惜很快，大學生卻發現工作組的所作所為，咋和每天背誦的訓條不一樣啊？《毛澤東語錄》大家早背得比數學公式、物理定理更加滾瓜爛熟，比如：「沒有調查就沒有發言權」、「下車伊始，就哇喇哇喇地發議論、提意見，這也批評，那也指責，其實這種人十個有十個要失敗的」。可是，市委工作組偏偏一進校就開宗明義宣佈，他們是揪「鄭思群黑幫」，摸「鄭老虎的屁股」來了。更讓人驚訝的，他們整理的鄭思群「十大罪狀」之一：「裏通外國」，具體例證竟然是中蘇交惡、蘇聯專家撤離重慶大學時，鄭思群給專家每人送了一冊校園風景照！虔誠的年輕大學生是容不得教義被人玷污的。漏洞百出的「十大罪狀」讓我們這幫學生第一次發現，工作組為了政治功利，也會背離事實胡編亂造，倘若年輕人不接受他們的謊言，就會被打為「階級敵人」、「右派」。

只是，文革既然是毛澤東親自發動，親自操弄，最高神諭一律都通過《人民日報》和中央電台直接向全社會每一個人發佈，各級黨委派出的工作組都不再能壟斷解釋權和中介權。這有點像路德（Martin Luther）首倡的新教教義，信徒只要憑藉心靈的真誠，便可與上帝直接通話，「因信稱義」。大學生們確信真理在握，於是無所畏懼；相反，故步自封的市委工作組堅信1957年置無數知識份子於死地的反右殺伐是對付大學生的不二法器。這樣，工作組將我和我的朋友們內定了「右派」，夢想運動結束「秋後算賬」；而我們，準備好了為捍衛教義的純正而獻身。這現象也正像馬克思評說新教革命：「破除了對權威的信仰，恢復了信仰的權威。」毛澤東的文革正是要摧毀所有基層官員的權威，取而代之的是對毛澤東及其「思想」的唯一的、最高的權威。

我們堅持對抗還有一個原因：校長鄭思群也是老共產黨，資格和行政級別比市委書記還高呢。再說，他具體地生活在大學生身邊，身材修長，眼窩深陷，很像1960年代年輕人革命教科書、小說《牛虻》主人公亞瑟（Arthur Burton）的懺悔神父蒙泰尼里（Padre Montanelli）那麼端莊慈祥，要贏取得年輕人幼稚的尊崇之心綽有餘裕。這就出現了第二個問題：和藹可親的老共產黨校長和處處背棄領袖教義的、蠻不講理的市委工作組，到底誰是真的革命聖徒？大學生斷然選擇了前者。工作組惡狠狠地以「右派」帽子相威脅，得到的只有大學生更強烈的反彈和用《毛澤東語錄》做武器的嘲弄與奚落。工作組無計可施，乾脆直接動手，將鄭思群押解到嘉陵江邊一處叫松林坡的秘密地點進行地下批鬥。

據鄭思群夫人、重慶市委黨校副校長吳耕書女士事後對我說，鄭被關押前夜，夫婦二人曾有一次達旦長談，她感覺丈夫對於共產黨內部的政治惡鬥已萬念俱灰，決定一死了之。8月3日，鄭思群果然在監視室避開管理人員，用藏匿在《毛澤東選集》中的半片刮鬍刀，出手迅疾地割斷頸動脈：頃刻間血噴如注，將牆壁染得一片鮮紅。眼見工作組逼出了人命，重慶市委的頭頭腦腦迫不及待宣佈鄭思群「自絕於黨，自絕於人民」，命令立即火化屍體，清洗死亡現場。

鄭思群之死讓重大學生對於共產黨市委曾經的迷信徹底破滅，仇恨的旋風迅速捲起。他們根本不相信鄭思群這個偉大的聖徒、共產黨高級幹部會自殺，而是遭遇了謀殺。因為事件發生的時間太短暫，僅僅幾分鐘，而且死亡現場被清洗得如此迅速乾淨。一個很有刺激性的故事於是開始了。為了追尋陰謀的真相，他們自發地在死亡現場輪流值守。來自不同系班的同學們，在松林坡山風夜露之中，日夜不息地交換觀點，燃燒仇恨。對曾經神聖的基層黨機構的信仰開始崩塌。我們確認工作組和市委已經背棄了毛澤東的教義，墮落為「修正主義」異教徒，事情至此，我們心中只剩下了對於教義和最高領袖的絕對信仰。基層黨委用來訓導我們的武器，現在反過來對準了他們自己。

恰恰這個時候，毛澤東宣佈全國大專院校的工作組，都是他要打倒的政敵劉少奇背着他私下搞的邪行，必須全部撤銷。我們理所當然感覺毛澤東再一次解救了自己。我們決定走向街頭，向全市人民說明真相，徹底追查謀殺鄭思群的幕後真兇。重慶大學幾千同學抬着〈致全市大專院校革命師生的公開信〉的大字報走去其他學校串聯——先是重慶建築工程學院，接下來是重慶師範專科學校，時間是1966年8月15日，地點是重慶師專廣場。幾萬人——有鬧事的學生，也有當局組織前來圍攻的工人，還有圍觀的群眾——山城重慶40度的炎炎烈日下，鬧騰了整整一天——這場轟轟烈烈的群體喧囂，就是著名的重慶「八一五事件」。

需要説明的是，這封公開信後來被稱為「重慶第一張馬列主義大字報」，正是出自我的手筆。記得寫信那一夜，我自覺滿腔熱血沸騰，正在書寫歷史。我當然不知道，正是這個文稿成了我漫長人生噩夢的起點。

還需要説明的是，後來的事實説明，包括重慶市委在內的各級當權者，對於毛澤東這場突如其來的運動到底要幹甚麼，事實上一無所知。他們以為這次所謂「大革命」，無非是共產黨執政後多次整人運動的再版而已，既然加了「文化」二字，無非是要在文化教育界抓些個倒楣蛋來開刀罷了。鄭思群性情孤傲，潛心教育，於官場離群索居，因此不幸被選中了：不管從級別、社會影響力、還是便於向上司交差，用鄭思群祭旗都該是既簡單又利索的，沒想到這一次偏偏撞了南牆。「八一五事件」後第三天，8月18日，毛澤東便身着綠軍裝，臂箍印有「紅衛兵」三字的紅袖套，登上天安門檢閱「文化革命百萬大軍」，公開號召全國學生造反。曾被稱為「紅衛兵節」的場面之狂熱、野性、恐怖，讓人想起潘多拉魔瓶中呼啦啦奔竄而出的魔鬼。接下來，這些「天兵天將」便開始滿世界破「四舊」(舊思想、舊文化、舊風俗、舊習慣)，衝商家，砸廟宇，抄家，提着銅頭皮帶暴打老師，把教授學者一批批押解批鬥……消息傳來，重慶大學的學生們興奮雀躍，很快也成立了戰鬥團，正式開始與市委進行集團作戰。為了紀念造反舉事的日子，他們把自己的組織取名「八一五」戰鬥團。

掌握着生殺大權的市委當然不能容忍自己的地位受到挑戰。他們針鋒相對，也立即組織一批年輕人成立一個叫「毛澤東思想紅衛兵」的保皇派隊伍，動員他們控制的所有病態力量對造反派進行反擊。他們編造了一個子虛烏有的「八二八慘案」，説是8月28日這一天，重大「八一五」學生圍攻江北區一所名不見經傳的中學，喪心病狂地將一名女教師頭髮扯光，裸體遊街，用兩扇門板將一駝背老師夾在其中整形取樂，還將一名叫季開陽的醫生打得「脾破裂」…… 官方用天方夜譚式的謊言煽動起重慶市全民的仇恨與聲討，讓初入政治幼兒園的大學生頓時深陷重圍，不知所措。我們孤立無援，數千人只好黃夜出發，高唱着「抬頭望見北斗星，心中想念毛澤東」，徒步上北京，找最高神靈直接求助。

如果用賭博的術語說，這一次，造反派的寶確實押對了。這一回，毛澤東確實想要摧毀自己建立起來的官僚體制，試圖用一個「天下大亂」來達到另一個由他及其思想絕對主宰的「天下大治」。有北京的支持，「八一五」迅速擴大成了涵蓋全市的包括工人、農民、幹部和群眾的龐大群體，重慶市委罪錯已成，節節敗退。毛澤東對大學生不斷給予神諭，他們於是力大無窮。到1966年底，僅僅幾個月工夫，保皇派便徹底垮台，重慶市委的大老們像是被最高當局遺棄了的一袋袋土豆，只能被群眾組織提來扔去，乖乖接受戲弄和批鬥。造反派得意洋洋地進駐了原來可望不可即的政權機關。那一刻，喜歡精神自慰的大學生，於是非常莊嚴地想起蘇俄「十月革命」，水兵和工人呼嘯着佔領冬宮。

8月造反之初，重慶曾出現過一首兒歌，叫「保皇有功，麻餅兩封，保皇有賞，麻餅二兩」，那年月全民生活困難，吃麻餅屬於高檔享受。窮學生鬧革命，日夜折騰，經常餓肚子，而保皇派「毛澤東思想紅衛兵」值夜班卻有麻餅作夜宵。這首兒歌至少說明了權力是多好的東西！造反次年伊始，毛澤東正式號召「全國全面奪權」，於是一夜之間，麻餅就該輪到造反派來吃了。

古往今來，無數歷史事實都毋庸置疑地證明了，人世間最強猛的腐蝕劑，就是權力。印把子一旦落到造反百姓手裏，曾經神聖的、夢想拯救世界的勇士很快就遭遇了誘惑。事實上，已經變得隊伍龐大的造反派，早已魚龍混雜，除了純潔的天使，還有為數不少、憤懣於社會不公的底層窮漢、被歷次運動整肅的政治賤民，甚至飽受羞辱、企圖拼死一搏的野心家、冒險家…… 他們從來沒有抱負救贖世界的使命，只是因為仇恨當局的胡作非為而走進了同一條戰壕。現在好了，奪權開始，為了分享更多權力的「麻餅」，懷抱不同目的的造反派們，開始在私底下霍霍磨刀。

這樣，原來在「同一條戰壕」「浴血奮戰」的戰友，很快分成勢不兩立的兩大派，在重慶是「八一五」和「反到底」；在四川是「八二六」和「紅衛兵成都部隊」；雲南是「八二三」和「炮兵團」；安徽是「好派」和「屁派」；湖南是「湘江風雷」和「高司」；廣東是「鳳派」和「旗派」……大家都懂得只有佔領政治制高點才能壓倒對方，因此現在他們唯一需要做的，就是在尊奉毛澤東和毛澤東思想的姿態上，必須表現得比對方更忠誠，更瘋狂，更不要命。這很像歷史上發生過教派之戰，雙方都以維護教義純正為利劍，去刺穿對方的咽喉。我擔任《八一五戰報》主編，我要做的，就是用從《人民日報》、《紅旗》雜誌社論，以及原來政治輔導員那兒學來的詞彙，惡狠狠地將對方詛咒為「右派翻天」、「階級報復」、「牛鬼蛇神」、「混賬王八蛋」；發誓「敢同惡魔爭高下，不向霸王讓寸分」；歇斯底里地呼喚：「讓暴風雨來得更猛烈些吧！」

三　武鬥開始了

很快，文字的詛咒已根本無以發泄彼此的仇恨了，必須改用武器來發言，改用血與火來證明自己對教義的忠誠，於是武鬥開始了。先是冷兵器：石塊、彈弓、梭鏢、金屬棒……我曾親身參加過一次解救「戰友」的戰鬥，事情發生在重慶北碚西南師範學院。該院「反到底派」將「八一五派」組織「春雷」趕去圖書館樓頂，然後炸斷樓梯，燃燒棉被，撒上辣椒麵和「六六粉」，企圖用劇毒的火煙熏死困在樓頂的同學。市區的「八一五」於是上千人、分乘幾十部卡車夤夜趕去解圍。我也手持金屬棒參加攻打大樓。戰地矢石如雨，我腿部被砸，最終帶傷衝上了對立派佔領的樓頭。我至今記得那一刻，仇恨已完全控制了我的大腦，對於有生命的投降者和沒有生命的物品：臉盆、水壺……統統揮棒打去、砸爛，方才解恨。事後我在日記上寫了一句：「那一刻，我才明白甚麼叫做：『殺紅了眼』。」

冷兵器很快過時，熱兵器開始登場——重慶是著名的軍工生產基地。除了飛機之外，坦克、軍艦、榴彈炮、機關槍……全部從兵工廠的倉庫裏搬出來廝殺——完全是你死我活了。道路已經斷絕，重慶被兩派切割成了若干割據區。印刷成了問題，我們的報紙最高發行到幾萬份，現在只能在學校的小作坊印刷一兩千份以維持它的存在。而血肉模糊的死屍，則天天在呼嘯的喇叭聲中一車車拉進校園。一位負責屍體處理的同學，他的綽號成了經歷過重慶文革的人幾乎都能記起的名詞——「屍長」，這個喜歡助人為樂的「活雷鋒」在回憶錄裏這樣絕望地寫道：每天看到戰場上拖下來那麼多「血腥的屍體」，「我甚至想過，萬一打不過，有朝一日……就用一顆手榴彈與他〔指對立派的『敵人』〕抱在一起同歸於盡，為死者報仇。像當今伊拉克那些『人彈』對待美軍一樣。」

從天使到魔鬼，就只有一步之遙。

四　戰爭中的同學

下面需要說說戰爭中我的同學了。

李盛品，機械系一年級學生，從川北山區考來的農村孩子，喜歡梳偏分頭，一看便是那種土氣又乖巧的好孩子。1967年8月，我在《八一五戰報》第三十五期用了一個整版刊登他的故事，還有他的書信和日記摘抄。我稱他的日記為「青年英雄的壯麗史詩」。他的信是寫給女朋友的情書。那年月青年人恥於談戀愛，因為那將被指責為「資產階級情調」，因此該書信發表時我特意把「女」字刪去。情書寫於武鬥初起，還來不及付郵信的作者便死了。情信對女友說：「階級敵人隨時到在夢想變天，我們怎能睡大覺？……現在的問題是將文化革命進行到底還是夭折的問題。毛主席早已下了決心，要把文化大革命搞深搞透。現在是決戰時刻，是關鍵，我們一定要努力奮鬥，不怕犧牲。」他告訴女友，「為了制止武鬥，宣傳群眾，掌握鬥爭大方向」，他將到一個「比較危險的」地區去。他沒有告訴她，他將在身上掛滿手榴彈去前線送命。這是重慶大學自製的土手榴彈，質量大成問題：引爆時間有長有短，為了確保手榴彈扔出後準確引爆，他把手榴彈拉掉引信，準備握在手上延遲一段時間再扔，不幸的是，他拉響的這一枚炸彈引爆時間恰恰很短。他粉身碎骨了。在沒來得及寄出的信中，他這樣寫道：「我若有甚麼不幸，希不要把消息告訴家裏人，如果我媽知道了我遇不幸，她肯定也不會再活下去了。你若有空，希到我家去玩，以免除家裏人的懷疑。他們若問到我，你可編些話來回答，注意不要前言不搭後語，要先想好。你得消息後，要說不難過那是假的，我只希你不要傷心過度就行了，不要影響身體健康，要想開些，我對得起黨和毛主席對我的培養，沒有辜負他老人家。」讀者們都感動不已，一致要求學校派車到連天炮火中把他母親和女友從大巴山區接來參加追悼會。一老一少兩個不幸女人來到學校，當天我就趕去看望了：老母親一直撲在學生宿舍桌子上痛哭不止，我只能看見一頭散亂的蒼蒼白髮，那麼耀眼，懾人心魄！

一位後來和我同樣遠走邊疆的同學侯念平，他把他的文革筆記全部贈送給我，他囑咐我這個報社主編，今後一定要把這段歷史記錄下來。他也是從槍林彈雨中僥倖活下來的。他說他們在參加攻打最大的常規武器廠時，一次便死去了八個同學，其中一位是已經快要畢業的機械系四年級大哥哥段亞偉。侯告訴我，說段在戰鬥中被對方抓住，因不願舉手投降而被拖在汽車後面，活活拖死了(後來查證，段被生擒後，宣佈「八一五」戰士沒有投降的習慣，旋即被槍斃)。侯無比動情地對我說，他才是真正的英雄呀！才是真正沒有私心雜念的人呀！段亞偉的追悼會我至今記得清楚，站在前排的老父親和老母親低頭欲絕。兩個老人家都是教師，而且只有這樣一個兒子，茹苦含辛，好不容易才拉扯大。可以想像，兒子的死讓他們何其悲苦！但是發言的母親在會上沒有像來自山區的李盛品母親那樣泣不成聲，而更多些知識婦女的理性。母親的發言是這樣說的：「我失去了親密的戰友，心愛的兒子，內心是非常悲痛的。但是我感到驕傲，因為培養子女的目的是為實現共產主義而鬥爭。」

還有一位同學叫董繼平，夢想當電子工程師的大一學生。衝鋒時鋼盔被擊落，子彈得以從他的腦顱斜穿而出——他沒有死，甚至沒有成為植物人，經過相當時間的治療，他活了下來，會吃飯、會發音，開始是一些簡單的元音：「啊」「哦」之類的，後來，同學們去看他，故意在病牀前高呼毛萬歲，他麻木的臉會微微一抖，接着會伸大拇指；哥兒們故意又說「劉少奇！王光美」，他又換成了小拇指。《八一五戰報》發表的專訪文章稱他為我們身邊的「麥賢德式的英雄」。麥賢德是廣東小伙子，1960年代青年人的偶像，他在某次海戰中創造了子彈射穿腦顱還高呼毛萬歲的人間奇跡。後來，董繼平可以在同學的攙扶下蹣跚學步。開始還好，同學們還在學校，還能給他餵食，幫助他解便和洗澡，後來畢業分配，人去校空，這位「麥賢德似的英雄」境況就有說不盡的淒涼了。尤其糟糕的是，他竟開始恢復了記憶！分配外地的同學回校看他，這位「英雄」便會傻傻地訴苦說：「家裏還有老母親啊！還等我畢業寄錢啊！」說着還會流淚！開始，學校每月還支付他十來塊生活費，後來，乾脆把他遣送回鄉了事。同學們都在天南地北為自己的命運奔忙，他也就被慢慢忘卻了。直到十多年前，我去四川新津縣公差，才知道他的母親早已過世，而生活完全不能自理的他，只能靠乞討和揀拾垃圾堆的食物為生，最後，不知甚麼時候，他終於倒在了岷江支流那片冷冰冰的河灘地上。

必須說一說那位著名的「屍長」了，他叫鄭志勝，電機系四年級學生，著名的「活雷鋒」。他沒有在戰火中死去，而是在戰後被監禁了13年。他家境極窮，赤着腳從大巴山區來到大學校園，週末假日，總要獨自去垃圾堆揀拾玻璃瓶、橘子皮、廢舊衣物，洗乾淨賣去收購站，買回理髮剪給同學們義務理髮，剩餘的則交給班上做公共活動費。他的「屍長」諢名和與之相關的人生災難，是從「文化大革命」演化為「武化大革命」開始的。

1967年夏天，重慶的武鬥已經被人稱做「八月國內革命戰爭」了，戰場上每天都會拖回不少血肉模糊的屍體，一時難以處理。重慶大學本是「八一五派」大本營，全國重點大學，教學經費充裕，這些經費現在除了用來造手榴彈、衝鋒槍，還有就是處理死屍。重慶人稱「火爐」，夏天常常40度高溫，戰場上拖回的屍體很快腐爛，需要注射福爾馬林藥液，需要擦洗乾淨，再用白布裝裹、下葬。起初，學校找到一個外號「王老么」的裹屍匠王銀山處理，裹一具收費10元、腐屍20元、穿屍衣10元、上下車搬運10元。當時，一個大學生一月的生活費才12元呀！每天幾具、幾十具屍體拉來處理，實屬一筆鉅款！「活雷鋒」鄭志勝得知公家的錢被如此破費，心疼着呢，於是斷然將此事承擔起來。他戴上口罩和塑膠手套，每天忙碌在堆放屍體的半隱蔽防空洞，從甲醛池中把屍體一具具撈出來，沖水，抹乾，再用白布裹好，挖坑掩埋。他在回憶錄中這樣記錄和腐屍相處的最初感覺：「我這樣不信迷信不怕鬼的人，那背溝麻酥酥的。特別是福爾馬林一熏，幾天都睡不好覺，吃不下飯啊！晚上我落淚了。」他有些後悔：「誰叫我……鬼使神差〔參加了運動〕。」

這當然是他後來的心理記錄，當時，面對連天炮火——我曾親自去防空洞看他兢兢業業包裹屍體，在屍衣上佩戴毛澤東像章和紅衛兵袖套——我和他一樣，腦子裏除了仇恨，已經完全沒有了理智；除了鮮血，已沒有淚水。我在報社的編輯會上號召記者們向「屍長」學習。我們把他視作了「一不怕苦，二不怕死」的英雄。接下來，我們的記者果然掛上手榴彈去了前線(武鬥隊槍枝緊缺，只能發給我們一堆自製的土手榴彈)。我將鄭同學看作了完人。根本不知道燃燒的仇恨也讓他失去理性，參與了殺人。我和他同時被收審期間，我甚至忘記了自己的無辜，更多的是對鄭的同情。

五　鄭志勝的回憶錄

幾十年後，我讀到鄭志勝電郵給我的回憶錄，才知道了更多驚心動魄的殘酷真相。我必須把其中幾段摘抄下來(筆者只對敍述文字稍作了訂正)：

育才中學女生梁自巧矮矮的，白白胖胖、齊耳的短髮用髮夾別到腦後，見了大學生老大哥總是微笑，一對圓圓的酒窩說明她活得很開心。她時常來我們班，領傳單去大街上散發。那天抬來一具屍體，我頓時愣了：「這不是前兩天還見過的小梁妹兒嘛！」送屍人告訴我，說她是去給前線的大哥哥們送飯「犧牲」的。她父親梁大高是建設廠工人，自巧是他唯一的女兒⋯⋯自巧是我輸甲醛第一人。她胖，從腹股溝下切開皮膚查找股動脈，發現她皮下脂肪足有一寸厚。我把針頭插進去，打開夾膠管的鑷子，甲醛溶液沒能流進「股動脈」，反而射出來濺進了我的右眼，我眼睛頓時一陣劇痛，趕緊到附近洗澡堂用清水沖。過了許久，雖然眼睛沒有灼痛感，但右眼甚麼也看不清了。我用一隻左眼繼續為自巧輸「福爾馬林」。輸完了把她屍體放到水槽中，注入水，加了苯酚。第二天梁大高趕來，我伸手到水槽中抓着她的褲腰帶提出液面讓他看，他老淚縱橫，哭得死去活來，腦袋往水槽上碰。圍觀者也為之動容，跟着哭⋯⋯

機校孫世玉，也是女生，身材清瘦，她是「八一五派」失守楊家坪往沙坪壩撤退時，被「反到底」〔派〕射殺的。孫的屍體沒有浸泡，我給她裹了屍，穿了一套機制校武鬥隊穿的紅色運動衫，戴了毛主席像章和紅衛兵袖章，把頭髮洗淨後晾乾，梳得很工整，用一塊木板安放在防空洞裏，放了十多天等她親人來看了才入殮。機校的同學前來掩埋孫世玉時，悄悄告訴我一件事，他們撤退時去衛校〔機制校和衛校當時都在袁家崗〕，將關押的七個俘虜全部槍斃了。

劉文舉〔重大學生〕從戰場上抬回來，屍體還沒有僵硬。我給他輸了甲醛，裹了屍，穿了一套軍裝，紮了腰帶，戴了軍帽和紅衛兵袖章。父親是天府煤礦礦工。劉父和劉母、妹妹一道前來接屍。劉父說：「家裏很窮，文舉生前從來沒有照過全家福，現在他走了，一定要照個全家福作紀念。」為了配合他們實現這一要求，我送他們全家一起來到沙坪壩「雙巷子照相館」，我躲在後面，抓着劉文舉的腰帶，將屍體推立起來，在父母之間保持站姿，妹妹

> 則站在前面掩護〔這也許是世界上最獨特、最悽愴的一張「全家福」!〕。

仇恨已經將血液燃燒沸騰。後來，鄭志勝終於找到重大專業武鬥隊的後勤部長、採礦系66屆學生陳捷。

> 我說:「兄弟夥，你不是要我搞死幾個俘虜，為『八一五』死難烈士報仇嗎?現在機會來了。請你給我一支手槍，給幾顆子彈。」陳捷高興極了。給了我一支54式手槍，7發子彈。唐朝全帶着長安廠17車間的馮治國、石橋鋪中學的廖承平(17歲)在饒家院〔重慶大學地名〕大門口等我。他們都是到重大避難的。我去車隊調來一輛敞篷卡車。唐朝全等三人上了車，我坐司機台，把車開到二工人醫院。得知下午抬去的李平正、何明貴〔均係嘉陵煤礦的青年工人,「反到底派」武鬥組織「猛虎團」俘虜，已受傷〕仍在急救室昏迷不醒。我和唐朝全等商量，說:「借轉西南醫院繼續搶救為名，把李、何二人在轉院途中搞定，以我招手為號開始行動。」我們四人把李、何二人抬上車，汽車在我的指揮下向西南醫院開去。車過覃家崗，我向車上招手。唐、馮一人一個，用槍托猛擊李、何二人頭部。廖承平沒有見過這個陣仗，未動手。我怕他們致命的時間不夠，叫司機把車開到鳳鳴山橋上才調頭到西南醫院。我下車去急診室對醫生說:「有兩個『猛虎團』的俘虜被群眾打得半死，請你們收治。」那醫生是「七醫大紅總」〔屬於「八一五派」的組織〕的。他說:「八一五的傷員都無牀位住,『猛虎團』的讓他死了算了。」我當時估計那李、何二人必死無疑，只是想他們死在醫院，事後好交代。又過了二十分鐘，在我一再要求下，醫生拿了電筒和聽診器爬到車上檢查，發現兩人瞳孔放大，停止呼吸多時。我的「金蟬脱殼」失敗了……

就是這樣一個人，畢業分配之前，終於和我一道被收審。我是因為那支自以為是的筆，寫過太多捍衛正宗教義的文章，而北京偏偏認定我已經離經叛道，新上台的左派當局毫不猶豫地宣佈我是「毛主席點名的黑筆桿」、「反動文人」——這幾乎是我們整整一代人的悲劇。

歷史上的教派戰爭，歷來都以同一尊神的名義開戰。那尊神遠在虛無縹緲的天堂，因此雙方完全可以根據各自的需要對教義進行不同的，甚至截然相反的解釋，最後卻以實力來決定勝負。我們的尷尬卻在於：我們共同尊奉的神偏偏活在人間，成天躺在中南海的菊香書屋研究歷代帝王的權謀經典，並隨時根據他的需要發佈不同的、甚至自相矛盾的聖諭，讓兩派信徒都無所適從。以至文革爆發兩年後，1968年7月27日，他乾脆派出軍人和工人組成的所謂「宣傳隊」，進駐了所有大學，宣佈「現在是輪到你們小將們犯錯誤的時候了。不要腦子膨脹，甚至於全身鬧浮腫病」，「我再說一遍，如果誰再破壞交通，放火，打解放軍，不聽勸告，誰就是國民黨，誰就是土匪，就殲滅！」昔日叱吒風雲「天兵天將」，於是一夜之間全變成位列於「地(主)、富(農)、反(革命)、壞(份子)、右(派)、叛徒、特務、走資派」之後的「臭老九」。我被放逐邊疆了，開始了另外一種人世間的生活；而鄭志勝，因為處理過多達二百多具屍體，人們有充分理由懷疑他必須對許多滿身彈孔、血肉模糊的蒙難者負責，事實上，他確實參與了虐俘，因此被監禁了13年。

後來鄭志勝出獄了。我從雲南趕去重慶與他重逢，我們故意將會面地點選擇在當年殉難的大學校園「東方紅廣場」。文革時期，那兒曾建造了一尊毛澤東巨像，其後，被大學生以「走資派」罪名打倒的校黨委當權者重新上台，於是在一夜之間，他們用仇恨的雷管將塑像炸了個粉身碎骨，只留一片白茫茫大地真乾淨。碑台上那位被炸掉的巨人，曾經想摧毀他的政敵和幾千年留下的文化傳統(所謂「四舊」)，用他的思想取而代之，從而自成萬古景仰的「大成至聖先師」，可惜到頭來，傳統被摧毀了，他的「導師夢」也破產了，除了對金錢和物質的追求，整個國家都失去了信仰。我們這一代曾經的天使和魔鬼，只是比別人多了些更沉重的記憶。

和鄭志勝分別時，我們風華正茂，重逢時卻都兩鬢飛霜。歷史上任何宗教災難，總是由教主和信徒共同完成的。我們這一代人和中世紀的信徒一樣，和我們迷信的神一道，真誠而瘋狂地完成了中華民族歷史上這一巨大的悲劇。歷經災難，幾十年望中猶記，我和鄭重逢時刻，彷彿兩世為人。

我問他：「當初，你為甚麼要那樣鐵心保衛校長，激烈反抗市委工作組呀？」

囹圄多年，他已變得有些木訥，沉默許久，他答：「大約一筆難寫兩個『鄭』字吧？我和校長，家門啊！」

這個答案讓我很不放心。我早聽説，初進校園時，鄭志勝赤腳上課，被細心的鄭校長發現了，第二天，校長便讓秘書給他送來一雙鞋，此事讓小鄭感動了許久。我於是繼續追問：「難道沒有別的理由嗎？」

他認真地看着我，想了老半天，終於又説了一句：「就為了那雙鞋呀！」

這一次，我信了。我知道那個充滿仇恨的歲月，如豆的些許溫暖都會在純潔心靈激起巨瀾，甚至進而釀成人生災難的源頭。我真想大哭一場：為自己、為鄭志勝，也為曾被欺騙的、活着與死去的整整一代年輕人。

我的文革心路歷程

王復興

我於1965年在北京四中高中畢業，考入北京大學歷史系，將近一年之後，便爆發了文化大革命，歷經了三年又九個月的風風雨雨。

一　成長時期所吸收的營養

文革爆發，我以極大的熱情投身運動。當時充斥在社會上，貫穿於教育中的理念：階級、矛盾、階級鬥爭、反修防修、無產階級專政、一分為二、不斷革命、世界革命、當革命事業接班人、與工農兵相結合、樹立共產主義遠大理想、緊跟偉大領袖毛主席等等，早在文革前就深深印進了腦海，其中影響最深的是階級與階級鬥爭的理論。

這些觀念在高中階段就已經形成。在北京四中時，通過政治學習，反修「九評」學習（即中共中央評蘇共中央的九篇批判修正主義的文章），傳達「四清」運動的文件及宣講農村階級鬥爭形勢，以及當時天天閱讀的報刊上關於上層建築領域的革命大批判文章，階級鬥爭觀念不斷地加強，形成我的世界觀和人生觀。

那個年代，入不入團是一個青年優秀與否的標誌，入了團才有尊嚴。更為實際的問題是，家庭出身不好的學生若不是團員，很難過高考「政治審查」一關，也就考不上大學。由於家庭出身問題，我入團是一個艱難的過程。班裏團支部通過我的入團申請後，等了很長時間上級還沒批下來。我忍不住去問團支書，他讓我去找校團委書記趙老師。後來趙老師說西城區團委會書記要和我談話，我猜一定是要和我談家庭問題了。我在學校學生登記表「家庭成份」一欄填寫的是「職員」，按當時的標準是不算紅也不算黑，但我心裏知道家庭的政治問題。

上世紀40年代，父親王福時在美國舊金山中文報紙《中西日報》任編輯，全家在舊金山居住。父親每天晚上在家油印、發行《遠東通訊》。《遠東通訊》受中共香港地下黨新聞機構「國新社」委託在美發行並負責供稿，在美國宣傳中共政策，報導解放戰爭進展及發表評論。「國新社」的領導人喬冠華、劉尊棋等與父親聯繫頻繁。

1950年6月，父親攜全家回國，被任命為國務院國際新聞局出版發行處副處長。1952年調至國際書店，先後任出口部、進口部副主任。母親曾對我說過，「你爸那時左傾得很」。左傾，擁護中共，是當時大部分知識份子的狀態。他們痛恨貪污、腐敗的國民黨，同情、支持反對一黨專政、反對個人獨裁、爭取民主自由的共產黨。

1957年整風反右時期，父親在黨的號召下投入了「大鳴大放」，於1957年8月在《文藝報》上發表了〈國際書店是橋還是牆？〉的文章，指出國際書店大量進口蘇聯報刊、書籍，卻極少進口歐美國家的，特別是西方科技類的報刊與書籍，批評國際書店在對外交流中沒起到「橋」的作用，反成了「牆」。文章惹來了大禍。父親及《文藝報》輪值主編蕭乾被同時劃為右派。1957年10月6日《人民日報》在頭版刊文點名批判右派王福時，「一貫堅持資本主義經營路線」。父親在單位遭到了大會、小會的批判。我看了報上批判父親的文章後，非常苦惱，雖然不相信父親會反黨反社會主義，會是壞人；但為了爭取入團，就必須跟家庭劃清界線，必須「存天理，滅人欲」，克服小資產階級「溫情主義」。

那天我懷着不安的心情到西城區團委會，團委書記要我談談對家庭的認識。我於是批判了父親1957年發表的文章，說他堅持資本主義經營路線，實際上是嚮往西方的民主、自由。我並且揭露父親在家裏與朋友議論中蘇論戰，說他欣賞蘇共「人道社會主義」的提法。我批判父親這是欣賞人性論，是修正主義思想，立場有問題，還揭露父親在困難時期怕孩子們吃不飽飯，騎車到郊區農村的家裏買大白菜。這說明困難時期他對形勢悲觀，對黨不滿。我表示自己要背叛資產階級家庭，站到無產階級一邊來。區團委書記對我的深刻批判挺滿意。過了幾天，我的團員資格便被批下來了。

得知這消息，我一方面很高興，覺得光榮，認為父親的立場、觀點有問題，應和他劃清界線。同時也有點不安，畢竟自己違心地對父親的問題上綱上線。但不這樣做的話，會過不了關、入不了團，甚至上不了大學。入團後，我很少和父親說話，從此父子之間不深談。1967年，有一天妹妹陪父親到北大來看大字報，並順便看看我。我當時正在大字報欄下與同學聊天，妹妹過來招呼我，並指指在附近看大字報的父親，說：「爸爸來了。」我瞥了一眼就離開了，沒有過去打個招呼，生怕影響同學對我的看法。

我們兄弟姐妹都埋怨父親影響了自己的前途。受父親右派身份影響最大的是弟弟王復光，我比他大一歲，同時上學，自小一起玩耍、讀書、運動，是親密無間的哥倆。他功課很好，但沒有入團。因父親問題考大學不被錄取。在我的鼓勵下，文革前他便上山下鄉，去了海南島興隆華僑農場務農。因表現優秀，多次受到場部表揚。1968年8月2月清晨，由華僑知青組成的一派群眾組織的宿舍區被對立派武裝包圍。復光跑去軍管會拍門，請求他們去制止武鬥。大門緊閉，無人應答。復光往回跑時，背後一聲槍響，他隨即倒地身亡。開槍的是農場民兵隊長郭際標。弟弟死後，農場大喇叭反覆廣播：「狗崽子王復光被打死了！」復光的遇難使我悲痛欲絕，是我心靈上永遠無法撫平的傷痛。

二　投身暴風雨

1966年6月1日晚，中央廣播電台全文廣播了被毛澤東稱為的「全國第一張馬列主義大字報」。6月2日《人民日報》全文刊登，並發表評論員文章〈歡呼北大的一張大字報〉。北大當時萬眾歡騰，一場狂風暴雨降臨了。此後學校就停課了，師生天天寫大字報，開批判會。從6月2日開始，北京市每天都有各大專院校、各中學、機關單位幾萬人來北大看大字報、開座談會。幾天後同學們中盛傳：毛主席讓康生在中央台、《人民日報》廣播、刊登北大第一張大字報時，批示「北京大學這個反動堡壘從此可以打破」，令人震驚。五四時期「科學與民主」的陣地怎麼在新的時代成了「反動堡壘」？真不可思議！我反省思想，檢討自己跟不上形勢，必須要努力去理解這場革命。

我當時想：逢此革命大時代，要緊跟偉大導師毛主席，投入火熱的革命洪流，好好鍛煉自己，做堅定的革命派，實現自己的青春價值。多年深藏在內心的恐懼感，也是我積極投入運動的動力。6月初，看到工作組把歷史系五年級四個學生打成反動學生，我聯想到父親在1957年是「右派」，因而不停告誡自己在運動中必須表現積極，不能做落後份子，不能像父親那樣站錯立場成為右派。這兩種思想，成了推動自己熱烈地投入運動的強大動力。

文革中北大第一個自殺的是歷史系的三級教授汪籛。1966年6月初，工作組進校領導運動。歷史系工作組是從海軍和中央各部委調來的，系辦公室貼出了許多揭發批判汪籛的大字報，有的說汪是1959年漏網的右傾機會主義份子。6月7日，史一世界史班開會，幹部子弟女生張某發言：「別的班在批判汪籛，我們班怎麼辦？」團支書和班長都主張我們班要有所行動。張某提議去汪家裏批鬥，無一反對。我惟恐落後，表態積極支持。大約在6月8日，全班去了汪籛家裏，汪有病躺在牀上，大家喊「汪籛必須老實交代右傾機會主義的罪行」等口號，批鬥會大約十分鐘左右。後來聽說，某班的同學在汪籛家門上貼了封條，汪出門時只得把封條撕了（另說是被風颳下來）。第二天有學生看見封條被撕破在地上，指汪「仇視文革，故意搗亂」，告到工作組。6月10日，工作組要汪認錯並把封條貼回門上，汪照做了，但無法忍受此辱，當晚吞服了大量農藥「敵敵畏」，於1966年6月11日晨去世。

文革前，汪在歷史系被稱為又紅又專的史學家。系黨總支書記徐華民說，汪教授是馬列主義史學專家，系裏要求他把學術成果整理出來，保存下來。汪籛教過我們秦漢史，他講課不按講義，天馬行空，妙趣橫生，我最愛聽他的課。他對秦始皇評價很高，認為「焚書坑儒」、「尊法反儒」鞏固了新興封建階級的統治，有正面作用，說漢初劉邦也是「尊法反儒」的。有大儒求見劉邦，劉邦卻很討厭他們，甚至把他們的帽子摘下來，往裏撒尿，表示對他們的鄙夷，逗得同學們哈哈大笑。當年聽汪籛的講授覺得很新鮮、有深度。文革中看到了毛澤東講話的油印資料，他曾在1958年中共八大二次會議上說：秦始皇「他只坑了四百六十個儒，我們坑了四萬六千個儒」，「你〔指民主人士們〕罵我是秦始皇，不對，我們超過了秦始皇百倍；罵我們是秦始皇，是獨裁者，我們一概承認」。不知汪籛史學觀點的確立是否因知道了毛澤東有這段講話。汪籛教授去世後，一位從海軍來的工作組成員曾到我們班詢問去汪籛家裏開批鬥會的情況，然後說：壞人死了就死了，沒事。事後汪被工作組定性為「畏罪自殺，自絕於黨和人民」。

很多年後，我才了解到，汪籛是史學大師陳寅恪的弟子。在上世紀50年代初，曾被史學界認為是馬列主義新史學的帶頭人。自1958年郭沫若公開點名批判陳寅恪後，汪作為陳寅恪弟子的地位也一落千丈，並於1959年遭到批判，此後心情鬱悶，由大胖子變得乾巴瘦，整個人變了形。1958、1959年的遭遇也許是他自殺的遠因。文革中，家門口被貼上封條，不堪屈辱而尋死。儘管如此，我們到汪老師家開批鬥會，不能說對他的自殺沒有責任。汪籛老師：太對不起了！學生甚麼時候都不能原諒自己。

三　經歷坎坷轉反左

文革前，大學同學中家庭出身「黑五類」(地主、富農、反革命、壞份子、右派)的，入黨入團不容易，考大學一般不錄取。但是這些人和同學老師的關係不受影響，甚至因為成績好，或者運動場上的表現優秀，在同學中受歡迎。文革到來，「老子反動兒混蛋」，這些人作為另類，二等公民的地位立刻明顯起來，背負家庭出身原罪的同學，成為階級鬥爭的對象，我連表現自己與家庭劃清界限的革命機會都沒有了，這時才開始反思。1966年8月上旬的一天，在38樓北側院子裏，全班同學圍成一圈，席地而坐開會，貧下中農出身的班長高發元突然說：「大家不知道，王復興是從美國回來的，他父親是右派。王復興要在運動中好好改造思想。」我毫無思想準備，一下子「懵」了，甚麼話也說不出來。會後心情很苦悶。黨的政策是「重在表現」，可為甚麼我怎麼努力都不行呢？難道父親有問題，我就不能革命嗎？我七歲從美國回來，就有特務嫌疑嗎？我認為這是「左派幼稚病」、「關門主義」，不許別人革命，是錯誤的。我決定要甩開家庭包袱，緊跟毛主席，在文革的大風大浪裏鍛煉自己，做個堅強的無產階級革命派。路是自己走的，誰都甭想阻擋我。那時毛澤東支持的中學第一批紅衛兵已在全市各處張貼宣揚「血統論」對聯「老子英雄兒好漢，老子反動兒混蛋」，這在北京及全國各地形成了一股思潮，影響很大。

8月中旬，北大幾個系出現了首批大學紅衛兵。歷史系一、二年級以趙惠生、徐博東等幾個革幹子弟為骨幹，吸收了一批工農子弟，成立了「毛澤東主義紅衛兵」。我們班大部分人都沒資格參加。「主義兵」成立後，在五四操場舉行過批鬥北大前校長陸平大會，去團中央造反貼大字報。

此時，在中央文革號召下大串聯興起，學生坐火車免費。我也準備外出串聯。同班同學張某知道後，一天突然帶着八九個歷史系一年級的「主義兵」，來到我住的宿舍房間，勒令我不許出去串聯。同班室友王淵濤（出身下中農）正好推門進屋，一看屋裏坐滿「主義兵」就愣住了，想退出去，張某對他說：「你也坐下聽聽吧。」張問我：「我們紅衛兵要去抄你父親的家，你甚麼態度？」我雖不認同他們的做法，為了表示自己支持文化大革命，便硬着頭皮大聲回答：「可以，我同意，現在就可以去，我和你們一起去。」張領着「主義兵」高呼了幾句口號「毛主席萬歲」、「把無產階級文化大革命進行到底」等，便離開了，也沒去抄家。

我被禁止串聯，陷入了更深的苦惱之中。感到自己失去了大串聯的自由，快成了專政對象了。但私下很反感：你們「主義兵」算甚麼，憑甚麼勒令呀？你們這樣做是「唯我獨左」，不許別人革命。王淵濤很氣憤地對我說：「難道他們是『自來紅』？天生高人一等？」同班好友徐森聽說此事後，也十分氣憤，表示不去外地串聯了，在學校裏陪着我，這兩位同學令我感受到極大的溫暖。在逆境之中，我看到了人性之善，友情之美。

8月一天晚上，我正準備睡覺，有人大聲敲門。原來看是妹妹王丹娜騎自行車跑了幾十里地來找我。 她說有鄰居是地富，被紅衛兵打死了。她怕紅衛兵來抄家，母親脾氣急，如果跟人家頂嘴、吵架，弄不好會被打死，問我怎麼辦。我只能告訴她，囑咐媽媽千萬不能和紅衛兵吵架。妹妹回家後，把家裏的老相片全燒了，把老唱片砸碎了。(幾十年後父親寫信對我說，文革時自家的紅衛兵在家造反，把老照片都燒了，真可惜。我告訴父親，妹妹那時沒資格當紅衛兵，她不是造反，而是恐懼。為自我保護，而幹了燒相片的傻事。)後來真有一隊中學紅衛兵來到我家，聲稱是西四中學紅衛兵，聽說這家是地主資本家，因此來抄家。姐姐王瑞拿出祖父是國務院參事室參事的證明，並說明我們家不是地主資本家，他們可以去派出所查問。他們去了派出所問了，證實我家的確不是地主資本家，才倖免了一場災難。

同班的徐森、王淵濤、俞政、張文虎和我很談得來，都不是紅衛兵。出身好的只有王淵濤，其他人出身「職員」，我的家庭問題最大，是「黑五類」。我們五人都反對「血統論」。9月初大家議論道，中央的〈十六條〉已給了群眾組織起來的權力，他們能組織紅衛兵，難道我們就不行？於是大家推舉徐森當隊長，組成「紅梅戰鬥隊」，紅梅象徵不懼嚴寒。後來化學系的陳雙基和中文系的馬西沙也加入了，記得當時我們聚在一起，學習了《毛選》中1945年〈關於若干歷史問題的決議〉對三次左傾機會主義的歷史結論，為我們反左找依據。

1966年12月，中央發出公告，要求大中小學學生停止串聯，回校「復課鬧革命」。1967年1月8日解放軍軍訓團進駐北大，不到一個半月，2月18日軍訓團便撤走了，復課復不起來，也看不到文革結束的任何跡象。大約在2月底的一天，徐森和我晚飯後在校園走走，他說：「現在到處『兵荒馬亂』，國家成甚麼樣子了！人們敢怒不敢言啊。」他大膽的言論令我一驚，趕緊說：「你可千萬別到處亂說，千萬啊！」心想，他這不是否定文化大革命嗎？傳出去可不得了，一準打個「現行反革命」。同樣的話，他對張文虎、俞政、王淵濤也說了。他可能是太憋悶，對幾個死黨講講，知道我們不會出賣他。1月上海的造反派奪取了黨政領導權，稱之為「一月風暴」(又稱「一月革命」)，全國造反派在各地開始「奪權」，一片混亂。我們都很困惑，但誰也不講出來，而要求自己緊跟中央文革，努力去理解形勢。我們受到的一貫教育是：理解的要緊跟，不理解也要緊跟。在局勢混亂之中，緊跟的目標看不清楚了，於是我們自己開始分析形勢，認為應當反對極左思潮，批判極左派的代表人物，例如科學院社會科學部的吳傳啟、《紅旗》雜誌主持實際工作的林傑。認為這些人的後台是中央文革小組中的某些人，懷疑王力、關鋒有問題。

1967年7月，王淵濤、陳雙基、俞政和我四人合寫了一份長篇大字報〈評反革命極左思潮〉，指出當前的主要危險是極左思潮，是「懷疑一切，打倒一切，破壞一切」的錯誤傾向，應當反左，而不是反右。點名批判了吳傳啟，並指出他有後台，影射了當時地位顯赫的林傑、關鋒。說這些極左思潮的代表人物是破壞文化大革命的反革命。今天反思這張大字報，雖然批左的方向是正確的，但把極左思潮上升到「反革命」的高度，是上綱太高、文革思維，依然是階級鬥爭、無產階級專政下繼續革命的思想方式。

1970年3月畢業離校後，又經受了兩次大的衝擊，1971年的「九一三事件」和1975年的「天安門事件」，令我漸漸開竅。

1971年9月13日，林彪、葉群和兒子林立果及隨從人員乘三叉戟飛機飛出國境線，墜毀在蒙古國的溫都爾汗，被稱為「九一三事件」。

我那時在河北省安國縣中學任教，12月初放寒假回京過春節，大家都在私下議論事件，傳播小道消息 。全國各地於12月中傳達中央〈粉碎林(彪)陳(伯達)反黨集團反革命政變的鬥爭〉(材料之一)，開展了批林整風運動。震驚之餘，一個念頭不斷在腦中盤旋：林是毛的親密戰友，被毛選定為接班人，並在九大寫入了黨章，現在卻突然成了反毛的反革命。那就是說，毛看錯人了！毛並非是明察秋毫、無懈可擊的偉人啊！毛的神聖權威開始崩塌。

1972年2月，放完寒假回到安國中學，在學校聽了傳達關於「九一三事件」的中央文件。其中最振聾發聵的是中共中央(1972年)4號文件〈五七一工程紀要〉。這個「反面材料」是空軍以林彪之子林立果為首的幾名年輕軍官商議並起草的。〈紀要〉對紅衛兵運動作了簡要總結，認為「紅衛兵初期受騙被利用」，「後期被壓制變成了替罪羔羊」。這與我的文革經歷、內心感受正相符合，尤其觸動了我。〈紀要〉對當時社會現狀的揭露，都是民間的大實話，例如：「青年知識份子上山下鄉，等於變相勞改。」「國民經濟已經跌到了崩潰的邊緣。」我開始用常識判別事物，社會現狀可不就是這麼回事嘛。〈紀要〉以大無畏的勇氣對毛澤東進行聲討，指控毛澤東是「B-52轟炸機」，是「絞肉機」，是「執秦始皇之法的中國歷史上最大的封建暴君」。〈紀要〉所提出綱領「推翻掛着社會主義招牌的封建王朝，建立一個真正屬於無產階級和勞動人民的社會主義國家」，在文革那暗夜深沉的年代，令我久久深思。事後多年，我與許多北大校友談起〈紀要〉，都認為它對我們這些人走出文革，解放思想，起了重大的啟蒙作用。

1973年冬，分配到貴州基層工作的北大校友陳雙基，專程從北京到保定，與我和另一要好的校友孟關霖聚會，他提出：「現在國家成了社會封建法西斯主義。咱們應成立秘密小組。進行反抗！」於是我們商議要加強通信聯繫，交流思想，探索出路，迎接轉變。

大約在1975年12月，正值批鄧反擊右傾翻案風時。我放寒假回北京過年。一天下午，父親來到我住的小屋，神情凝重，他對我說，現在他們機關搞運動，無論是鬥「走資派」，還是清隊鬥叛徒、特務、反革命，每次批鬥大會都要把他揪到台上陪鬥。他早就是死老虎了，「走資派」和他能有甚麼關係？可對待他總這樣。覺得活着沒意思，非常苦惱……我聽了一驚，趕緊説：「你不要這樣想，一定不要有這種想法。形勢不會總是這樣，各項政策肯定遲早要落實的。國家不可能總是這個樣子。」父親終於平靜了下來，神情也放鬆了下來。此次父親與我的談話，我從未對母親和兄弟姐妹説過。

1976年3至4月初清明之時，天安門廣場爆發了大規模的群眾非暴力和平抗議活動。百萬各階層群眾藉悼念周恩來總理逝世為名，發泄對「四人幫」、對毛澤東的不滿。4月4日，中共中央政治局按毛澤東的旨意，把廣場紀念活動定為「反革命性質」。5日晚，廣場戒嚴，北京出動了一萬多民兵、公安人員和衛戍區部隊，以木棒驅散人群。6日，天安門廣場的花圈、祭文、祭詩被掃蕩一空。8日，《人民日報》發表文章〈天安門廣場上的反革命政治事件〉。這場聲勢浩大的「四五運動」，顯然出乎毛澤東的預料，被迅速鎮壓了下去；毛從此公開走到自己發動起來的群眾的對立面。「四五運動」雖然被鎮壓了，但各階層人民已從文革的浩劫中覺醒，爭民主，要自由，反專制，矛頭直指「四人幫」，直指當代秦始皇。經此事件，我們那一代大部分人覺醒了，開始否定文革，否定毛，思索普世價值：自由、民主、人權、法制。

好友馬雲龍，畢業後被分配到河南，插隊勞動鍛煉二年後，到河南長葛縣城的五七專科學校任教師。1975年1月10日，因議論毛澤東、江青的錯誤，被舉報，逮捕，投入大獄，給他的罪名是「攻擊毛主席、攻擊中央領導的現行反革命」。他的「罪行」在當時隨時可能會被判處死刑。幸而在最後開庭審訊期間，「四人幫」倒台了，他的性命得以挽回，但卻拖延到1979年1月19日才被宣佈無罪釋放。他在獄中被關押了近一千五百個日夜。馬雲龍的案件是當時河南省四大反革命案件之一，最初的舉報信直接送達到中央的紀登奎(時任政治局委員、國務院副總理)，由紀登奎批轉河南省委書記劉建勳處理。而後河南省、地、縣三級公安、宣傳部門組成了聯合專案組對馬雲龍進行偵察、立案、逮捕、關押。執行逮捕任務的是許昌公安局正局長。

毛澤東在1976年9月9日去世。按中共慣例，逢此特大事件，要施重典、鎮反，以維護政局穩定。10月1日，許昌中級人民法院對馬雲龍開始庭審，主審法官為中院第一把手。馬雲龍知道凶多吉少，決定全力為自己辯護(沒有律師)。起訴書共列出馬雲龍作為「現行反革命犯」的八十五條「罪狀」，計有：「攻擊偉大領袖毛主席」、「攻擊無產階級專政」、「攻擊無產階級文化大革命」、「攻擊中央領導江青、王洪文、張春橋、姚文元」、「攻擊黨的計劃生育政策」等等，均屬以言治罪。因馬有言論「對毛主席也要一為二」，庭審第一條「罪狀」便是「攻擊毛主席」。審訊時馬為自己辯護，説道：「毛主席説過：『世間萬事萬物都是一分為二的。』」法官説：「毛主席英明偉大，沒有錯誤。」馬説：「別的不説，把林彪指定為『接班人』，還寫入黨章，事實證明就是個錯誤。」就這樣，庭審進行了九天，馬雲龍一條一條為自己辯護。八十五條「罪狀」才審到一半，10月10日庭審突然停了下來。原來10月6日「四人幫」被抓捕，10月10日消息傳到了河南各級政府……

馬雲龍的遭遇不但反映出當年大學的造反派在文革後期的覺醒，也更反映出中國極左路線的猖狂和司法制度的荒唐。

畢業後，我和馬雲龍曾於1970年夏季在北京聚會，他在我家住了一個禮拜，後來我倆再沒見面，直至1998年北大「百年校慶」才又再見。久別重逢，暢言天地。他後來把自己在獄中的經歷寫成了《獄中雜記》，內地審批了兩年不准出版，2016年初他把稿件交由我處理。以上我僅摘要地概述他入獄的故事。

1986年9月，父親從大百科全書出版社圖書館主任一職離休，他的「老幹部離休榮譽證」上，「參加革命工作時間」一欄，寫的正是1948年。他的身份算是得到了確認，得到了平反，但幾十年受到的委屈及給家人帶來的影響已經無法彌補，對我陰陽永隔的弟弟，平反毫無意義。

文革之後，我才漸漸明白我們對父親的態度不公平且殘忍。1997年反右運動四十週年時，我寫信告訴父親，我為他1957年被打成右派而驕傲，他是爭取民主自由的先驅，說當年不懂事、幼稚，不得不與他劃清界線。父親回信說，對此他「很理解，那是時代的問題，你也要生存，以後不必提了」。我們父子之間的芥蒂，四十年後終於消除了。

毛澤東時代的青年思想者

丁　東

一　毛澤東時代的思想環境

思想是人的天性，是人區別於動物的特徵。正像法國哲學家帕斯卡爾(Blaise Pascal)說：人是會思想的蘆葦。

20世紀的中國，處在三千年之未有的大變局之中。中西碰撞，新舊交替，激發了國人的思考。中國人，特別是年輕的讀書人，思想十分活躍。20世紀的上半葉湧現出一批觀點各異的思想家，在某種意義上，可與春秋戰國時代諸子百家爭鳴比美。

1949到1976年，中國大陸進入了毛澤東時代。毛澤東是一個強勢領導人，他不但要掌握政治、經濟、社會領導權，也要掌握思想文化的控制權。毛澤東時代的中國，形成了不同於民國時代的特殊思想格局。

1949到1966年，是毛澤東時代的第一階段。在這十七年當中，毛澤東思想成功地控制了中國人的頭腦。毛澤東是一個魅力型的政治家。軍事上的勝利，使他在中國大陸所向披靡。在1950年代開始的思想改造運動中，老一代知識份子幾乎都放棄了自己的思想，相當多的人是心甘情願，也有一部分人是隨波逐流。而新一代知識份子，在輿論一律的文化環境和教育環境中，幾乎都成了毛澤東思想的信徒。在這十七年當中，只有1957年反右前短暫的鳴放，出現過一波發表自由思想的風潮，其他時間，只有個別思想者獨立發聲，小範圍公開表達也有極大的風險，有表達也只是靈光一現。

蘭州大學學生張春元、譚蟬雪等人被打成右派後，分配到甘肅基層工作，目睹農村大躍進、大饑荒的慘狀，開始從制度層面反思。他們認為，中國現行體制實質上是一種「由政治寡頭壟斷的國家社會主義」，具有以下特徵：其一，是「國家集權」，「其實就是黨的絕對領導」，在「黨政不分」的黨國體制下，實行黨控制下的國家對政治、經濟、文化、社會、生活……一切方面的全面權力的高度壟斷。其二，在權力壟斷的基礎上，形成「新興的官僚統治階層」。這樣的官僚階層，「在1957年之前就已萌芽，但在1957年後，它的特徵才清楚和完美起來」:「在政治上、精神上和經濟上都享有特權」。其三，少數人享有特權的另一面，就是其他階層人民，特別是工農基本群眾基本權利的被剝奪，基本利益的被侵犯，處於被欺壓、掠奪和奴役的地位。「工人精神和體力終年處於極度緊張的狀態，過高的勞動定額，使他們失去了應得的勞動報酬」。而在人民公社體制下，農民實際上已經成了「國家奴隸」或「農奴」。其四，這樣的權力高度壟斷，必然形成「政治寡頭」的統治，提倡「偶像迷信」，壓制黨內外的民主。其五，寡頭政治一方面必然導致「思想壟斷」，「思想的強化統治」，另一方面則必然導致「反動的主觀唯心主義」，「胡作非為的能動性」，其結果就是任意執行「違反客觀規律、脱離物質基礎、脱離現實的反動政策，人為地製造階級鬥爭和緊張局勢」，造成了「工農業生產力的全面的毀滅性破壞」，給國家與民族帶來極大災難。為了交流和傳播這些思想，他們創辦了油印的16開本《星火》雜誌，1960年元月印出第一期三十多份，迅即被警方查獲。當年9月，《星火》全體人員和支持者、相關者四十三人全部被捕，判刑二十五人，《星火》第二期胎死腹中。文革中，對他們的迫害升級。1968年，《星火》撰稿人林昭被判處死刑，警方向家人收取子彈費。1970年，張春元和同情他們的甘肅省武山縣委副書記杜映華也被判處死刑。

毛澤東時代沒有互聯網，報紙、電台、期刊、出版社都是官辦，發出的是同樣的聲音，中外文化交流的管道也被官方管控。國人對世界信息的了解程度，依權力的大小呈遞減趨勢，新華社有選擇地介紹國外新聞的《參考消息》，只面向一定級別的幹部發行，愈是低層的人愈沒有機會了解世界的真相。思想大一統的局面，和今天的北朝鮮差不多。

1966到1976年是文革十年，是毛澤東時代的第二階段。如果說，前十七年格局比較單一，後十年的局面就比較複雜。既有鬆弛和相對失控的時刻，也有極其嚴酷的階段。

思想大一統的局面是毛澤東自己打破的。他認為黨內出了修正主義，赫魯曉夫式的人物就睡在自己身旁。文革前提倡人們做黨的馴服工具，做永不生鏽的螺絲釘，已經不適合他的政治需要。於是提出對於危害革命的錯誤領導，不能無條件服從，而要堅決抵制。要自下而上地揭露黑暗面。中學生成立紅衛兵組織，從他1940年代的文章中找出「馬克思主義的道理千頭萬緒，歸根結底，就是一句話：造反有理」，得到了他的大力支持。他要借用青年的力量，通過天下大亂的方式，對官僚機構重新洗牌，讓黨員幹部重新站隊，重組權力格局。國家對言論、出版、結社的多年禁錮，在1966年下半年猛然開啟。成立群眾組織，辦報紙，出版印刷品一度相當自由。反對領導幹部等於反黨的邏輯隨之失效。一些大字報公開了高層的政治內幕，某些高幹的特權被曝光，都引發了青年對官僚體制的批判性思考。

文革開始後的亂象，使文革前形成的上智下愚的信息控制一度分崩離析。一些內部文件和高級幹部、高級知識份子才有權閱讀的內部書籍流散到民間。官方的宣傳和現實呈現出矛盾和困惑，促使一些有思想的青年開始了自發的讀書和探索。大規模知青上山下鄉運動後，邊遠的外地乃至鄉村也出現了探索國家和人類高端問題的閱讀群體。這都是文革前少有的現象。

劉少奇等人被打倒後，毛澤東戰略部署的重點由亂到治，辦報、結社的短暫自由，被中央斷然叫停了。但讓已經品嘗過大鳴大放大字報大辯論和結社、辦報自由的青年，重新成為馴服工具，並非易事。於是，官方用國家暴力，槍打出頭鳥，懲治異端思想的冒尖人物。中共召開九大以後，全國開展「一打三反」等政治運動，鎮壓思想異端是重點之一。一批表達過不同政治思想的人，鋃鐺入獄，不少人被判處死刑，釀成了一次文字獄的高峰。文革結束後獲得公開平反，載入史冊的只是其中的一小部分。

中共九大達成的權力平衡只維持了很短的時間。很快林彪和江青兩個集團發生了激烈衝突，毛澤東支持江青集團，最終導致1971年的「九一三事件」。載入黨章的接班人林彪葬身蒙古大漠，毛澤東的神聖光環在人們的心目中也不再完整。黨內外都出現了不滿文革的思想情緒。高層先後發生過周恩來倡導批極左，鄧小平推行全面整頓，力圖修復文革破壞的國家秩序。毛澤東不能容忍文革被否定，先後提出反潮流是馬克思主義的一個原則，發動批林批孔、評法批儒、學習無產階級專政理論、批判資產階級法權、批鄧反擊右傾翻案風，但愈來愈捉襟見肘，力不從心。在文革後期，質疑主流的各種思想已經在民間四處滋生，1976年「四五運動」達到高潮。

1976年9月9日，毛澤東去世，一個月以後，「四人幫」被捕。文革結束了，但文字獄沒有結束。新的當政者在1977年又一次以鎮壓反革命的名義鎮壓思想異議，在全國範圍內釀成新的文字獄。王申酉、武文俊、李九蓮、鍾海源、史雲峰等人就是這一波鎮壓中的思想殉難者。

時勢造英雄，亂世出思想。在1966到1976年文革期間出現的各種思想者，在年齡上以初生之犢不畏虎的青年居多。下面介紹幾個有代表性的個案。

二　文革中青年思想者個案評述

第一個個案是遇羅克。遇羅克生於1942年，代表作是1966年完成的〈出身論〉，當時他24歲。他在中國當代人權思想史上佔有特殊的地位。有人説他是中國的馬丁．路德．金(Martin Luther King, Jr.)。

1948年通過的聯合國《世界人權宣言》規定：人人生而自由，在尊嚴和權利上一律平等；不分種族、膚色、性別、語言、宗教、政治或其他見解、國籍或社會出身、財產、出生或其他身份等任何區別；並且不得因一人所屬的國家或領土的政治的、行政的或者國際的地位之不同而有所區別。1954年頒佈的《中華人民共和國憲法》也規定，中華人民共和國公民在法律上一律平等。但在毛澤東時代的中國，公民的地位實際上存在不平等。共產黨根據馬克思主義的階級鬥爭學説進行革命。毛澤東的早期著作〈中國社會各階級的分析〉把國人分為不同的階級，確定要依靠哪一部分人，團結哪一部分人，打擊哪一部分人。中國共產黨建政以後，經過土改、鎮反、肅反、反右等政治運動，已經製造出地、富、反、壞、右等大批階級敵人，剝奪了他們的公民權利。但在社會生活中，對於階級敵人的子女，也加以歧視，並且成為內部掌握的制度。數以千萬的青少年，因為他們的父輩或祖輩是地富反壞右，所以沒有資格和別人一樣去升學、參軍、就業和參加黨、團組織。遇羅克的父母本來是留學歸國、學有專長的人才，一個擅長工程技術，一個擅長企業管理；但均在1957年被打成右派，從此子女也淪為賤民。遇羅克功課拔尖，兩度參加高考都被拒於大學門外。官方當時公開宣傳有成份論，不唯成份論，重在本人政治表現。其實，表現再好，也沒有上大學的機會。

文革開始後，一批幹部子弟，自恃根紅苗正，是當然的革命接班人。以幹部子弟為主體，形成紅衛兵組織，他們提出一個對聯：「老子英雄兒好漢，老子反動兒混蛋」，橫披作「基本如此」，主張以出身劃線，「紅五類」——就是革命幹部、革命軍人、革命烈士、工人、貧下中農子女在文革中享有領導權、優先權。而地富反壞右和資本家子女，沒有參加革命的權利，甚至連人身安全都受到威脅。

在北京，圍繞對聯進行了大辯論。當時出現了三種觀點。第一種觀點認為對聯好得很，堅決主張「血統論」。第二種觀點認為對聯有片面性，還是主張有成份論，不唯成份論，重在本人的政治表現。第三種觀點根本不贊成因家庭出身造成的人權歧視，代表人物就是遇羅克。他提出：所有的青年都是平等的。任何通過個人努力所達不到的權力，我們一概不承認。遇羅克雖然借用了一些官方領導人的說法支持自己的立論，其實他真實的思想早已超越了官方的政策。他的想法和聯合國人權宣言是一致的。〈出身論〉在1966年7月完成初稿，9月定稿，11月修改後小規模油印散發。1967年1月，北京四中學生牟志京和遇羅克的弟弟遇羅文等一起創辦《中學文革報》，刊登了〈出身論〉，以後該報又連續發表遇羅克撰寫的多篇相關文章。遇羅克的思想不脛而走，傳遍全國，得到遭受歧視的社會弱勢群體的強烈共鳴。遇羅克不但寫文章，而且組織調查1966年8月北京郊區大興發生的大規模殺人案。

毛澤東在文革初期的主要目標是炮打劉少奇的資產階級司令部，而非整治社會上的階級敵人，所以陳伯達在1966年10月的中央工作會議上的講話中批評了宣揚「血統論」的對聯是「龍生龍，鳳生鳳，老鼠生兒打地洞」。這使遇羅克的思想一度有了不小的傳播空間，《中學文革報》辦了半年多，出了七期，在整個20世紀後半葉的中國新聞報刊史上，留下了特殊的一筆。

然而，主張人權平等的遇羅克和以階級鬥爭為綱的中共領導畢竟是南轅北轍。1967年，遇羅克就被中央文革小組的戚本禹點名批判。1968年1月，北京的專政機關逮捕了遇羅克。在審判過程中，〈出身論〉顯然是官方追究的重點。最後判刑卻不以〈出身論〉為由，而是給他安上了謀害偉大領袖毛主席的莫須有罪名。1970年3月5日，年僅27歲的遇羅克被判處死刑。決定出自高層。民間有出自毛澤東或出自周恩來的不同推測，因檔案至今未解密，目前沒有看到準確的證據。

整個文革期間，以家庭出身為依據的人權歧視政策變本加厲。直到毛澤東去世之後的數年，地富摘帽，右派改正，持續二十多年的家庭出身歧視政策才在中國大陸消失。

第二個個案是張木生。張木生於1948年，1964年在北京人民大學附中初中畢業，沒上高中，和同學陳曉農（陳伯達的兒子）一起到內蒙古臨河縣下鄉插隊。他到農村後親身體驗了人民公社的嚴酷現實。因為出身高級幹部兼高級知識份子家庭，他有機會在文革初期閱讀到大量有關中國高層政治和國際共運的公開發行和內部發行的圖書資料。他結合自己在農村的感受，在1968年秋寫成了數萬字的長文〈中國農民問題學習——關於中國農村體制問題的研究〉，表達了這樣一些觀點：

一、蘇聯斯大林的體制沒有解決好農村體制問題，在農業問題上是失敗的。包括中國在內的社會主義國家都存在類似的問題。蘇聯在斯大林時代建設了集體化、工業化和肅反擴大化三位一體的體制。要成為強國就必須搞重工業，搞重工業就要原始積累，就必須剝奪農民，搞集體化；遇到任何阻力都要粉碎，於是就有了肅反擴大化。他建立了一個強大的工業基礎，可蘇聯的糧食產量到了1950年代還趕不上1913年的水平。

要消滅城鄉差別，病根是積累問題，剝奪農民的問題。農民的一切都要統購統銷，統收統分，哪有價值規律？農民永遠低收入，低效益。蘇聯和中國都存在糧食產量低的嚴重問題，這是因為生產關係不適應生產力的狀況。

二、人民公社體制最初是毛主席定下來的，特點是「一大二公」，大是形式，公是內容。公是公社核算，事實證明行不通。後來就退到「三級所有，隊為基礎」。其實公社只是個鄉政府了。隊為基礎一下子又僵持了十多年，仍然沒有出路，生產力無法向前發展。中國農民留戀土改前後、合作化前後的生活。安徽實行「三自一包」的時候，出現過農村小繁榮。包產到戶證明了這一點，農民能夠增加產量。

三、1959年廬山會議本來是反左，後來反對了彭德懷等一批右傾機會主義份子。到1962年中央七千人大會上，又反左，實際上是承認了彭德懷的意見書。劉少奇的報告是彭德懷意見書的翻版。毛主席當時表示同意劉少奇的報告，到文化大革命又批判1962年的右傾，把劉少奇搞下台。黨在農村體制上的來回反覆，到底怎樣搞正確，毛主席也沒有最後解決。

張木生的文章先在京津等地的青年朋友中傳閱。1969年底，他在北京101中學生黃以平家中的「沙龍」裏講述了自己的觀點，北京中學紅代會的風雲人物任公偉和他激烈辯論。任公偉當時在內蒙另一個地方插隊，以油印小報的形式編輯了批判張木生的專刊，並向中央檢舉。據説張木生的觀點和檢舉信一起上了高層的內參，引起了周恩來、陳伯達的關注。周恩來批了一段話，意思是知識青年自己演講一些問題，不要簡單地當反革命對待。不知是否與他的父親當過周恩來的秘書有關，或者與陳伯達動員他與陳曉農一起插隊有關，張木生沒有立刻挨整。1972年到呼和浩特當工人後，還是被關了八個月；1973年入內蒙古大學哲學系讀書。他的觀點得到在京賦閒的胡耀邦的器重。改革開放後，張木生先到中國社科院，又到中央書記處農村研究室杜潤生麾下工作。現在是中國大陸主張「新民主主義」的代表性人物。

第三個個案是〈五七一工程紀要〉。記錄的是林立果和周宇馳、于新野、李偉信等人的「聯合艦隊」，於1971年3月21日秘商的政變主張。執筆人于新野是空軍的青年軍官，起草時間是1971年3月23到24日，因為只是一個草稿，文字極為簡略，只有結論，沒有説理過程。這個〈紀要〉本身是政治密謀的產物，無意公諸於世。但「九一三事件」後被發現，毛澤東決定當作林彪集團的罪證廣為傳播，使之成為文革中期青年思想的一個特殊文本。沒有證據證明林彪與這個文本有直接關係。所以〈紀要〉主要是林立果、周宇馳、于新野、李偉信等人的思想。

林立果生於1945年，文革時是北京大學物理系學生。因為其父林彪的特殊地位，他沒有在學校參加文革，1967年3月就直接到空軍入伍，兩年後就當上了空軍作戰部副部長。這樣的特殊經歷，只有毛遠新、李訥可比。1970年九屆二中全會以後，毛澤東與林彪的關係急遽惡化。毛澤東通過批陳（陳伯達等人）整風，令黃、吳、葉、李、邱（林彪手下「五員大將」黃永勝、吳法憲、葉群、李作鵬、邱會作）等人檢討路線錯誤，已經深深介入高層政治的林立果預感到大禍臨頭，於是鋌而走險，密謀政變。〈紀要〉就是這個背景下產生的。

〈紀要〉指出：我國社會主義制度正在受到嚴重威脅，筆桿子托派集團正在任意纂改、歪曲馬列主義，為他們私利服務。他們用假革命的詞藻代替馬列主義，用來欺騙和蒙蔽中國人民的思想。他們的革命對象實際是中國人民，而首當其衝的是軍隊和與他們持不同意見的人。他們的社會主義實質是社會法西斯主義。他們把中國的國家機器變成一種互相殘殺，互相傾軋的絞肉機式的。把黨內和國家政治生活變成封建專制獨裁式家長制生活。B-52（指毛澤東）「已成了當代的秦始皇」。他不是一個真正的馬列主義者，而是一個行孔孟之道，藉馬列主義之皮、執秦始皇之法的中國歷史上最大的封建暴君。他利用封建帝王的統治權術，不僅挑動幹部鬥幹部、群眾鬥群眾，而且挑動軍隊鬥軍隊、黨員鬥黨員，是中國武鬥的最大倡導者。他們製造矛盾，製造分裂，以達到他們分而治之、各個擊破，鞏固維持他們的統治地位的目的。他知道同時向所有人進攻，那就等於自取滅亡，所以他今天拉那個打這個，明天拉這個打那個；每個時期都拉一股力量，打另一股力量。今天甜言蜜語那些拉的人，明天就加以莫須有的罪名置於死地；今天是他的座上賓，明天就成了他階下囚；從幾十年的歷史看，究竟有哪一個人開始被他捧起來的人，後來不曾被判處政治上死刑？有哪一股政治力量能與他共事始終。他過去的秘書，自殺的自殺、關押的關押，他為數不多的親密戰友和身邊親信也被他送進大牢，甚至連他的親生兒子也被他逼瘋。他是一個懷疑狂、虐待狂，他的整人哲學是一不做、二不休。他每整一個人都要把這個人置於死地而方休，一旦得罪就得罪到底、而且把全部壞事嫁禍於別人。戳穿了說，在他手下一個個像走馬燈式垮台的人物，其實都是他的替罪羊。

〈紀要〉還說：獨裁者愈來愈不得人心，統治集團內部很不穩定，爭權奪利、勾心鬥角、幾乎白熱化。軍隊受壓，軍心不穩，高級中上層幹部不服、不滿，並且握有兵權，一小撮秀才，仗勢橫行霸道，四面樹敵，頭腦發脹，對自己估計過高。黨內長期鬥爭和文化大革命中被排斥和打擊的高級幹部敢怒不敢言。農民生活缺吃少穿。青年知識份子上山下鄉，等於變相勞改。紅衛兵初期受騙被利用，充當炮灰，後期被壓制變成了替罪羔羊。機關幹部被精簡，上「五七幹校」等於變相失業。工人(特別是青年工人)工資凍結，等於變相受剝削。他們所謂打擊一小撮保護不過是每次集中火力打擊一派，各個擊破。

毛澤東決定公佈〈紀要〉，讓全黨全民批判，實際效果一是引起了廣大群眾的震驚，人們想不到在公開場合高調讚美毛澤東的林彪一家，實際上對毛澤東懷有如此敵意；二是〈紀要〉對現實的尖銳批判，引起了許多人內心的共鳴。直到1990年代，李慎之還説，現在對文革的否定，沒有超出〈紀要〉的水平。

林立果等人提出這些驚人觀點，有其特殊的原因。如果說張木生因為出身高級幹部家庭，使得他可能對事關體制的大問題作獨立思考，那麼林立果的父親就不是一般的高幹，而是處於權力頂端的副統帥了。他在家裏就可以直接感受國家政治中樞的脈搏。老百姓不了解的國際國內動向他都盡在掌握中。特殊的權力同時意味着特殊的風險。權力中樞的凶險，是他作出鋌而走險的政變計劃原因。

第四個個案是李一哲。「李一哲」是李正天、陳一陽、王希哲和郭鴻志四人的聯合署名。他們在1973年完成了兩萬多字的長文〈關於社會主義民主與法制〉，1974年11月以大字報形式在廣州公佈。李正天當時31歲，王希哲當時25歲，陳一陽當時26歲，郭鴻志在中華人民共和國成立前參加革命，當時已經40多歲。他們四人在文革初期都參加過廣州的造反派組織「紅旗」，後來都挨過整，李正天、郭鴻志還坐過牢。

「李一哲大字報」驚動了北京。從1975年1月到1976年1月，官方組織了一百多場批判會。當時省委第一書記是趙紫陽。他指示允許被批判者講話，給凳子坐，給麥克風。官方編印的批判資料將原文附上下發，使得李一哲文章成為文革後期傳播最廣影響最大的民間思想文獻。1975年7月，廣東省委將李一哲文章定性為反動大字報，四位作者分別送礦山、農場、幹校監督勞動。韋國清接替趙紫陽擔任廣東省委第一書記後，對李一哲案加重處理，1977年3月定性為反革命集團，逮捕入獄，株連上百人。直到1978年12月由習仲勛主持平反。

〈關於社會主義民主與法制〉的主要執筆人是王希哲和李正天。文章提出，要消除專制的危險和傳統，就必須實行民主和法制。民主的訴求，一是人民對國家和社會的管理權，對國家領導人的監督權，二是群眾的思想和言論權利，在人民內部，應當允許反對意見和反對派公開存在。民主在中國的官方宣傳中一直在場，文革就被稱為無產階級大民主。但法制卻在官方意識形態中消失多年了。1956年蘇聯批判斯大林時，提出過他對法制的破壞。1957年鳴放時，王造時、陳體強等民主人士提出過法制或法治的問題，被打成右派。董必武主張法制在高層也受到批評。以後提倡法制就成了忌諱。李一哲提出的社會主義法制，意在法律真正表現人民的意志，保障人民的權利，反對當權者依仗權力，隨心所欲地壓迫群眾。文章把禮制作為法制的對立面，批評的是誰反對毛主席就打倒誰的個人崇拜邏輯。這在當時具有超前性。直到1979年，社會主義民主和法制的問題才重新提出。到1990年代，法學界繼續深化，將政治改革訴求從法制深化為法治，更鮮明地與人治相對立。

李一哲文章提出反對特權，反對極左，主張務實的經濟政策，主張按勞分配，解放幹部，平反冤假錯案，都切中社會各界的訴求，順應了民心。所以當時廣東省委宣傳部以宣集文的名義和李一哲公開辯論，始終不佔上風，成為專政體制下少有的政治景觀。

第五個個案是「張趙集團」。「張趙集團」是一個山西的自發組織，主要成員是太原化肥廠的幾名幹部和工人。為首的張珉，1944年生，太原重型機械學院畢業，該廠機械員；趙鳳岐，1945年生，該廠武裝部副部長；張耀明，1948年生，該廠青年突擊隊隊長；羅建中，1950年生，該廠工人。此外，還有太原變壓器廠汽車隊工人常理正、山西省水利廳副廳長李兆田、山西醫學院第一附屬醫院副院長平崇義、山西省運輸公司工人魏潤福等。他們在文革初都參加了一派組織「紅聯站」。「紅聯站」解散後，他們由議論時政而產生結社的想法，聽羅建中說能認識葉劍英的秘書，並傳來一些手抄文件，於是想在傳說中的周恩來、葉劍英、鄧小平為代表的「中央二委」領導下，反對江青、姚文元、張春橋、康生、陳永貴。1974年6月上旬，他們在太原純陽宮召開了成立支部的會議。由張耀明寫成了〈論現狀〉，表達這個群體的政治見解。後來，他們老見不着「中央二委」來人，信心有點動搖。張珉説，即便沒有「中央二委」，我們也要繼續幹，因為我們堅持的是真理。他們的活動不久便被公安部門掌握了蛛絲馬跡，上報後驚動了中央政治局。江青批示：「這是一個很厲害的反革命集團。」周恩來也批示：「如屬實，可查。」王洪文、華國鋒亦有批示。在陳永貴支持下出任山西省委第一書記的王謙，要求公安部門嚴查。1975年4月22日，張珉、趙鳳歧、張耀明、羅建中等同時被捕，關進了看守所。粉碎「四人幫」之後，「張趙集團」的處境更加險惡。山西省委把「張趙集團」列為清查「四人幫」的重點對象，牽連了兩千多人，打成集團成員的有三百多人。1977年11月19日，由山西省高級人民法院以反革命罪判決張珉、趙鳳歧、羅建中死刑，張耀明無期徒刑，多人判處有期徒刑。當時，王謙指示該案件由太原市中級人民法院進行一審，山西省高級人民法院進行二審，意在省內執行判處張、趙死刑的程序。但是，省高院負責人提出這樣重大的案件，應該由省高院一審，最高人民法院終審。案件送到最高人民法院。最高人民法院組成合議庭，進行了全面審核。院長江華於1979年1月23日致電王謙：「山西省高級人民法院把他們以現行反革命集團判罪是錯誤的，應該撤銷原判，宣告張珉等十二人無罪。」胡耀邦直接過問此案，他在最高人民法院的平反材料上批示，要求在春節前釋放張、趙等人。「張趙集團」趕上了胡耀邦大規模平反冤假錯案，在鬼門關前緊急煞掣，得以生還。

張耀明起草的〈論現狀〉全文13,000字，是一個有系統的文本，表達了如下觀點：

一、黨的九大以來，執行了一條違背馬列主義基本觀點，脱離中國革命實際情況的極左路線，左傾機會主義路線是目前現狀的總根源。

二、這條路線錯誤的提出以階級鬥爭代替一切的理論。我們的階級鬥爭理論本身就是錯誤的。如以階級鬥爭為綱，用抓階級鬥爭，推動生產力發展等等大話皆屬其例。

三、這條路線對待黨的歷史事件、歷史人物的功過是非，採取實用主義態度，同一件事情昨是而今非，今天肯定一切，不許別人説半個不字，明天否認一切，罵得一錢不值，好事也是別有用心所為。

四、經濟政策上的弊政，脱離開農民每天最迫切的肚子問題，去批判資本主義、修正主義，説穿了是哄鬼。有意置人民死活而不顧，唯恐天下享太平。

五、知識份子問題，我們是在消滅知識和科學的基地，完全壓抑了知識份子發揮自己長處建設社會主義的積極性，有意用愚昧改造知識。

文章還就幹部問題、路線鬥爭問題、文藝問題表達了不同的政治見解。

李一哲群體和「張趙集團」互不相識，各自形成文章時並無交流，但他們許多想法是相通的。他們文革初期都是相當活躍的造反派成員。經歷了從滿懷希望，積極參與文革，到懷疑失望，勇敢反思的心路歷程。這兩個群體的出現，當時不是孤立的現象。到文革後期，批判極左路線，進而懷疑和否定毛澤東堅持的文化大革命的思潮，已經在民間此起彼伏地萌發、蔓延。1976年的「四五運動」，則是這種思潮大規模公開表達，形成大規模群眾性的廣場政治行動。

文革中的青年思想者還有很多個案。限於篇幅，我只選擇了代表性較強的五例。他們的思想當時就在一定範圍傳播，產生過較大的社會影響。除此之外，還有很多值得研究的民間思想文本。一些青年以書信、日記、筆記、詩詞等方式，記錄和表達思想。有的文本在文革結束後獲得了出版機會，進入了公共領域，成為史家研究的對象，使他們成為思想史上的倖存者。更多的仍然為個人所收藏，或者至今封存在政法機構的檔案庫裏，他們仍然是思想史上的失蹤者。

文革中的民間思想文本，都帶着特定時代的歷史印記。當時青年人可資利用的思想資源，大部分來自馬、恩、列、斯、毛等主流意識形態，表達方式也很難完全擺脱主流宣傳話語，和互聯網時代的信息環境完全不可相比。但一些思想者追求真理的精神，卻更加不計利害，無私無畏，成為值得後人珍視的精神遺產。

研究文革年代的民間思想，已經成為文革研究的重要分支，在這方面，宋永毅的〈文化大革命中的異端思潮〉、印紅標的《失蹤者的足跡——文化大革命期間的青年思潮》、楊健的《文化大革命中的地下文學》是影響較大的研究專著。余習廣主編的《位卑未敢忘憂國——「文化大革命」上書集》，為這個領域奠定了最早的資料基礎。錢理群研究文革民間思想的專著已經完成，行將問世。單篇的研究文章和對這個問題有所涉及的著述難以數計。朋友和我也曾共同編輯過有關顧準、遇羅克、王申酉的書籍。預計今後，這個領域還將引起人們的關注和探索。

評價文革四種敘事

秦　暉

這幾十年來，對文革有四種敘事模式，分別從肯定體制與否定體制的立場出發，對文革有批判和讚揚兩種態度。

一　「毛左」對文革的肯定

第一種敘事從擁護體制的角度肯定文革，即所謂「毛左」的立場。西方學術界在文革期間不乏活躍的左派，一直肯定文革，中國改革開放以後，大量揭露了文革黑暗面。他們一度失落，沉默了一段時間，十多年後，改革時期的弊病，比如工人下崗等等出現後，他們的話語權又開始恢復。在中國改革時期，肯定文革的所謂「毛派」最初在很大程度是從海外傳來。網絡初興時，加拿大華人李憲源是代表人物，他們認為文革是毛主席繼續革命的偉大創舉，為了人民群眾的利益，剷除走資本主義道路的當權派，保證紅色江山不被修正主義改變顏色。簡而言之，文革是毛主席為了老百姓而反官僚。老百姓不滿意官僚，毛主席也不滿意，於是毛主席就支持老百姓造反，可惜失敗了。

持這種觀點的人對鄧小平的改革持否定態度，有人稱為「反鄧思毛」，有些人直接罵鄧小平復辟資本主義。哈佛大學對面有間「美國革命共產黨」辦的「革命書店」，這個黨的領導人阿瓦基安(Bob Avakian)

文革時在中國留學過，是一位極左派。書店裏的書總的調子是，中國在1949至1977年是社會主義時代，1977年以後資本主義復辟，以鄧小平為首的「走資派」把中國的社會主義斷送了。這種觀點前在1990年代的國內基本上沒有，現在國內也愈來愈盛，尤其一些對現實不滿，對過去不了解的青年人中，形成第一種文革敘事。

二　鄧小平、陳雲主導的否定文革

第二種觀點同樣維護體制，但對文革非常反感，不過表現程度有區別。最典型的是陳雲式的否定，把文革當做一場幾乎斷送了共產黨事業的魯莽舉動來反對，將當權派在文革期間受到的衝擊説成是文革主要內容，站在當權派的立場上否定文革。官僚們在文革期間吃了苦頭，耿耿於懷；對文革的否定，主要否定所謂「造反派」，認為老百姓批鬥當官的，是國家最大的災難。這一觀點在肯定十七年(1949–1966)體制的基礎上否定文革。在鄧小平、江澤民時代，這是主流觀點、官方觀點。當時中國的傳媒尚未對民間開發，網絡也未出現，這種觀點很容易就統領了當時對文革的批判，影響了人們對文革的認識。同時，文革十年翻雲覆雨幾乎害苦了從頂層到基層、從「走資派」到「造反派」的所有人，在1978年前後「走出文革」的共識淹沒了許多分歧，人們也沒有太計較這種官式「否定」存在的問題。

但這個籠統的概念之下還是有不同見解。國家領導層中很多人，包括鄧小平，在思想上從否定文革也部分地延伸到反思十七年。人最可貴的一種品質是將心比心，你抱怨挨整了，你就要想到你當初是怎麼整別人的。有些人自己挨整了叫屈，但是整別人他一點都不含糊。他知道為自己叫冤，卻從來不反思當初怎麼迫害別人。而趙紫陽、胡耀邦，包括鄧小平的可貴之處，在於從文革時自己被整，也想到了文革前歷次運動怎麼整人，所以給右派「改正」，給彭德懷平反，通過反思文革，深化到反思十七年。

但那時高層的共識是紅旗不能倒，仍然強調十七年是對的，而文革是錯的，錯就錯在它破壞了十七年的體制。這種觀點迴避了十七年的社會矛盾，把文革的主要原因歸結為毛個人的浪漫，説毛主席過於理想主義，想入非非，有一種詩人氣質，老是想要搞最好的東西。他本來功勞蓋世，只是晚年發生病態的多疑，誤解他的戰友，而當時很多壞人——從林彪、「四人幫」直到社會上的所謂「造反派」據説是利用了毛澤東的多疑，結果就造成這麼一場大亂。他們是圍繞當權派在文革中的受難來進行反思的。前面講的「毛左」，認為文革就是毛主席支持老百姓整官僚，持第二種觀點者也認為文革是老百姓整官僚，只是評價相反，前一種人認為整對了，而他們認為是大錯。兩者在事實判斷上差不多，但在價值判斷上截然相反。

於是這些年最大的兩種聲音就是：要麼是「毛派」的聲音，要麼是所謂「鄧派」的聲音；「毛派」説文革好就好在老百姓反對官僚，「鄧派」説文革壞就壞在老百姓反官僚。很多人故而把「文革就是老百姓反官僚」當成了不容置疑的一個事實。

文革中當然有這回事。但文革只有這回事嗎？文革主要就是這麼回事嗎？文革沒有相反的、另外的事嗎？這些事不值一提嗎？這是關鍵的問題。許多模糊的觀念需要澄清。

三　「造反」不等於「造反派」

文革結束後清算及懲治作惡者的運動稱為「清理三種人」:「追隨林彪、江青反革命集團造反起家的人，幫派思想嚴重的人，打、砸、搶份子」，上至毛主席身邊的「四人幫」，下至層層眾多所謂「造反派」，都包含在內。可是一追究下來就發現，文革期間，尤其是文革初期帶頭做壞事的，其實不是所謂的「造反派」，而往往是所謂老紅衛兵，這些人主要是「根正苗紅」的高幹子弟。他們帶頭「造反」，並不是對當權派造反，而是對社會上自1949年以來被打成另類的社會底層的一場殘酷的迫害。這些人被貼上「黑五類」、「狗崽子」、「牛鬼蛇神」、「反動學術權威」等各種標籤，淪為精神和身體被折磨的對象。老紅衛兵暴力行動正當化、革命化，稱為「破四舊」，非常血腥，滿街抄家，隨意打殺，打死不少人。北京的「紅八月」，北師大女附中打死校長卞仲耘慘案，郊區大興縣的滅絕「四類份子」，都是這個時期的事。

在1966年10月以後，文革才發展到整當權派，實際上就是整到毛主席的紅衛兵們的爹媽頭上了，於是這些人就成了當時所謂的「保爹保媽派」，或者叫「保皇派」，站到了造反派的對立面。改革開放以後對文革的清查運動，有人強烈要求清查他們，到了陳雲那裏被制止了。1984年，當初一個老紅衛兵給中央寫信，說現在有人想藉清算造反派把火引到我們紅二代的身上。陳雲下達批示，說「孔丹同志的意見是對的，有關部門應當研究，這些紅衛兵不屬『三種人』，其中好的還應該是第三梯隊選拔的對象。清理『三種人』是一場政治鬥爭，要防止有人將水攪渾」。

「將水攪渾」就是說清算文革不能清算八旗子弟做的壞事，他們是我們的人。當時陳雲還有一句講得更透，大意說：我們的後代再怎麼樣，也不會挖我們的祖墳，江山是要傳給後代的，不能動我們自己人，表示能動的就是平頭百姓。自1984年後，文革糾錯時只將老百姓中和官僚產生衝突的那些人劃定為「造反派」，而放過了高幹子女為主的老紅衛兵和所謂「老保」。文革結束後清理「三種人」，而作惡多端的這批老紅衛兵則不在內。文革中很多惡性案件從此不了了之，包括廣受重視的卞仲耘的慘案。

眾所周知，當時打死校長的人不是後來的造反派，是那時在學校掌權那些紅二代及其追隨者。文革初高幹子弟對學校領導的衝擊，和後來百姓們對黨政部門的衝擊很不一樣。文革期間最早的紅衛兵運動是在高幹子弟雲集的學校發生的，像北京的101中學、清華附中、師大女附中、北京四中等。這些學校也是中國當時辦得最好的學校，國家領導人把自己的孩子送到這些學校。他們的行為在文革時全國蔓延後，被普遍效學，成為文革中批鬥和折磨人的模式。

造反派興起的時候，以高幹子弟為主的老紅衛兵確實沉寂了幾年，後來就被算作反對文革。改革初期，「否定文革」的話語權主要在他們爹媽手裏，現在已經逐漸轉移到他們自己手裏。這種「否定」的一個特徵，就是把老百姓整當官描繪成文革的唯一圖景。文革中最突出的受害者就是當權派，最突出的壞人就是所謂的「造反派」。這樣「反思文革」得出的教訓是老百姓不能挑戰當權派，於是就要進一步強化社會控制。文革也被他們看作「民主」，證明了中國實行民主會天下大亂。

文革中曾經提倡「大鳴、大放、大字報、大辯論」，好像曾經有過言論自由，這個表面現象和言論自由並不相關。毛澤東想讓大家整當權派，有段時間可以貼當權派的大字報，只是貼毛澤東希望打倒的那些人的大字報。當時誰敢貼中央文革的大字報？貼「無產階級司令部的人」的大字報？儘管他們有許多胡作非為的事，但誰敢寫大字報批評他們（更不用說批評指揮他們的毛主席），誰就大禍臨頭，乃至家破人亡。因為不小心打碎毛主席石膏像之類去坐牢的事，司空見慣，遑論公開批評。但1980年代否定文革的時候，卻說讓老百姓隨便貼大字報是不行的，把「大鳴、大放、大字報、大辯論」給取消了，同時又把中國以前憲法中規定的很多公民的權利（儘管從來沒有當真），包括遊行、示威、罷工等等權利都給否定了。這都以徹底否定文革為依據。

到1990年代又出現一個變化，這些人從文革時老百姓對當權派的衝擊，聯想到1989年中國發生的事，提出對權力合法性另外的解釋。以前的意識形態說，我們是代表人民的，要為人民服務，此時換了主體。明確地說，執政者應該清楚地知道執政者的利益和老百姓是不一樣的，要有一種「執政者的自覺」，讓老百姓服從我們，而不是我們去服從老百姓。這就是當時傳說的「太子黨綱領」。這樣一種充滿既得利益色彩的主張也是打着反省文革的旗號，也正因為這樣的「否定文革」而強化了「毛左」對文革的肯定，似乎文革真的就是一場「民眾狂歡日、權貴受難時」，具有平等主義的玫瑰色彩。

四 社會上兩種非主流的聲音

肯定文革不行，否則老百姓又要起來反官僚；而「否定」也愈來愈不好說了，老百姓聽了基於權貴立場的「否定」，也會有其他聯想，於是對文革避而不談就成為選項。迴避不能令問題消失，還是有人談論文革，主要有兩種聲音。

一是反體制者對文革的肯定。1990年代，這種觀點在海外興起，始於國外一些由當年的造反派演變為現代民主派的人士中，最有名的是華人經濟學界曾被認為最可能得到諾貝爾獎、可惜英年早逝的學者楊小凱。楊小凱在文革期間的名字叫楊曦光，曾經是湖南造反派最激進的一名筆桿子，寫過一篇〈中國向何處去？〉，因此坐了多年的牢。他當年是造反派，後來成了民主派。他認為文革時期的造反派是中國特色的持不同政見運動，也是中國當代民主運動的先驅。他肯定文革，尤其肯定文革中的造反派運動。類似的還有劉國凱，他當年是廣東造反派骨幹，廣東旗派的活動家，後來也到了海外，也成為民主派，他力圖把文革期間造反派的那些活動和現在的民主派掛起鉤來，提出一個觀念，叫做「兩種文革論」，他認為現在講的文革掩蓋了兩種不同的內容：一種叫做「毛澤東式的文革」，就是毛澤東弄權術清除他的政敵，像劉少奇這些人，這種文革是不好的；但他說文革的主流是另外一種，並稱之為「人民文革」。因為人民對文革前十七年的官僚體制本身就積累了很多不滿，平時沒有辦法，毛澤東這個時候開了這麼一個口子，於是這些人就順勢而起，鬧起來了。

楊小凱和劉國凱的意思相同，即當時老百姓造反，主要不是響應毛主席的號召，而是他們對現實官僚體制的不滿，應該肯定。因此他們對文革中的造反派持全面的肯定態度。當然，如果只是在社會學意義上指出當時同情「造反」的潮流中確實有官民矛盾的成份，那是對的。但他們不僅在社會學意義上，把造反派視為被壓迫者的反抗而給予同情，而且也是在認識論的意義上，認為當年造反派的主張是自由民主意識在當時的先驅。

這些人，尤其是楊小凱，在文革期間寫過一些「異端」文章，其思想和後來他們作為民主制度倡導者如果有某種連續性，關鍵還是後來他在獄中接觸到一些有水平的「牛鬼蛇神」，受到啟發。從他的回憶錄中看得出，如果沒有坐牢時期思想的昇華，他不可能產生後來的認識。反而，如果作為造反派的他得勢了，他當初的思想發展下去，也是反民主的。

從當年造反派變成今天民主派的人的確有，甚至還不少，其心路歷程的關鍵還是本人受害經歷的體驗以及後來閱讀經歷(後者更重要，很多造反派受害後沒有從閱讀中獲取知識，更可能變成今天的「毛左」而不是民主派)。楊小凱當年寫的〈中國向何處去？〉中，看不到民主思想的萌芽。他們如今對現存體制是持否定態度的，但同時肯定文革(至少肯定造反派)，這就是所謂的反體制肯定派。

五　認為文革是體制的惡果

還有另一批人是反體制否定派。所謂反體制，不表示要採取激進的反對派姿態，而是認為這個體制有根本性的毛病，需要改變。他們中絕大多數主張漸進的、和平的、有序的變化。這些人對文革持強烈的否定態度，這第四種看法可看做反體制否定。這種觀點1980年代在國內的自由知識份子和黨內民主派老幹部中甚為流行。《炎黃春秋》雜誌上不少文章對文革起因及文革浩劫的判斷也基於對毛時代體制的批判。這些文字否定毛和十七年體制，當時似乎有成為主流的可能。它與1980年代維護體制的文革否定論者有許多交錯及共同點，並非截然不同。

造反派一度贏得社會的廣泛同情、掀起那麼大聲勢，在毛澤東卸磨殺驢鎮壓造反時在許多地方遇到很大阻力，表明「借旨造反」確實是那時的一個重要社會現象，僅用「奉旨造反」不足以解釋那時的造反風潮。但社會上對造反派的同情和造反派本身，尤其主流造反派領袖的想法並不是一回事。在當時情況下，能夠得勢的造反派頭頭，還是以「奉旨造反」為圭臬，與社會上的同情者保持距離、劃清界限，乃至為避嫌去排斥政治上「有問題」的人，名曰「純潔造反派隊伍」。

當時即便「借旨造反」，哪怕受到了不公平的對待反官僚是值得同情，但也不表示這是源於現代性的自由民主思想。古代歷朝的百姓造反，都有官逼民反的因素，但不能説宋江、晁蓋這些人就是民主派。民眾造反動機有爭議，毛澤東發動文革的動機爭議更大。他到底是基於權力鬥爭需要還是意識形態？毛澤東真的那麼理想主義，認為現實的體制有很多缺陷，打算通過鼓勵造反來建立一個排除官僚主義的體制嗎？簡單明瞭的論證往往是説毛當時威望如日中天，要清理政敵完全可以用斯大林式手段，用不着冒險發動民眾衝擊自己建立的黨政機器。但過往黨的歷史證明，毛多次利用個人威望和高超手段，將得到多數支持的反對者打下去。廬山會議便是一例。關鍵在於：毛澤東當時想整肅的僅僅是高層的幾個政敵嗎？毛就沒有利用官僚整過老百姓？毛真的相信對他過往政策——尤其是1958至1961年「人禍」中的政策——不滿的僅僅是劉少奇等幾個人，百姓就沒有不滿？如果他要對付從上到下的不滿者，同時還想恢復、加強自己的「大救星」地位，他不會有讓上下互鬥的動機嗎？他熟讀的傳統「法術勢」謀略中沒有這些東西？

把文革中的群眾運動與斯大林式警察手段分離乃至對立起來不能成立。文革中有群眾運動，也有斯大林式的警察手段。文革認識中有個相當嚴重的誤區，即把「民眾整官僚」當成文革的主要圖景，甚至説成是唯一圖景。另外一個違背事實的説法是，整了官僚的民眾只是在文革後或毛死後、鄧時期才收到懲治。當年參與文革的許多造反派書寫回憶錄記錄了他們的經歷，讀任何一本就能了解這個簡單的事實。文革在不同的省份、城市，乃至縣、鄉都鬧得轟轟烈烈，至今只有少數的文革研究和回憶錄梳理了文革的過程。而且他們的書幾乎只能在境外出版，所以真相被淹沒了。

無怪乎文革結束四十年後，沒經過那個年月，也無從了解真相的中青年會對文革產生浪漫的想像。在改革取得巨大成就但也產生嚴重積弊、官僚腐敗和官民矛盾更甚於文革前的情況下，他們對「毛澤東鼓動民眾整官僚」滋生嚮往之情，還會因「鄧式否定」對「毛澤東鼓動民眾整官僚」的指責而對鄧不滿，否定改革開放。

六　文革真相

這四種觀點南轅北轍，但都承認文革期間中國出現了嚴重的社會動盪，很多地方發生大規模武鬥，動用真刀真槍，甚至發展為內戰。我的家鄉廣西，僅僅在1968年7到8月兩個月間發生一場大鎮壓，導致了將近十萬人的死亡，說是流血成河不為誇張。因為相信毛主席的號召，大家起來造反，只不過有些觀點不同，就至於鬧成這個樣子嗎？這背後的矛盾到底是甚麼？宋永毅先生在本書內有專門一章講述慘劇的前因後果，詳細論述了鬥爭的雙方，所謂「保皇派」和「造反派」都是被蒙蔽與利用的群眾。他們在成長過程中被洗腦，導致愚忠與殘忍。而在1949年後人為劃分的階級，通過教育灌輸的階級仇恨，使許多人做出滅絕人性的行為。

在1980年代的改革中，鄧小平和陳雲代表兩個不同的方向，鄧小平主張走市場經濟道路，陳雲雖然也批評毛、批評「凡是派」，但主張蘇聯式計劃經濟，批評毛只是因為反對毛用「大轟大嗡」搞亂了計劃。1989年後到1992年，中國曾有一度舉棋不定，甚至出現一些駭人聽聞的說法，譬如要把個體戶整得傾家蕩產。1992年，鄧小平南巡時提出來要搞市場經濟，把局面又扳過來了。1992年以後，陳雲的經濟觀點失去了市場。但恰恰在這個時候(也因為1980年代末發生的事件)，他的政治觀點，尤其是關於文革的看法，延續至今。在高幹子弟，當年的保皇派紅衛兵大量從政的背景下，形成某種政治氣候。

這樣一來，文革十年最重要的一個事實，即文革中最殘忍的一頁到底是甚麼，被遮蔽了。可以肯定，「造反派」整「走資派」有很多不人道、殘忍的甚至是罪惡的現象，但是文革中最殘酷，貫穿整個文革期間的，不是「造反派」鬥「走資派」，而是對文革前「賤民」群體、包括對造反派的殘酷鎮壓和屠殺。1968年7月3日，毛澤東親自批示〈七三佈告〉，發起了廣西出動軍隊來鎮壓造反派的那樣一個行動。在〈七三佈告〉公佈的前後兩個月內，按照後來「處理文革遺留問題」時公佈的「不完全統計」，有名有姓有死亡記錄，最後拿到撫恤的就有近8.5萬人。廣西有二十多個縣不僅大肆殺人，而且發生駭人聽聞的吃人現象。90%以上的死亡不是在群眾性「造反」的無政府狀態下，而是在成立了革委會以後，在有秩序的條件下，由當時的當權者從上而下有領導地進行的。

就全國而言，亂民整官僚、「造反派」整「走資派」在1966年10月到1967年8月可算為政治迫害的主流，但絕對不能説從1966到1976年，整個文革十年都是如此。黨內官僚整老百姓，包括當權派整造反派，遠比民眾整當權派來得殘酷。前面提到，過去官方的否定文革和如今「毛左」的肯定文革，都把毛澤東支持百姓反官僚當做文革的主要圖景，這種説法完全偏離事實。百姓才是文革悲劇真正的主角，百姓中以前十七年被打為賤民的地主、富農、反革命、壞份子、右派為主，也包含了造反派。一些造反派在得勢的時候的確野蠻，他們後來成為野蠻鎮壓的受害者。當局鼓動群眾暴力和「群眾專政」，的確是文革的特點。死於群眾暴力的主要也是賤民與反對派群眾，而非「走資派」。

在文革初期造反派得勢的幾個月內，很多「走資派」確實吃過群眾暴力的苦頭。除了被高幹子弟為主的紅衛兵打死的學校領導外，當權派遭受的群眾暴力主要是戴高帽、遊鬥中的推推搡搡，甚至拳打腳踢。如煤炭部長張霖之在批鬥中被打死的惡性案例並不多(該事件曾經由文革領導者直接介入，並不完全是「造反派群眾」自發幹的)。其實中國幾千年「百姓怕官」的傳統根深蒂固，若非直接奉有置之死地之旨，一般「奉旨造反」、「借旨造反」的「刁民」對落難「大人」施暴通常都有點分寸，但是「革命群眾」打死「四類份子」、「老保」民兵（文革時期維持運作的民兵，特別是其中最野蠻的農村民兵基本由「保皇派」把持）非武鬥狀態下屠殺「造反」者的事則成千上萬地發生，甚至伴隨着酷刑、輪姦、滿門抄斬、活剮被吃等慘絕人寰的獸行。

總的來講，造反派整當權派遠不如當權派整造反派殘酷。這當然不是忽視當權派或當時所謂的「走資派」的悲劇。很多「走資派」在文革期間確實長期受難，被下放到工廠勞動（例如鄧小平），甚至長期坐牢，家破人亡的也不少，很多人直到改革初期胡耀邦平反冤假錯案時才被解放。但是，他們受「造反派」迫害的時間短暫，受體制內常規迫害則長達數年乃至十餘年。換言之，他們的受難在絕大多數情況下與「造反派」無關。如文革初黨內最早揪出來的四名「反黨份子」，四位當時的大人物「彭（真）、陸（定一）、羅（瑞卿）、楊（尚昆）」早在1966年5月就被捕，羅瑞卿在1966年6月就跳樓自殺未死，這都發生在造反派出現之前。王光美是被造反派迫害的典型，清華大學造反派頭頭蒯大富（實際也是奉旨）組織群眾大會批鬥她的事眾所周知。但蒯大富自己1970年就被捕了，王光美卻一直被關押到1978年底。在長達八年多時間裏，她這個「走資派」與蒯大富這個「造反派」同時坐牢。這時迫害她的是毛當局，而不是甚麼「造反派」。這一基本事實，常常被遺忘，甚至被文革研究者忽略。況且造反派主要也是奉旨造反，即便迫害出自他們，他們當然也要相應承擔責任，但主要的賬還是應該算在下旨者頭上。

只需要了解文革的過程，不難看出以上四種文革敘事中，只有第四種比較接近事實。但即使這種敘事，仍存在着很多缺憾。官僚整百姓、當權派整造反派，在今天可看到的文革敘事及研究中，都被有意無意忽視。檢討文革產生根源，避免文革或者類似文革的亂局和暴行發生，豈能迴避中國土地上一場長達十年的浩劫？

作者簡介

熊景明，香港中文大學中國研究服務中心「民間歷史」項目負責人。1988至2007年任該中心助理主任。著有《家在雲之南：憶雙親，記往事》(北京：人民文學出版社，2010) 以及多篇人物記述及書評，編著《進入21世紀的中國農村》(北京：光明日報出版社，2000)；《中外名學者論21世紀初的中國》(香港：中文大學出版社，2009)；與徐曉合編《史家高華》(香港：中文大學出版社，2012)。曾獲美國Scone Foundation歷史檔案專業年度人物獎 (Archivist of the Year, 2017)。

徐友漁，著名文革研究學者。現任美國紐約新學院大學駐校學者，曾任中國社會科學院哲學研究所研究員，參與編輯《中國大百科全書·哲學卷》(北京：中國大百科全書出版社，1992)。主要著作有《「哥白尼式」的革命——哲學中的語言轉向》(上海：三聯書店，1994)；《精神生成語言》(成都：四川人民出版社，1997)；《形形色色的造反——紅衛兵精神素質的形成及演變》(香港：中文大學出版社，1999)；《自由的言說：徐友漁文選》(長春：長春出版社，1999)；《重讀自由主義及其他》(開封：河南大學出版社，2008)。

丁抒，中國當代歷史研究者，美國諾曼岱爾社區學院物理學教授。1962年進入清華大學，1968年於安徽丹陽湖軍墾農場務農。1970年任職遼寧某研究所，1979年進入中國科學院研究生院，1986年獲紐約市立大學物理學博士學位。著有《人禍：「大躍進」與大饑荒》(香港：九十年代雜誌社，1991；修訂版，1996)；《陽謀：「反右」前後》(香港：開放雜誌社，1991)；《陽謀：反右派運動始末》(香港：開放雜誌社，2006)，並發表多篇文章。1996年至今，參與編撰中國當代政治運動史四種大型數據庫(美國：哈佛大學費正清中國研究中心；香港：香港中文大學中國研究服務中心，2002–2015)。

林達，居美作家。主要著作包括「近距離看美國」系列：《歷史深處的憂慮》;《總統是靠不住的》;《我也有一個夢想》;《如彗星劃過夜空》，以及專著《帶一本書去巴黎》;《西班牙旅行筆記》，文集《歷史在你我身邊》等(北京：三聯書店，1997–2014)。

丁東，歷史學者。1951年生於上海，1982年畢業於山西大學歷史系。在山西社會科學院退休，現居北京。著有《反思歷史不宜遲》(上海：三聯書店，1999)；《精神的流浪：丁東自述》(北京：中國文聯出版社，2000；人民日報出版社，2012)等書；編有《閱讀文革》(香港：時代國際出版有限公司，2011)等書。

陳意新，美國聖路易斯華盛頓大學博士，現任美國北卡羅來納大學威爾明頓校區歷史系副教授，研究興趣為20世紀中國社會經濟史，主要領域為農村社會經濟史。已發表中英文論文二十多篇，其中〈冷戰與中國的糧食生產，1957–1962〉(“Cold War Competition and Food Production in China, 1957–1962”)獲《農業史》(*Agricultural History*)雜誌2009年最佳論文獎(Vernon Carstensen Memorial Award for Best Article)；中文論文發表於《中國社會科學》、《歷史研究》、《中國經濟史研究》等雜誌。目前正在進行一項關於大躍進饑荒省際差異的研究。

楊繼繩，獨立當代中國史研究者。1966年畢業於北京清華大學，1967至2001年任新華通訊社記者。退休後任《炎黃春秋》雜誌社副社長十二年。主要著作有《鄧小平時代：中國改革開放二十年紀實》(北京：中央編譯出版社，1998)；《中國社會各階層分析》(香港：三聯書店，2000)；《中國改革年代的政治鬥爭》(香港：Excellent Culture Press，2004)；《墓碑——中國六十年代大饑荒紀實》，上、下冊(香港：天地圖書有限公司，2008)；《天地翻覆——中國文化大革命史》，上、下冊(香港：天地圖書有限公司，2016)。《墓碑》有英、法、德、日等多種譯本，獲得多項國際獎項。

印紅標，文革學者。北京大學國際關係學院教授，先後於吉林大學和北京大學取得學士及博士學位。其他教學和研究領域包括：中共黨史及中華人民共和國史、香港澳門和華僑華人研究。曾赴荷蘭阿姆斯特丹大學、美國斯坦福大學、台灣政治大學、日本大學、維也納大學等訪學。代表作有《失蹤者的足跡——文化大革命期間的青年思潮》(香港：中文大學出版社，2009)。

潘鳴嘯(Michel Bonnin)，文革研究專家。法國社會科學高等研究院教授，香港中文大學兼任客座教授。1970年代起在香港採訪偷渡知青，一直從事相關研究至今。1991年在香港創立法國現代中國研究中心以及《神州展望》(*China Perspectives*)雜誌(法文版及英文版)，任該中心主任及雜誌社長至1998年。曾任清華大學社會科學學院中法研究中心主任。主要著作有《失落的一代：中國的上山下鄉運動，1968–1980》，法文版(Paris: Editions de l'EHESS, 2004)；繁體中文版及英文版(香港：中文大學出版社，2009、2013)；簡體中文版(北京：中國大百科全書出版社，2010)。

王克明，1952年出生，曾在陝北余家溝村插隊十年，當過生產隊長、大隊書記等。現在主要從事陝北方言和民俗文化歷史繼承性的研究，著有《聽見古代——陝北話裏的文化遺產》(北京：中華書局，2007)等，並與宋小明合編文革反思文集《我們懺悔》(北京：中信出版社，2014)。

何蜀，文革研究及資料編撰者。文革研究網刊《昨天》主編。1964年初中畢業後因家庭出身不得進入高中，十七歲起先後做過築路工、代課教師，二十四歲進鋼廠，做過冶煉工、描圖員、廠技工學校教師。1981年秋調重慶人民廣播電台任編輯，後獲得廣播電視大學文憑。1989年參與創辦《紅岩春秋》雜誌。2008年退休後從事民間文革研究網刊編輯。著有《為毛主席而戰——文革重慶大武鬥實錄》(香港：三聯書店，2010)。

宋永毅，文革研究學者，當代中國史史料專家，美國加州州立大學洛杉磯分校教授、圖書館員。主要英文著作有：與孫大進合著《文化大革命：文獻索引，1966–1996》(*The Cultural Revolution: A Bibliography, 1966–1996*) (Cambridge, MA: Harvard-Yenching Library, Harvard University, 1998)；與郭建、周原合著《中國文化大革命歷史詞典》(*Historical Dictionary of the Chinese Cultural Revolution*) (Lanham, MD: Scarecrow Press, 2006; Rowman & Littlefield, 2015) 等，主要中文著作有：《新編紅衛兵資料(各省市)》，五十二卷(奧克頓：中國研究資料中心，2005)；《廣西文革機密檔案資料》，三十六卷(紐約：明鏡出版社，2016)；主編中國當代政治運動史四種大型數據庫(美國：哈佛大學費正清中國研究中心；香港：香港中文大學中國研究服務中心，2002–2015)。 曾獲美國21世紀國家圖書館員獎(21st Century Librarian National Award)和美國圖書館協會的勇氣獎(Paul Howard Award for Courage)等多個獎項。

李遜，獨立歷史學者。1979至1992年間，先後在上海市總工會、上海市總工會工運研究所工作。主要著作有《革命造反年代——上海文革運動史稿》，上、下冊(香港：牛津大學出版社，2015)；與裴宜理(Elizabeth J. Perry)合著《無產階級的力量：文革中的上海》(*Proletarian Power: Shanghai in the Cultural Revolution*) (Boulder, CO: Westview Press, 1997)。

丁凱文，居美獨立文革研究者。曾任中國社會科學院近代史研究所助理研究員。主編《重審林彪罪案》(紐約：明鏡出版社，2004)；《百年林彪》(紐約：明鏡出版社，2007)；與司馬清揚合著《找尋真實的林彪》(香港：中國文革歷史出版社，2011)；著有《解放軍與文化大革命》(紐約：明鏡出版社，2013)。主持「林彪 軍隊 文革」網站(www.linbiao.org)，兼任網絡刊物《華夏文摘．文革博物館》編輯。

魏昂德(Andrew G. Walder)，斯坦福大學教授、社會學家，發表了諸多關於文革和毛澤東時代中國人生活的著作。著有《斷裂的造反：北京的紅衞兵運動》(*Fractured Rebellion: The Beijing Red Guard Movement*) (Cambridge, MA: Harvard University Press, 2009)；《毛澤東治下的中國：一場脱軌的革命》(*China under Mao: A Revolution Derailed*) (Cambridge, MA: Harvard University Press, 2015)等。

馮客(Frank Dikötter)，荷蘭學者，中國歷史學家。現任香港大學歷史系講座教授，教授中國近代史。著有「人民三部曲」(People's Trilogy) (New York: Bloomsbury Press, 2013, 2010, 2016)，意在補足西方漢學的盲點。三部曲中的第一冊《解放的悲劇：中國革命史1945–1957》(*The Tragedy of Liberation: A History of the Chinese Revolution, 1945–1957*)，入圍2014年歐威爾獎(Orwell Prize)；第二冊《毛澤東的大饑荒：1958–1962年的中國浩劫史》(*Mao's Great Famine: The History of China's Most Devastating Catastrophe, 1958–1962*)，榮獲2011年塞繆爾．約翰遜獎(Samuel Johnson Prize)；第三冊為《文化大革命：人民的歷史，1962–1976》(*The Cultural Revolution: A People's History, 1962–1976*)。另有繁體中文譯本(台北：聯經出版事業公司，2018、2016；印刻文學，2012)。

周孜仁，民間中國當代史研究者，作家。雲南老年網絡大學校長。1961年考入重慶大學，文革中為大學造反派核心人物。1968年因文革小報案受審查，發配雲南邊疆。1969年末起，任雲南省革委會主任譚甫仁辦公室秘書等職務。1975年下放勞動，1990年代經商，2000年後回昆明從事老年教育。主要著作有《紅衛兵小報主編自述——中國文革四十年祭》（沃斯堡：溪流出版社，2006）；《歲月回望錄：紅衛兵小報主編的家族追憶》（台北：要有光，2013）；《雲南文革筆記》（台北：獨立作家，2015）等，並發表過多篇報刊及網絡文章。

王復興，居美退休人士，民間文革研究者。1965年畢業於北京四中，1970年畢業於北京大學歷史系。1981至2003年在香港經商。著有《搶救記憶——一個北大學生的文革回憶錄》（蒙哥馬利：美國南方出版社，2016）。

秦暉，清華大學歷史系教授。1981年畢業於蘭州大學，獲歷史學碩士。曾任職於陝西師範大學。主要著作包括：《政府與企業以外的現代化——中西公益事業史比較研究》（杭州：浙江人民出版社，1999）；《問題與主義：秦暉文選》（長春：長春出版社，1999）；《傳統十論——本土社會的制度、文化及其變革》（上海：復旦大學出版社，2003）；《市場的昨天與今天：商品經濟·市場理性·社會公正》（廣州：廣東教育出版社，1998；北京：東方出版社，2012）；《走出帝制：從晚清到民國的歷史回望》（北京：群言出版社，2015）；與蘇文合著《田園詩與狂想曲：關中模式與前近代社會的再認識》（北京：中央編譯出版社，1996）。